Phébus *libretto*

MARY ANNE

DAPHNÉ DU MAURIER

MARY ANNE

roman

Traduit de l'anglais par
DENISE VAN MOPPÈS

Phébus *libretto*

L'ÉDITEUR TIENT A REMERCIER
OLIVIER THOMAS
QUI A ATTIRÉ SON ATTENTION SUR CET OUVRAGE

Illustration de couverture :
Sir Edwin Landseer
Eos (détail)
The British Royal Collection

Titre original de l'ouvrage en anglais :
Mary Anne
© 1954 by Daphné du Maurier

Pour la traduction française :
© Éditions Albin Michel, Paris, 1954

Pour la présente édition :
© Éditions Phébus, Paris, 1995

A la mémoire de ma trisaïeule,
MARY ANNE CLARKE
morte à Boulogne, le 21 juin 1852.

REMERCIEMENTS

Mes remerciements à Sir Walter Peacock pour ses écrits sur Mary Anne Clarke, qui m'ont fourni de nombreuses et précieuses informations; à Oriel Malet pour les longues heures passées au British Museum et au Public Record Office; et, surtout, à Derek Pepys Whiteley pour ses inlassables recherches à travers livres, papiers et documents de l'époque et pour ses très utiles conseils concernant les ouvrages à consulter.

PREMIÈRE PARTIE

CHAPITRE I

Bien des années plus tard, quand elle les eut quittés, quand elle eut disparu de leur vie, ce qu'ils se rappelaient d'elle, c'était son sourire. Les couleurs et les traits se perdaient dans les brumes du souvenir. Les yeux étaient bleus, certes, mais ils auraient aussi bien pu être verts ou gris. Et les cheveux, noués à la grecque, ou ramenés en boucles sur le sommet de la tête, étaient-ils châtains ou brun clair ? Le nez, lui, était rien moins que grec, cela était avéré, car il pointait vers le ciel, et la forme exacte de la bouche n'avait jamais eu beaucoup d'importance, ni à l'époque, ni ensuite.

L'essence de ce qui avait été ce visage résidait dans le sourire. Il commençait au coin gauche de la bouche et flottait un instant, raillant avec impartialité ceux qu'elle chérissait le plus – sa famille y compris – et ceux qu'elle méprisait. Et, tandis qu'ils attendaient, mal à l'aise, un lazzi ou une insolence, le sourire gagnait les yeux, transfigurant tout le visage, l'illuminant de gaieté. Rassurés, ils baignaient dans sa chaleur et partageaient sa folie, et il n'y avait aucune affectation intellectuelle dans le rire qui suivait, faubourien, truculent, charnel.

Voilà ce qu'ils se rappelaient après tant d'années. Le reste était oublié. Oubliés les mensonges, les tromperies, les soudains éclats de colère. Oubliées la violence, l'extravagance, la générosité absurde, la langue caustique. Seule sa chaleur demeurait, et sa joie de vivre.

Ils s'en souvenaient, chacun pour soi, masques marqués d'ombre, indistincts les uns pour les autres. Bien que les chemins de certains d'entre eux se fussent croisés, il n'y avait pas entre eux d'amitié, le lien qui les unissait était involontaire.

Chose curieuse, les trois êtres qu'elle avait le plus aimés disparurent à un an l'un de l'autre, et le quatrième ne s'attarda pas longtemps après eux. Chacun d'eux, avant de mourir, revit son sourire. Ils entendirent le rire robuste et clair retentir sans rien de spectral dans quelque caisse de résonance de leur cerveau ; et le souvenir, comme une hémorragie soudaine, inonda leur pensée.

Son frère, Charles Thompson, partit le premier, car il manquait de patience. Il en avait toujours manqué, et dès l'époque où, petit garçon, il tendait les mains vers elle en disant : « Emmène-moi, ne me laisse pas. » Il s'était alors confié à elle pour toujours et, jamais, en son enfance, ou à l'âge adulte, il ne se libéra d'elle, ni elle de lui, pour leur plus grand malheur à tous les deux.

La fin de tout vint pour lui après une dispute de cabaret où il s'était vanté comme d'habitude, parlant du temps où il était le plus brillant capitaine de tout son régiment, et proposé pour l'avancement. La vieille antienne fut débitée une fois de plus : sa mauvaise santé, l'hostilité de son colonel, la jalousie des autres officiers, l'injustice flagrante du tribunal militaire, et, pour couronner le tout, la mesquinerie du commandant en chef qui cherchait, en déshonorant le frère, à se venger de la sœur.

Il regarda autour de lui, en quête d'approbation, mais on l'écoutait à peine. Tout cela était de l'histoire ancienne et n'intéressait plus personne. Les assistants lui tournèrent le dos et remplirent leurs verres. Charles Thompson se mit à frapper le sien sur la table, une tache colérique montait à ses pommettes, il dit : « Écoutez-moi, nom de Dieu ! Je peux vous raconter sur la famille royale des choses que vous ne soupçonnez pas. Si vous saviez tout, vous rejetteriez toute la Maison de Brunswick de l'autre côté de la Manche. »

Un des assistants, qui se rappelait des événements vieux de seize ans ou plus, fredonna tout bas un refrain grossier qu'on chantait alors dans les rues de Londres, peu flatteur pour la sœur de Charles. L'homme n'y mettait pas malice, il ne voulait qu'amuser. Charles Thompson prit la chose autrement. Il se leva et frappa l'homme sur la bouche, la table se renversa, Charles frappa quelqu'un d'autre et tout fut confusion, vacarme, jurons, jusqu'au moment où il se retrouva dans la rue, du sang sur la joue et les sarcasmes de ses anciens compagnons dans les oreilles.

La lune brillait et le dôme de Saint Paul se découpait nettement sur le ciel. Sans qu'il y pensât, un sens de l'orientation longtemps endormi le conduisit à travers un labyrinthe de ruelles vers la vieille maison de leur enfance dont il aurait nié l'existence devant ses compagnons de cabaret, ou à laquelle il aurait, comme l'avait fait si souvent sa sœur, inventé un autre décor, la campagne d'Oxford, par exemple, ou même l'Écosse. Elle était là, pourtant, sombre, serrée entre ses sœurs, au bout de l'impasse de Bowling Inn, sans même un rayon de lune pour éclairer les fenêtres où ils avaient collé leurs nez d'enfants en faisant des projets d'avenir. La maison était toujours habitée. Il entendit des pleurs d'enfant, une voix de femme, lointaine et agacée, puis la porte de la sombre maison s'ouvrit; quelqu'un sortit et vida un baquet d'ordures sur le pavé en criant des injures par-dessus son épaule.

Charles Thompson s'enfuit, entouré de fantômes. Les fantômes le suivirent par les rues jusqu'au fleuve, où la marée montait haut et vite dans le bassin de Londres. Il songea qu'il n'avait ni argent ni avenir, et qu'elle n'était plus auprès de lui. Le sang qu'elle aurait essuyé sur son visage lui coulait dans la bouche.

Des enfants, pataugeant dans la vase, le découvrirent, mais bien longtemps après.

Ce fut William Dowler, l'ami fidèle de cette femme vingt-cinq ans durant, qui identifia le cadavre de Charles Thompson. Il était malade alors, mais fit exprès le voyage de Brighton à Londres, une lettre de ses hommes d'affaires l'ayant avisé de la découverte faite dans la Tamise. Certains détails répondaient à la description du frère disparu, et Dowler, en sa qualité de fondé de pouvoir, vint accomplir la pénible besogne. Il n'avait jamais beaucoup aimé Thompson, et il songeait, en contemplant tout ce qui restait de lui dans cette morgue, à la façon différente dont la vie eût pu tourner pour la sœur si le frère s'était noyé dix-sept ans plus tôt, à l'époque où il avait été obligé de quitter l'armée. Différente pour Dowler également. Elle se serait appuyée sur lui dans son chagrin, et il aurait pu l'emmener, lui faire oublier tout cela, au lieu de quoi, l'amertume et la rancune l'avaient poussée à la vengeance. Il gisait donc là, l'objet de tant d'alarmes. Son « précieux frère », comme elle l'appelait, son « garçon chéri ».

De retour à Brighton, Dowler se demanda si son antipathie pour Thompson avait toujours été faite de jalousie. Il avait accepté ses nombreux amis, ceux-ci ne comptaient guère : sycophantes, pour la plupart, la courtisant pour ce qu'ils pouvaient tirer d'elle. Un ou deux avaient joui davantage peut-être de son intimité, mais il avait fermé les yeux. Quant au duc, la première émotion passée, Dowler en était venu à considérer cette liaison comme de simple utilité, comme une affaire commerciale. Rien de ce qu'il eût pu lui dire, d'ailleurs, ne l'aurait arrêtée.

« Je t'ai prévenu que je visais haut, lui avait-elle déclaré, et j'ai mis dans le mille. Mais j'aurai toujours besoin de toi dans la coulisse. »

Il était resté dans la coulisse. Il paraissait quand elle l'appelait. Il lui donnait des conseils qu'elle ne suivait jamais. Il payait ses factures quand le duc oubliait de le faire. Il allait reprendre les diamants qu'elle avait mis en gage. Il avait accepté la suprême humiliation de reconduire les enfants au collège tandis que la mère accompagnait Son Altesse Royale à Weybridge.

Pourquoi l'avait-il fait ? Quel avantage avait-il retiré de tout cela ?

Fixant des yeux les vagues qui se brisaient paisiblement sur la plage de Brighton, William Dowler songeait aux semaines qu'ils avaient passées là tous les deux, avant que le duc eût fait son entrée en scène. Certes, elle était déjà alors en quête de gibier – Pied-Bot Barrymore et les nobles conducteurs des attelages à quatre, les Diables à Quatre, comme on les appelait – mais il était trop amoureux pour le remarquer ou s'en soucier.

Hampstead avait été leur séjour le plus heureux. Elle avait besoin de lui alors, elle courait du chevet de son enfant malade, dans ses bras. Plus tard, quittée par le duc, elle avait eu encore besoin de Dowler. Hampstead retrouvé, il avait cru qu'elle n'avait plus de pensées que pour lui. Mais savait-on jamais avec cet esprit agité ?

Était-ce le cœur, enfin, qui l'avait poussée cette nuit-là à l'hôtel Reid, une heure à peine après qu'il avait débarqué de Lisbonne, encore mal remis du désordre et de la fatigue du voyage ? Elle avait jeté une mante sur ses épaules. « Tu es resté parti beaucoup trop longtemps, lui avait-elle dit. J'ai tant besoin de ton aide ! » Ou bien avait-elle adroitement calculé sa visite pour le surprendre sans défense, connaissant sa faiblesse pour elle, certaine, dans son âme intuitive, qu'il serait le meilleur témoin qu'elle pût souhaiter à la barre de la Chambre des communes ?

Il n'y avait pas de réponse à cela, pas plus qu'aux autres questions. Qu'importe ! Le sourire restait. William Dowler cessa de contempler la mer et, se retournant, se trouva parmi les promeneurs, soudain immobiles, chapeau bas, tandis que, semblable à un écho du passé, une calèche passait occupée par un vieux monsieur obèse et une petite fille.

C'était le duc d'York et sa nièce, la princesse Victoria. Le duc avait vieilli, ces derniers temps, il paraissait beaucoup plus que ses soixante-deux ans. Pourtant, c'était toujours le même teint coloré, la même attitude raide et martiale, la main levée en réponse aux saluts des badauds. Dowler le vit se pencher en souriant vers l'enfant qui le regardait, rieuse, et, pour la première fois de sa vie, il éprouva un sentiment de compassion envers l'homme autrefois envié.

Il y avait quelque chose de pitoyable chez ce vieux viveur assis dans sa calèche en compagnie d'une enfant, et Dowler se demanda s'il se sentait très seul. L'on racontait qu'il ne pouvait se consoler de la mort de sa dernière maîtresse, la duchesse de Rutland, mais l'on racontait n'importe quoi, Dowler ne le savait que trop. Il y avait plus de vraisemblance dans la rumeur qui disait le duc condamné à brève échéance à mourir d'hydropisie. Quand cela arriverait, les journaux les plus grossiers racleraient à nouveau la boue de la Commission d'enquête, et, dans une colonne voisine de la chronique nécrologique encadrée de noir, Dowler lirait, une fois de plus, le nom souillé qui lui avait été cher.

Il s'épargna cette épreuve en mourant quatre mois tout juste avant le duc, et ce fut le duc qui lut la nécrologie de Dowler, découverte par hasard dans les pages d'un numéro du *Gentleman's Magazine*. Il était assis dans la bibliothèque de sa maison d'Arlington Street, vêtu d'une robe de chambre grise, ses jambes enflées et emmaillotées étendues sur une chaise devant lui. Il avait dû s'endormir, il se fatiguait vite depuis quelque temps bien qu'il ne l'avouât point, même à Herbert Taylor, son secrétaire particulier, mais tout le monde lui disait qu'il était très malade et devait se ménager, depuis le roi son frère jusqu'à ces médecins incapables qui venaient tous les matins fourrer leur nez dans ses maux.

Dowler... Que disait le magazine ? « On annonce la mort de William Dowler, Esq., ancien intendant aux Armées de Sa Majesté, survenue à Brighton le 7 septembre dernier. » Le duc n'était plus à présent impotent, inerte, dans Rutland's House, Arlington Street, mais debout dans le vestibule d'une maison de Gloucester Place, débouclant son ceinturon, le jetant à Ludovic et remontant l'escalier quatre à quatre, tandis qu'elle lui criait de l'étage « Monseigneur, voilà des heures que je vous attends ! » La petite cérémonie ne signi-fiait rien, c'était au cas où les domestiques entendraient. Pendant qu'elle lui faisait sa drôle de révérence (elle adorait la comédie et n'y manquait jamais, quel que fût le costume où il la surprenait, robe de bal ou chemise de nuit), il ouvrait la porte d'un coup de pied, et la refermait de même derrière lui. D'un bond, elle était dans ses bras, et elle déboutonnait le col de sa tunique.

– Qui t'a retenu cette fois ? Les gardes ou Saint James ?

– Les deux, ma chérie. N'oublie pas que nous sommes en guerre...

– Je ne pense qu'à ça. Tu expédierais tes affaires plus prompte-ment si tu avais gardé Clinton comme aide de camp au lieu de prendre Gordon.

– Tu devrais venir diriger mon bureau.

– Voilà six mois que je le dirige, de la coulisse. Dis à ton tailleur qu'il fait ses boutonnières trop petites, je m'y casse les ongles.

Dowler... William Dowler... C'était ce type. Il lui avait trouvé un poste à l'Intendance. Ravitaillement, Commandement des régions de l'Est. Il se rappelait même la date, juin ou juillet 1805.

– Bill Dowler est un très vieil ami, monseigneur, avait-elle dit. S'il obtient cette nomination, il saura me témoigner sa reconnais-sance.

Il était à ce moment dans une agréable torpeur. C'était là l'effet fatal du dernier verre de porto. La jolie tête sur son épaule y était aussi pour quelque chose.

– Comment te la témoignera-t-il ?

En faisant ce que je lui ordonnerai. En payant la note du bou-cher, par exemple... Elle attend depuis trois mois. C'est même pour cela qu'on t'a servi du poisson à dîner.

Dieu ! Comme l'écho de son rire remontait vivant du passé. Ici,

soudain, à Arlington Street qui, pourtant, ne renfermait aucun souvenir d'elle... Il le croyait enfoui depuis longtemps, ce souvenir,
parmi la poussière et les toiles d'araignées, dans la maison déserte
de Gloucester Place.

Il était apparu à la Commission d'enquête que Dowler lui avait
donné mille livres pour cette nomination et était son amant par
intermittence depuis des années. C'est ce qu'on disait. Il n'y avait
probablement pas un mot de vrai. Qu'importait à présent ? La tempête qu'elle avait déchaînée dans sa vie n'avait été que passagère. Il
y avait survécu. Et il n'avait jamais connu une femme qui lui allât
à la cheville ; pourtant, Dieu sait s'il avait essayé d'en trouver une !
Il leur manquait à toutes ce je-ne-sais-quoi qui rendait inoubliables
les brèves années de Gloucester Place. Il s'y rendait vers le soir,
après une interminable journée passée au quartier général, et elle
lui faisait oublier toutes les déceptions, les obstructions, les agace-
ments inséparables de ses fonctions de commandant en chef d'une
armée cinquante fois plus petite que celle de l'ennemi. (A lui tous
les reproches et jamais un éloge ; cela n'avait pas été facile, pourtant, de se débattre avec une bande d'incapables pour organiser la
défense du pays tandis que l'ennemi, tapi de l'autre côté de la
Manche, attendait le moment propice à l'invasion) mais, dès qu'il
était dans cette maison, l'irritation tombait de lui, il se détendait.

Comme elle le nourrissait bien ! Elle savait qu'il détestait les
dîners d'apparat. Tout, chez elle, était parfait. Après le souper, il
avait la permission de s'étendre devant un beau feu en buvant du
brandy tandis qu'elle le faisait rire par toutes sortes de folies. Il se
rappelait jusqu'à l'odeur de la pièce, le léger désordre qui régnait
partout et en augmentait l'intimité : ses essais de peinture étalés sur
la table – elle était toujours en train de prendre des leçons d'une
chose ou d'une autre –, la harpe dans le coin, le pantin ridicule rapporté de quelque mascarade perché dans le lustre où elle l'avait
lancé.

Pourquoi cela avait-il fini ? Parce que c'était trop beau pour
durer, ou bien parce que ce touche-à-tout d'Adam avait tout gâché
en se mêlant de cette affaire ? Était-ce la faute du mari, cet ivrogne
gâteux ? Il avait dû probablement finir dans le ruisseau. Il devait
être mort, à présent. Tout le monde était mort ou mourant. Lui-

même se mourait. Il tira la sonnette pour appeler Batchelor, son
valet de chambre.

– Qu'est-ce que j'entends dans la rue ?

– On étend de la paille dans Piccadilly, monseigneur, pour que le
bruit des voitures ne dérange pas Votre Altesse. Ce sont les ordres
de Sir Herbert Taylor.

– Quelle sottise ! Dis-leur d'arrêter. J'aime bien le bruit des voitures. J'ai le silence en horreur.

Il y avait une caserne derrière Gloucester Place. Ils regardaient,
par la fenêtre de son cabinet de toilette, les gardes du corps défiler
à cheval. Cette maison était toujours pleine de vie, de rires ; il y
avait toujours quelque chose dans l'air. Elle chantait en se coiffant,
elle appelait ses enfants auxquels on abandonnait l'étage supérieur
quand ils habitaient chez elle ; elle criait après sa femme de
chambre qui n'avait pas sorti les souliers qu'elle voulait. Jamais
de silence, comme ici, jamais de mort.

Et ce vieil idiot de Taylor qui ordonnait qu'on étalât de la paille
dans Piccadilly…

Le mari que le duc d'York avait traité d'ivrogne gâteux préférait,
lui, la paix des champs aux bruits de la ville. On tombait plus moel-
leusement dans l'herbe que sur le trottoir. Il ne tombait d'ailleurs
pas si souvent ; Sutherland, le fermier qui le logeait et le soignait si
bien, y veillait. Il gardait le whisky sous clef. Mais Joseph Clarke
avait sa petite provision cachée sous le plancher de sa chambre.
Parfois, quand la mélancolie le prenait – les hivers étaient longs à
Caithness –, il se donnait ce qu'il appelait une petite fête à lui tout
seul, et quand il commençait à s'échauffer, mais encore dans la première phase de l'ivresse, il buvait solennellement à la santé de Son
Altesse Royale le commandant en chef. « Il n'est pas donné à tout le
monde, disait-il tout haut, d'être cocufié par un prince de sang. »

Malheureusement, cette humeur ne durait pas. L'apitoiement sur
lui-même suivait. Il aurait pu réussir brillamment, mais le sort
s'était acharné contre lui. Il avait eu de la malchance depuis le commencement jusqu'à la fin. Il connaissait bien sa valeur, mais il
n'avait jamais eu l'occasion de la prouver. Aujourd'hui encore, si

quelqu'un lui avait mis dans la main un ciseau et un marteau et l'avait posté devant un bloc de granit de six pieds de haut, ou de six pieds trois pouces, de la taille du commandant en chef, il aurait... il aurait créé le chef-d'œuvre qu'elle lui avait toujours réclamé. Ou alors, briser la pierre, la mettre en miettes, et finir le whisky.

Il y avait beaucoup trop de granit à Caithness, d'ailleurs. Il y avait du granit dans toute la province. C'est pour cela qu'il avait été envoyé là, pour commencer. « Vous étiez tailleur de pierre ? n'est-ce pas ? Eh bien, allez-y » Tailleur de pierre ? Que non ! Artiste, sculpteur, rêveur de rêves. Tout cela, et une bouteille de whisky par-dessus le marché.

Oui, elle avait eu le front de comparaître à la Chambre des communes et de déclarer à l'attorney général et devant toute l'assemblée qu'il n'était qu'un rien du tout.

– Votre mari est-il vivant ?

– J'ignore s'il est vivant ou mort. Il ne m'est rien.

– Avait-il un métier ?

– C'était un rien du tout. Un homme.

On avait ri à ses paroles. C'était dans le journal. On avait acheté et lu. On avait ri. Un rien du tout, un homme...

Il oublia l'injure au troisième verre de whisky. Il ouvrit toute grande la fenêtre pour que le brouillard de l'Écosse remplît la chambre froide, s'étendit sur son lit, regarda le plafond, et, au lieu des têtes de saints qu'il aurait pu sculpter, sereins, austères, les yeux aveugles levés vers le ciel, il vit son sourire, il entendit son rire, elle lui tendait la main dans le jeune matin devant la petite église de Saint Pancras.

– Il se passe quelque chose de terrible, dit-il. J'ai oublié la licence de mariage.

– Je l'ai, répondit-elle. Et il faut un second témoin, j'y ai pensé également.

– Qui est-ce ?

– Le fossoyeur du cimetière de Saint Pancras. Je lui ai donné deux shillings pour sa peine. Dépêche-toi. On nous attend.

Elle était si excitée qu'elle avait signé avant lui sur le registre. Elle avait seize ans ce jour-là.

Un rien du tout, un homme. Lui aussi eut son article nécrologique.

24 MARY ANNE

Ni dans le *Times*, ni dans le *Gentleman's Magazine* mais dans *John O'Groates Journal*.

« Est décédé le 9 février 1836 dans la maison de Mr Sutherland à Bylbster, paroisse de Wattin, Mr J. Clarke, que l'on disait généralement être le mari de la célèbre Mary Anne Clarke, dont on n'a pas oublié le rôle dans le procès de son Altesse royale le duc d'York. J. Clarke faisait depuis un certain temps preuve d'intempérance, circonstance qui, jointe à ses malheurs domestiques, avait visiblement troublé ses esprits. L'on aurait retrouvé parmi ses effets plusieurs volumes portant le nom de Mary Anne Clarke. »

Ainsi disparut le dernier lien, poussé vers l'éternité dans des vapeurs d'alcool, et rien ne demeure d'aucun d'eux que des paquets de lettres, des brochures licencieuses et de vieux comptes rendus dans des journaux jaunis. Mais la souriante jeune femme se rit d'eux jusqu'à la fin. Ce n'était pas un fantôme, ni un souvenir, ni une figure imaginaire aperçue au fond d'un rêve depuis longtemps évanoui, brisant le coeur de ceux qui avaient été assez fous pour l'aimer. A soixante-seize ans, assise à sa fenêtre, à Boulogne, elle regardait vers l'Angleterre qui l'avait oubliée. Sa fille préférée était morte, l'autre vivait à Londres, et les petits-enfants qu'elle avait bercés quand ils étaient bébés avaient honte d'elle et ne lui écrivaient jamais. Le fils qu'elle adorait avait sa vie à lui. Les hommes et les femmes qu'elle avait connus étaient tombés dans l'oubli.

C'est elle qui rêvait…

Le plus lointain souvenir de Mary Anne était celui de l'odeur de l'encre d'imprimerie. Bob Farquhar, son beau-père en ramenait le soir sur ses vêtements, et sa mère et elle avaient le soin de la lessive. Elles avaient beau frotter, les taches demeuraient et les manchettes de Bob n'avaient jamais l'air propre. Lui non plus d'ailleurs n'avait jamais l'air propre, et sa femme qui était très nette et soignée l'en gourmandait continuellement. Il se mettait à table avec de l'encre aux doigts, l'encre pénétrait jusque sous les ongles qu'elle endeuillait, et Mary Anne, vive et éveillée, remarquait l'expression peinée sur le visage de sa mère, pâle visage de martyre résignée. Mary Anne, qui aimait beaucoup son beau-père et ne voulait pas qu'on le tourmentât, pinçait un de ses frères sous la table pour le faire crier et provoquer une diversion.

« Taisez-vous, disait Bob Farquhar, je ne m'entends pas manger. » Il enfournait bruyamment les aliments dans sa bouche, tandis que sa main gauche tirait de sa poche un bout de crayon et un rouleau d'épreuves encore humides et sentant l'encre fraîche, et il continuait de manger tout en corrigeant les feuillets, l'odeur de l'encre mêlée à la vapeur des sauces.

C'est ainsi que Mary Anne apprit à lire. Les mots la fascinaient, la forme des lettres, l'importance plus grande de celles qui revenaient plus souvent. Il y avait aussi des différences de sexe. Les *a*, les *e*, les *u* étaient femmes ; les *g*, les *b*, les *q*, plus durs, étaient des hommes, et ils avaient besoin des premières.

« Qu'est-ce que ça veut dire ? Lis ! » disait-elle à Bob Farquhar,

et le beau-père, bon compagnon, facile à vivre, passait son bras
autour des épaules de la petite et lui montrait comment les lettres
composaient des mots et ce qu'on pouvait en faire. Tel fut son abé-
cédaire, car les livres de sa mère avaient été vendus depuis longtemps avec quelques autres objets personnels pour compléter le
maigre salaire que Bob Farquhar gagnait chez Mr Hughes, imprimeur. Mr Hughes publiait des feuilles plus ou moins subversives,
œuvres de quelques scribouillards anonymes, à un penny la page.

Mary Anne, donc, à l'âge où les autres enfants apprennent le
catéchisme ou lisent des proverbes, assise sur le seuil d'une maison
encombrée, au fond de l'impasse de Bowling Inn, épelait des
attaques contre le gouvernement, des révélations sur la politique
extérieure, des louanges hyperboliques ou de violentes dénoncia-
tions des hommes au pouvoir, le tout mêlé à une mare de boue, de
scandales, et d'allusions perfides.

« Occupe-toi des garçons, Mary Anne, et surveille le dîner »,
criait sa mère, nerveuse et lasse, et la petite fille reposait les feuillets
humides que son beau-père lui avait laissés, et, quittant la pierre du
seuil, s'en allait faire la vaisselle du petit déjeuner ou du repas, quel
qu'il fût, dont sa mère, une fois de plus enceinte, n'avait pas le cœur
d'affronter les reliefs ; tandis que son frère Charley vidait le pot de
confitures et que George et Eddie, les deux demi-frères, se traînaient par terre entre ses jambes.

« Soyez sages et je vous emmènerai promener », leur disait-elle,
mais à voix basse afin que leur mère ne l'entendît pas de l'étage au-
dessus. Un peu plus tard, la vaisselle faite, le couvert du prochain
repas mis, la mère bordée dans son lit pour la sieste, Mary Anne
soulevait un des garçons et l'installait sur sa hanche, prenait la
main d'un autre et laissait le troisième suivre derrière, accroché à sa
jupe. Ils s'en allaient ainsi, quittaient l'impasse que ne visitait
jamais le soleil, traversaient le labyrinthe des ruelles voisines,
débouchaient dans Chancery Lane et descendaient Fleet Street.

C'était un autre monde, et qu'elle aimait, plein de couleurs, de
bruits, d'odeurs, d'autres odeurs que celles de l'impasse. Ici, les
gens se bousculaient sur les trottoirs, les voitures roulaient en grondant vers Ludgate Hill et Saint Paul, les charretiers faisaient claquer leurs fouets et criaient en dirigeant leurs chevaux vers le bord

de la chaussée quand passait un coche dans des gerbes de boue. Ici, un beau monsieur descendait de sa chaise pour entrer chez un libraire tandis qu'une bouquetière lui mettait une botte de lavande sous le nez ; de l'autre côté de la rue, une charrette basculait, répandant pommes et oranges et renversant dans le ruisseau un musicien aveugle et un vieux rempailleur de chaises.

Les sons et les lourdes odeurs l'assaillaient par bouffées ; elle y plongeait, entraînée par le mouvement, l'agitation continuelle qui devait bien aboutir à quelque chose, mener quelque part, et pas seulement aux marches de Saint Paul où les garçons pouvaient jouer sans danger, à l'écart de la cohue qu'elle ne se lassait pas d'observer.

L'aventure était ici, là, partout. C'était une aventure que ce bouquet tombé du corsage d'une dame, elle le ramassait, l'offrait à un vieux monsieur qui lui donnait deux sous en lui caressant les cheveux. C'était l'aventure que de regarder la boutique du prêteur sur gages, que de grimper dans une carriole sous l'œil souriant du charretier, que de se battre avec des apprentis, que de flâner à la devanture du libraire et, lorsque celui-ci ne regardait pas, d'arracher les pages du milieu d'un volume pour les lire à loisir, car les clients éventuels ne feuilletaient jamais que le début et la fin d'un ouvrage.

Voilà ce qu'elle aimait, sans bien savoir pourquoi. Elle n'en parlait pas à sa mère qui l'en aurait désapprouvée et grondée.

Ces rues étaient école et terrain de jeux, institutrices et compagnes. Dans les rues, les pickpockets détroussaient les passants ; les mendiants demandaient l'aumône ; les marchandises, l'argent changeaient de mains ; on vendait des riens ; des hommes riaient, des hommes juraient, des femmes pleuraient, des femmes souriaient, des enfants tombaient sous les roues. Il y avait des gens vêtus de beaux habits, d'autres en haillons. Ceux-là étaient bien nourris, ceux-ci mouraient de faim. Pour ne pas être en haillons et ne pas mourir de faim, il fallait guetter, attendre, ramasser la pièce tombée sur le trottoir avant tout autre ; il fallait savoir courir, dissimuler, sourire au bon moment, se cacher un instant plus tard, garder ce qu'on avait, veiller au grain. L'important était de ne pas faire comme sa mère qui était faible, sans défense, perdue dans cet étrange monde londonien, et dont l'unique consolation était de parler du passé où elle avait connu des jours meilleurs.

Des jours meilleurs… Qu'est-ce que cela voulait dire ? Dormir dans la toile, avoir une servante, posséder des vêtements neufs, dîner à quatre heures ; toutes choses que l'enfant ignorait mais qui devenaient réelles à ses yeux à travers les récits de sa mère. Mary Anne voyait les jours meilleurs. Elle voyait la servante, elle voyait les vêtements, elle mangeait le dîner de quatre heures. La seule chose qu'elle ne comprenait pas, c'est que sa mère eût abandonné tout cela.

– Je n'avais pas le choix. J'étais veuve. Il fallait vous élever, Charley et toi.

– Comment cela : pas le choix ?

– Ton beau-père m'a demandé de l'épouser. Je ne pouvais rien faire d'autre. D'ailleurs, il était bon et gentil.

Les hommes ne dépendaient donc pas des femmes comme elle l'avait cru ; c'étaient les femmes qui dépendaient des hommes. Les garçons étaient fragiles, les garçons pleuraient, les garçons étaient tendres, et les garçons étaient incapables. Mary Anne le savait bien, car elle était la sœur aînée de ses trois frères, Isobel, la dernière née, ne comptait pas encore. Les hommes aussi étaient fragiles, les hommes aussi pleuraient, les hommes aussi étaient tendres, les hommes aussi étaient incapables, Mary Anne le savait bien car son beau-père, Bob Farquhar, était tout cela. Toutefois, les hommes allaient travailler ; c'étaient les hommes qui gagnaient l'argent ou le gaspillaient, comme faisait son beau-père, de sorte qu'on n'avait pas de quoi acheter des vêtements aux enfants et que sa mère calculait, économisait, ravaudait à la chandelle, et paraissait souvent à bout de forces. Il y avait une injustice quelque part. Quelque part, l'équilibre avait dû rompre.

« Quand je serai grande, j'épouserai un homme riche », disait-elle. Elle le dit un jour où ils étaient tous assis autour de la table pour le souper et non pas pour le dîner de quatre heures. On était en plein été et l'air chaud de l'impasse entrait par la porte ouverte dans une odeur d'égout et de légumes pourris. Son beau-père avait pendu son habit au dossier de sa chaise, il était en manches de chemise, de grands cernes de sueur visibles aux aisselles, des taches d'encre aux doigts comme d'habitude. Sa mère essayait de faire manger Isobel mais la petite, énervée par la chaleur, détournait la tête en pleurant. George et Eddie se donnaient des coups de pied sous la table. Charley venait de renverser la sauce sur la nappe.

Mary Anne les regarda tous l'un après l'autre, puis fit sa déclaration d'une voix décidée. Elle avait treize ans alors. Bob Farquhar rit et la regarda en clignant de l'œil.

– Il te faudra d'abord le dénicher, dit-il. Comment t'y prendras-tu ?

Pas de la manière dont sa mère avait dû le dénicher, lui, songea la fillette. Pas en attendant patiemment qu'on la demandât. Pas en devenant une machine à élever les enfants et à faire la vaisselle. Elle raisonnait ainsi dans sa tête, mais, comme elle aimait bien Bob Farquhar, elle lui rendit son sourire et son clin d'œil.

– En attrapant quelqu'un avant qu'il m'attrape, dit-elle.

La réponse ravit son beau-père. Il alluma sa pipe en riant. Sa mère était moins satisfaite :

– Je sais où elle prend ses façons de parler, c'est en t'accompagnant quand tu sors le soir et en vous écoutant parler, tes amis et toi.

Bob Farquhar haussa les épaules, bâilla et repoussa sa chaise.

– Quel mal y a-t-il à cela ? fit-il. Elle est maligne comme un singe et elle le sait. Ce n'est pas mauvais pour une fille.

Il jeta un rouleau d'épreuves d'imprimerie sur la table. Sa belle-fille l'attrapa au vol.

– Et si je tirais la queue du singe ? demanda-t-il.

– Le singe mord, répondit Mary Anne.

Elle parcourut des yeux les feuillets. Certains mots étaient longs et elle n'était pas très sûre de ce qu'ils voulaient dire, mais elle savait que son beau-père désirait qu'elle corrigeât les épreuves, car il mettait son habit et se dirigeait vers la porte en tirant au passage une de ses boucles folles.

– Tu ne nous as toujours pas dit où tu dénicheras ton riche épou-seur, fit-il taquin.

– C'est à toi de me le dire, rétorqua-t-elle.

– Eh bien, plante-toi sur le trottoir et siffle le premier gars qui te plaît. Tu auras qui tu voudras avec ces yeux-là.

– Oui, dit Mary Anne, mais le premier gars qui me plaira ne sera peut-être pas riche.

Elle l'entendit continuer à rire dans l'impasse en allant retrouver ses amis. Elle l'avait souvent accompagné et savait exactement ce qu'il allait faire : d'abord flâner dans les impasses et les cours à la rencontre de ses compères, puis faire un tour avec eux dans les rues, à rire, à plaisanter, à regarder les passants ; enfin, le petit groupe entrerait dans un cabaret et, avec animation et légèreté, discuterait les événements du jour.

La conversation des hommes valait mieux que celle des femmes. Ils ne parlaient jamais de nourriture, de bébés, de maladies, de chaussures à ressemeler, mais des gens, de ce qui se passait, des raisons des choses. Pas des affaires du ménage mais des affaires du pays. Pas des enfants de la voisine, mais des révolutionnaires en France. Pas de qui avait cassé la vaisselle, mais de qui avait rompu le traité. Pas de ce qui avait gâté le pot-au-feu, mais de qui avait découvert le pot aux roses. Un whig était un patriote ; une grenouille, un Français ; un tory, un traître ; une femme, une catin. Il y avait, dans leurs propos, des choses incompréhensibles, et d'autres absurdes, mais c'était toujours plus intéressant que de repriser les chaussettes de Charley. « A la bonne vôtre... A la bonne vôtre... » On trinquait cérémonieusement, on buvait et, à belles dents, on déchirait la réputation des gens en place, dans la fumée des pipes, tandis que des lambeaux de tout cela retombaient sur les genoux de l'enfant attentive. Pas ce soir, toutefois. Ce soir il y avait des bas à ravauder et des chemises à laver, les garçons à surveiller, la mère à consoler. Enfin, l'heure du coucher venue, lorsqu'elle s'asseyait près de la fenêtre pour regarder les épreuves qui devaient être tirées le lendemain, Charley paraissait encore à sa porte, Charley l'appelait :

– Mary Anne, raconte-moi une histoire...

– Je vais te donner un soufflet.

– Raconte-moi une histoire.

Tout était bon. Un roulement de tambour. Les cloches de Saint Paul. Le cri d'un ivrogne. Le boniment d'un marchand. Le rémouleur loqueteux qui allait de porte en porte en criant : « On rétame les pots et les casseroles. Pas de pots, de casseroles à rétamer ? », et trébuchait contre Eddie et George en train de faire naviguer un bateau en papier dans le ruisseau. Même le pauvre rétameur, que sa mère venait de mettre à la porte, pouvait être transformé en prince pour éblouir Charley.

– Raconte-moi l'histoire du bouton d'argent.

Le prince Charles avait perdu la bataille, vaincu par le duc de Cumberland. Elle ne parlait jamais de cela à sa mère, née Mackenzie. Un Mackenzie avait possédé le bouton d'argent d'un habit porté par le prince. Cela suffisait.

« Où il est le bouton ? » avait-elle demandé quand elle avait cinq ans. Sa mère l'ignorait. La branche des Mackenzie, à laquelle elle appartenait, était descendue vers le Sud et elle y était née. Ils n'étaient plus en relation avec le clan. Mary Anne avait inventé une légende qu'elle racontait à Charley : qu'ils retrouvent le bouton et la famille retrouverait sa fortune.

– Qu'est-ce qui arrivera quand on retrouvera le bouton, dis ?

– On aura des bougies partout.

Des bougies qui rempliraient la pièce de lumière et non de graisse comme les chandelles. Des bougies qu'on n'aurait pas besoin d'économiser et de brûler jusqu'au bout.

Mary Anne raconta à Charley l'histoire du bouton d'argent. Puis elle alluma la chandelle, et, tenant le rouleau d'épreuves à la main, se mit à lire tout haut, debout à côté du petit miroir fixé au mur, en écoutant sa prononciation. Sa mère lui avait dit qu'elle parlait mal et Mary Anne ne l'oubliait pas.

– Je parle mal. Pourquoi tu dis que je parle mal ? avait-elle demandé, sur la défensive.

– Ce n'est pas ta voix, ce n'est pas le timbre. Mais tu parles comme on parle dans l'impasse. Tu as attrapé ça des enfants du quartier. Ton beau-père ne s'en aperçoit pas. Il parle comme cela lui-même.

Elle était de nouveau accusée. Accusée, ainsi que son beau-père, l'impasse et le quartier. Les Mackenzie d'Écosse, c'était autre chose, et Mr Thompson d'Aberdeen, son père, également.

– Il était gentilhomme, lui ?

– Il fréquentait les endroits que fréquentent les gentilshommes, lui fut-il répondu.

Elle n'était pas satisfaite. Pas satisfaite des jours meilleurs et du dîner de quatre heures. Pas satisfaite du terne Mr Thompson d'Aberdeen. Pas satisfaite qu'il fût mort à la guerre, en Amérique.

– Il commandait un régiment ?

– Pas tout à fait. Il était attaché à l'armée.

– Conseiller, alors ? Chargé de mission ? Agent secret ?

Les libelles faisaient allusion à des personnages de ce genre, en les traitant parfois d'espions. Mr Thompson, qui avait donné à sa mère des jours meilleurs, n'était plus tout à fait aussi terne. Il souriait, il saluait, il écoutait, il glissait des secrets stratégiques dans une oreille choisie ; il était adroit, il était malin. Surtout, c'était un gentilhomme qui parlait avec raffinement. Il n'avait pas l'accent faubourien des enfants de l'impasse.

– Écoute, Charley, écoute bien ma voix.

– Qu'est-ce qu'elle a, ta voix ?

– T'occupe pas. Écoute.

Le *h* était des plus importants. Sa mère lui avait dit cela. Le *h*, le *o* et le *u*. Le *o* et le *i*, également, lorsqu'ils étaient associés.

« Nous apprenons de la source la plus autorisée que le gouvernement de Sa Majesté s'emparera de n'importe quel bâton pour battre le chien-opposition et l'estropier définitivement pendant la présente législature, et que, non content du bâton, il lancera de la boue… »

– Qu'est-ce que tu lis, Mary Anne ?

– Les épreuves pour demain.

– Je ne comprends pas.

– Moi non plus. Mais ça ne fait rien. Père dit que personne ne comprend. Ne m'interromps pas : « Nous apprenons de la source la plus autorisée… »

Elle sortit son crayon : le *r* de « autorisée » était brisé.

– On frappe à la porte, en bas.

– Laisse frapper.

Mais le petit garçon sautait de son lit et tendait le cou à la fenêtre.

– Ce sont des hommes… Ils portent papa… Il est blessé.

Soudain, la voix de leur mère s'éleva dans un appel angoissé. Isobel se mit à pleurer, George et Eddie descendirent l'escalier en courant.

– Allons. Doucement. Ça n'est pas grave.

Ils l'étendaient sur deux sièges de la salle du bas. Son visage était bizarrement bouffi.

– C'est la chaleur.

– Le docteur va lui faire une saignée.

– Il est tombé comme ça au coin de la rue.

– Il va revenir à lui tout de suite.

Sa mère regardait, incapable d'agir. Mary Anne envoya Charley chercher le médecin, fit remonter les deux autres garçons et Isobel dans leur chambre et referma la porte sur eux. Puis elle alla chercher une cuvette d'eau fraîche et en épongea la tête de son beau-père, tandis que les compagnons de celui-ci recommençaient le récit détaillé de ce qui s'était passé.

Charley ramena le médecin qui prit un air grave et parla d'apoplexie, puis mit Mary Anne et Charley à la porte de la chambre : « Pas d'enfants autour d'un malade. »

Enfin, l'on porta Bob Farquhar sur son lit et, après la purge et la saignée, l'on dit aux enfants qu'il n'avait pas eu d'attaque d'apoplexie et qu'il n'allait pas mourir, mais qu'il avait besoin de repos. Il ne fallait à aucun prix qu'il retournât travailler ni le lendemain, ni la semaine suivante, ni de plusieurs semaines. Tandis que le docteur donnait à la mère éplorée ses instructions concernant le régime et les soins, Mary Anne se glissa dans la chambre et prit la main de son beau-père. Il était revenu à lui.

– Qu'est-ce qui va se passer ? dit-il. On va me remplacer à l'imprimerie. Ils n'ont que faire d'un malade.

– Ne te tourmente pas.

– Tu vas aller les trouver de ma part. Il faut y aller. Tu demanderas Mr Day, le surveillant.

Il ferma les yeux, parler le fatiguait. Mary Anne descendit de la chambre. Sa mère la regarda d'un air désespéré.

– C'est la fin de tout, dit-elle. On lui paiera sa semaine et rien d'autre. Il se passera peut-être des mois avant qu'il soit remis et il trouvera sa place prise. De quoi vivrons-nous ?

– J'irai à l'imprimerie dans la matinée.

– Tu leur diras la vérité ; que ton père est malade.

– Je leur dirai la vérité.

Mary Anne roula soigneusement les épreuves. Il fallait risquer la chose. Elle connaissait tous les signes, à présent, toutes les petites corrections qu'on indique dans la marge, mais jamais jusqu'alors les épreuves n'étaient retournées à l'imprimerie sans que son beau-père les eût revues. Elle connaissait bien son écriture. Le *R* penché. La boucle du *f*. Elle signa au bas du feuillet : « Bon à tirer. Robt. Farquhar. »

Elle se leva de bonne heure, se lava le visage et les mains, mit sa robe du dimanche. Ses boucles tombantes lui donnaient un air enfantin. Elle les raccourcit à coups de ciseaux et regarda l'effet dans la glace. C'était mieux, mais il y manquait encore quelque chose. Il y manquait de la couleur. Elle se glissa sans bruit dans la chambre voisine. Son beau-père dormait. Elle ouvrit le placard où sa mère rangeait ses vêtements. Une robe y pendait qu'elle n'avait jamais portée dans l'impasse de Bowling Inn, une survivante des jours meilleurs avec un flot de ruban rouge au corsage. Mary Anne passa le ruban dans ses cheveux et retourna au miroir. Oui, c'était la solution.

Elle sortit de la maison avant que sa mère ou les garçons pussent la voir et, le rouleau d'épreuves sous le bras, se dirigea vers Fleet Street.

CHAPITRE III

Les portes étaient ouvertes et elle pouvait aller où bon lui semblait. Personne ne faisait attention à elle. L'imprimerie était au travail et elle aperçut dans une pièce longue et étroite la grande presse de bois autour de laquelle s'affairaient deux hommes et un apprenti. Deux autres hommes parlaient entre eux, à quelque distance, et un second apprenti montait en courant un étroit escalier qu'il redescendait en portant des rouleaux de papier. Les hommes élevaient la voix pour se faire entendre par-dessus le bruit de la machine.

Mary Anne avisa, de l'autre côté du couloir, une porte surmontée de l'inscription : Bureau. Défense d'entrer. » Elle frappa. Quelqu'un cria : « Entrez » d'une voix irritée. Elle entra.

– Qu'est-ce que vous voulez ?

L'homme à la voix irritée portait un habit de bonne étoffe et des bas de soie, sa perruque poudrée et bouclée était nouée d'un ruban noir. L'autre était coiffé de ses propres cheveux et portait des bas de fil.

– Je viens de la part de mon père. Il est malade.

– Qui est votre père ?

– Robert Farquhar.

Le monsieur se détourna en haussant les épaules. L'autre personnage, celui qui portait des bas de fil, expliqua :

– Bob Farquhar, Mr Hughes. Un de nos meilleurs employés. Quelle malchance ! (Puis, s'adressant à l'enfant :) Qu'est-ce qu'il a, ton père ?

– Il est tombé malade hier soir. Le docteur dit qu'il ne sera pas en état de venir travailler avant plusieurs semaines.

– Rayez son nom, dit le monsieur irritable. (Il se taillait les ongles près de la fenêtre.) Faites-le remplacer. Donnez à la petite sa semaine de salaire et qu'elle s'en aille.

L'autre personnage paraissait soucieux.

– Je serais fâché de le perdre pour de bon, monsieur. Cela fait plusieurs années qu'il est chez nous.

– On n'y peut rien. Je n'ai pas les moyens de garder des malades.

– Assurément, monsieur.

L'homme soupira et, ouvrant un tiroir, en sortit quelques pièces de monnaie.

– Dis à ton père que nous sommes très chagrins et que, s'il revient nous voir, une fois rétabli, nous lui trouverons peut-être quelque chose, mais nous ne pouvons rien promettre. Voici sa paie de la semaine.

– C'est vous, Mr Day ?

– Oui.

– J'ai des épreuves à vous remettre.

Elle lui tendit le précieux rouleau et l'observa attentivement tandis qu'il le parcourait. Elle le vit regarder la signature.

– Ton père a fait ce travail hier soir avant de tomber malade ?

– Oui.

– Autre contretemps, Mr Hughes. Bob Farquhar emportait des épreuves à corriger chez lui. Cela nous épargnait de la dépense.

– Eh bien, on les fera corriger par un autre, voilà tout. Donnez l'argent à la petite et qu'elle s'en aille.

Mr Day tendit les pièces à Mary Anne.

– Je suis désolé, dit-il.

Mary Anne prit l'argent et quitta le bureau. Elle ne se dirigea pas tout de suite vers la maison. Elle s'arrêta à quelque distance de l'imprimerie, guettant le départ de Mr Hughes. Lorsqu'elle vit celui-ci s'éloigner dans Fleet Street, elle revint à l'imprimerie. Elle frappa à nouveau à la porte du bureau. On lui dit d'entrer. Le surveillant écrivait, assis à son bureau. Il leva les yeux, manifestement surpris.

– C'est encore toi ? dit-il. Tu as eu ton argent !

Mary Anne referma la porte derrière elle.

– Les épreuves étaient bien ? demanda-t-elle.

– Que veux-tu dire ? Elles étaient assez propres. Tu les as fait tomber dans la rue ?

– Non. Je vous demande si elles sont bien corrigées.

– Oui. Elles sont à l'imprimerie.

– Pas de fautes ?

– Non. ton père est très méticuleux. C'est pourquoi je suis fâché de le perdre. Mais Mr Hughes est un maître sévère, tu l'as vu.

– Si un homme d'ici corrige les épreuves, cela le retiendra plus longtemps et il demandera un supplément de salaire ?

– Oui, mais ce supplément n'atteindra pas ce que nous payions en tout à ton père.

– Le supplément empêcherait mon père et nous tous de mourir de faim en attendant qu'il soit guéri.

Le surveillant regarda l'enfant.

– C'est ton père qui t'a chargée de me dire cela ?

– Non. J'y ai pensé toute seule. Je pourrais venir chercher les épreuves ici tous les soirs, je les apporterais à la maison pour qu'il les corrige et je vous les rapporterais le lendemain matin. Cela nous rendrait service, et ce ne serait pas la peine d'en parler à Mr Hugues, n'est-ce pas ?

Mr Day sourit. La fillette sourit aussi. Le ruban rouge lui allait bien.

– Pourquoi ne m'as-tu pas proposé cela devant Mr Hugues ?

– Mr Hughes m'aurait mise à la porte.

– Quel âge as-tu ?

– Treize ans.

– Tu vas à l'école ?

– Non. Mon père ne gagne pas assez pour nous y envoyer.

– Tu pourrais aller à l'école de la paroisse.

– Ma mère dit que les enfants sont communs.

Mr Day secoua la tête d'un air désapprobateur.

– Tu seras très ignorante si tu ne vas pas à l'école. Tous les enfants devraient apprendre à lire et à écrire.

– Je sais lire et écrire J'ai appris toute seule. Alors je peux aller dire à mon père que vous le paierez pour corriger les épreuves jusqu'à ce qu'il soit guéri ?

Mr Day hésita. Son regard fut de nouveau accroché par le ruban rouge, les grands yeux, l'étrange aisance de cette petite fille.

– Bon, dit-il, nous allons faire un essai d'une semaine. Mais je ne vois pas très bien comment un malade corrigera des épreuves. Ce n'est pas un travail à faire négligemment, tu sais ?

– Oui, monsieur, je sais, et mon père aussi.

– Tu crois qu'il sera assez bien pour le faire ? Il n'a pas eu un coup de sang, de la fièvre ? Rien de ce genre ?

– Oh, non !

– Qu'est-ce qu'il a, au juste ?

– Il s'est cassé la jambe. Il est tombé d'une échelle.

– Ah ! bon. Viens toujours ce soir, je te donnerai des épreuves à lui porter. Au revoir.

Quand Mary Anne rentra, son beau-père était encore au lit, fenêtres fermées, stores baissés, pour éloigner le bruit et les odeurs de l'impasse.

– Le docteur est venu, dit sa mère. Il dit qu'il ne lui faut que du calme et du repos. As-tu vu Mr Day ?

– Oui. Il dit de ne pas nous tourmenter. Il paiera à père cinq shillings par semaine, tant qu'il sera malade.

– Cinq shillings par semaine pour ne rien faire ! C'est très généreux.

– Il dit que père est un de leurs meilleurs employés.

La fillette monta et cacha le ruban rouge.

Durant les trois semaines suivantes, Mary Anne corrigea des épreuves, allant les chercher et les rapportant à l'insu de sa famille. Au début de la quatrième semaine, comme elle rentrait, un après-midi, d'une de ses promenades dans les rues avec ses petits frères, son beau-père l'appela dans sa chambre.

– Mr Day est venu me voir.

– Oh !

– Il a paru tout étonné. Il croyait que je m'étais cassé la jambe.

– C'est moi qui lui ai dit ça. Cela m'a paru moins grave qu'une attaque d'apoplexie.

– Je n'ai pas eu d'attaque d'apoplexie non plus. J'ai eu un coup de chaleur.

– On ne peut pas corriger d'épreuves après un coup de chaleur.

– Précisément.

Mary Anne se tut. Bob Farquhar l'avait démasquée.

– Mr Day m'a remercié de corriger les épreuves. Je lui ai dit que

je n'avais rien corrigé du tout. Puis j'ai deviné ce que tu avais manigancé. As-tu pensé à ce que tu risquais ? On peut laisser échapper
deux ou trois fautes, mais pas une demi-douzaine.

– Je les relis quatre fois, et encore une fois le lendemain matin
avant de les porter à l'imprimerie.

– Pas de fautes ?

– Non. S'il y en avait eu, Mr Day me l'aurait dit.

– Eh bien, maintenant, il sait que c'est toi.

– Qu'a-t-il dit ? Que va-t-il me faire ? Vas-tu perdre ton travail ?

– Il faut que tu ailles le voir à l'imprimerie.

Elle mit sa robe des dimanches et noua le ruban rouge dans ses
cheveux. Charley, son ombre, la regardait avec inquiétude.

– Mr Day sait ce que tu as fait. Il va te battre.

– Non. Je suis trop grande pour être battue.

– Il va faire quelque chose.

Elle ne répondit pas. Elle sortit de l'impasse en courant, descendit Chancery Lane et Fleet Street, le cœur battant. Et si Mr Hugues
était là ? Mr Hughes la ferait certainement battre. Peut-être la bat-
trait-il lui-même.

Mr Hughes n'était pas là. Mr Day était seul de l'autre côté de la
porte marquée de l'inscription « Bureau ».

Mary Anne prit un air humble, les mains derrière le dos. Mr Day
avait des rouleaux d'épreuves devant lui. Peut-être y avait-il des
fautes, quand même…

– Alors, Mary Anne, dit-il, j'apprends que tu t'es moquée de moi.

– Non, monsieur.

– Pourquoi m'as-tu menti ?

– Nous avions besoin de cet argent.

– Ton père me dit que tu corrigeais ses épreuves depuis quelque
temps déjà avant qu'il ne tombât malade. Pourquoi cela ?

– Pour avoir quelque chose à lire.

– Ce ne sont pas des histoires pour les petites filles.

– C'est ça qui m'intéressait.

Mr Day toussa et repoussa les rouleaux d'épreuves. Mary Anne se
demanda ce qu'il allait faire. Il voulait évidemment la punir.

– Qu'est-ce que tu y comprends ? demanda-t-il.

– Je ne sais pas.

– Qu'avons-nous dit du premier ministre, la semaine dernière
par exemple ?

– Vous avez dit que Billy Pitt tenait trop ferme les rênes pour se
laisser désarçonner et que Charlie Fox ferait mieux d'aller jouer au
tennis dans Saint James Street avec le prince de Galles et
Mr Mycklow qui entretient les courts. J'ai pensé que c'était à double
entente, mais je n'en suis pas sûre.

Mr Day avait l'air plus choqué et désapprobateur que jamais.

– J'ai eu une longue conversation avec ton père, dit-il. Nous
serons heureux de le reprendre quand il sera guéri. Mais tu ne cor-
rigeras plus d'épreuves. Du moins, pas pour le moment. Tu vas aller
à l'école.

– A l'école ?

– Oui. Pas à l'école de la paroisse, mais dans un pensionnat de
demoiselles que je connais, à Ham, en Essex.

Mary Anne regarda Mr Day avec stupéfaction. Devenait-il fou ?

– C'est impossible, dit-elle. Mon père n'a pas les moyens de m'y
envoyer et ma mère a besoin de moi à la maison.

Mr Day se leva. Il n'avait plus l'air désapprobateur. Il souriait.

– Je leur ai offert de payer tes études, dit-il. Je crois que tu
mérites qu'on t'instruise. J'ai une fille de ton âge en pension à Ham.
Je suis sûr que tu t'y plairas.

– Mr Hughes est au courant ?

– Ceci est une affaire personnelle qui ne regarde en rien
Mr Hughes !

Le surveillant fronça le sourcil. Curieuse question, de la part de
cette petite ! Il n'avait certes aucune intention de mettre Mr Hughes
au courant. Mr Hughes avait l'esprit mal tourné et ne manquerait
pas de dire à son surveillant qu'il s'était laissé aguicher par un ten-
dron qui paraissait plutôt quinze ans que treize et portait dans ses
cheveux un ruban rouge dont l'effet était des plus heureux.

– C'est vraiment une grande bonté de votre part, dit Mary Anne.
mais pourquoi au juste le faites-vous ?

– Nous en parlerons dans deux ans, dit-il.

Il l'accompagna à la porte et lui serra gravement la main.

– Si je vais dans ce pensionnat de demoiselles, je deviendrai une
demoiselle, alors ?

– Oui. Si tu apprends ce qu'on t'enseigne.

– J'apprendrai à bien parler ? Pas comme dans les faubourgs ?

– Sans aucun doute.

La fillette était tout excitée. Quelque chose de nouveau commençait. Elle se sentait au seuil de l'aventure. Quitter la maison, quitter l'impasse, devenir une demoiselle, et tout cela parce qu'elle avait fait quelque chose qu'elle n'aurait pas dû faire. Elle avait trompé Mr Day, et Mr Day allait la faire instruire. C'était donc avantageux de tromper ?...

– Je retournerai voir tes parents cette semaine, dit il. A propos, j'ai appris que Bob Farquhar n'était que ton beau-père. Ton père s'appelait Thompson. Sous quel nom préfères-tu entrer au pensionnat ?

Mary Anne réfléchit rapidement. Le gentilhomme d'Aberdeen, le gentilhomme attaché à l'armée, le gentilhomme qui avait fait connaître à sa mère des jours meilleurs... L'on pourrait parler de tout cela aux demoiselles du pensionnat de Ham, mais Thompson était un nom bien commun. Mary Anne Farquhar... Farquhar sonnait décidément mieux et, derrière ses syllabes écossaises, se profilait le clan Mackenzie.

– Mary Anne Farquhar, s'il vous plaît, dit-elle.

Quand Mary Anne Farquhar eut quinze ans et demi, la brave femme qui tenait à Ham le pensionnat de demoiselles annonça à Mr Day que sa protégée avait terminé ses études et qu'on n'avait plus rien à lui apprendre. Mary Anne lisait bien, parlait bien, avait une belle écriture. Elle brillait en histoire et en littérature anglaise. Elle savait coudre, broder, dessiner, jouer de la harpe.

Mais elle était mûre pour son âge et cela n'avait pas été sans causer quelque souci à la directrice du pensionnat. La tournure de Miss Farquhar attirait l'attention, en dehors de l'enceinte de l'école. On la lorgnait à l'église. Des regards audacieux la suivaient dans la rue. Des billets lui avaient été lancés par-dessus le mur. Quelqu'un lui avait fait des signes regrettables par la fenêtre de la maison d'en face, et l'on disait que Miss Farquhar avait répondu à ces signes. Tout cela était de nature à troubler de façon fâcheuse la paix d'un établissement consacré à l'éducation des jeunes personnes. Nul doute que Mr Day ne comprît les scrupules de la directrice et ne lui retirât la charge de sa protégée pour la rendre à ses parents, afin qu'ils la surveillassent eux-mêmes.

Mr Day, qui se rendit en personne en chaise de poste à Ham pour y chercher Mary Anne, ne s'étonna point d'apprendre que les gens la lorgnaient à l'église. Il avait peine à en détacher son regard. Ce n'était pas une beauté, mais il y avait dans ses yeux, son expression mobile, son nez retroussé, énormément de vivacité et de charme. La modestie virginale ne semblait pas être son fort. Elle bavarda avec lui dans la chaise de poste sans une ombre de timidité et l'interrogea sur son activité journalistique.

– On nous permettait de lire le *Morning Post,* dit-elle, mais c'est un peu sec pour mon goût. Le *Public Advertiser* est bien mieux informé. Je l'achetais quand nous allions en ville et je le cachais sous mon oreiller. Mais vos pamphlets m'ont manqué et les potins de la Cour. Il paraît que le duc d'York se marie avec une princesse allemande aux cheveux filasse. Fini les duels pour lui. Et le roi n'aime plus autant Mr Pitt, et les tories sont très inquiets de la façon dont les Français se sont mis à couper les têtes ; ils ont peur que ce soit contagieux et qu'on fasse de même ici.

Mr Day se dit que sa protégée allait trouver la vie bien étroite chez elle. Pourtant, il ne pouvait lui offrir de venir à l'imprimerie corriger des épreuves, ou la presse s'arrêterait net et l'on n'imprimerait plus rien. Le meilleur parti serait de prendre cette jeune fille chez lui, pour tenir son ménage. Il était veuf et sa fille était encore en pension à Ham. Mary Anne ferait une gouvernante fort présentable et peut-être qu'avec le temps, s'il sentait son cœur s'échauffer un peu, il pourrait penser à d'autres possibilités… Il ne fallait pas l'effaroucher pour l'instant avec de telles idées. Elle irait d'abord chez ses parents. Mais il était persuadé qu'elle serait vite lasse de la vie qu'elle mènerait chez eux.

Trois ans avaient amené quelque changement dans le ménage des Farquhar. Ils avaient quitté la vieille maison de l'impasse de Bowling Inn pour une demeure plus spacieuse du Passage du Corbeau qui donnait dans Cursitor Street. La maison appartenait à Mr Thomas Burnell, tailleur de pierre connu et maître de la Compagnie des Marbriers. Il s'y réservait une pièce du rez-de-chaussée comme bureau et louait le reste. Les trois garçons passaient les journées à l'école, et Isobel tenait compagnie à sa mère. Bob Farquhar avait engraissé. Il était toujours aussi affectueux, facile à vivre et bon enfant, mais plus grossier et paresseux que jamais. En outre, il buvait davantage, ce qui n'arrangeait rien.

Mary Anne essaya d'en parler à sa mère, mais celle-ci, digne et réservée, se déroba.

– Les hommes ont leurs défauts, dit-elle. Quand ce n'est pas une chose, c'en est une autre.

L'autre, pensa Mary Anne, était une allusion aux femmes. Son beau-père rentrait souvent fort tard, dans la soirée, et, quand il se glissait dans la maison, confus, éméché, la regardant en clignant de l'œil comme autrefois, elle avait envie de lui tirer les oreilles. Sa mère prenait des airs de martyre. Elle se lamentait en silence et Mary Anne, tiraillée entre les deux, les plaignait tous les deux. Elle était jeune, gaie, débordante de vie, et aurait voulu que tout le monde fût heureux autour d'elle. En attendant, les journées se passaient à faire le ménage, à apprendre à Isobel la table de multiplication, et à déambuler dans Holborn Street en regardant les boutiques. A quoi lui servait sa bonne éducation ? Charley restait son compagnon favori, mais même lui paraissait puéril à son regard mûri et, quand il lui réclamait des histoires, les romans de Ham en Essex remplaçaient la légende du bouton d'argent.

– Et après ?
– Je n'ai pas répondu à sa lettre, bien entendu. Je l'ai jetée.
– Tu l'as revu à l'église ?
– Non, pas celui-là. L'autre.
– Lequel préférais-tu ?
– Ni l'un ni l'autre. C'étaient des gamins.

Pourtant, ç'avait été amusant d'échanger des signes par la fenêtre. Il n'y avait personne à qui faire signe dans le passage du Corbeau.

Après Noël, Bob Farquhar qui, pendant plusieurs semaines, était rentré chaque jour à trois heures du matin, ne rentra plus du tout. Personne ne l'avait vu. Il n'était pas allé à l'imprimerie, ni au café, ni aux divers cabarets. L'on craignit un accident et l'on fit des recherches, mais en vain. Finalement, comme, au bout de huit jours, son épouse éplorée se disposait à acheter des voiles et un bonnet de veuve, l'on reçut un billet laconique où le coupable annonçait qu'il avait définitivement quitté la maison, de même que l'imprimerie, et s'était installé avec une femme à Deptford.

Mrs Farquhar était effondrée. Elle avoua que, depuis plusieurs années, elle soupçonnait quelque chose de ce genre. Elle avait économisé sou à sou pour mettre de côté une petite somme en vue de la catastrophe qui avait fini par s'abattre. Mais la somme ne durerait pas plus de quelques mois. Il fallait agir.

– Mais il doit t'entretenir, dit Mary Anne. La loi l'y obligera bien.
– Aucune loi ne lui fera faire ce qu'il ne veut pas.

– Alors, il faut changer la loi, dit Mary Anne.

L'injustice, toujours l'injustice entre les hommes et les femmes !
Les hommes faisaient les lois à leur profit. Les hommes faisaient ce
qui leur plaisait, et les femmes en pâtissaient. Il n'y avait qu'une
façon de l'emporter sur eux, et c'était de lutter contre eux avec
toutes les ressources de son esprit. Mais quand, comment, où ?

– Si je connaissais un homme riche, j'irais le trouver tout de
suite, dit-elle à Mr Day.

Mr Day ne répondit pas. Elle était bien jolie lorsqu'elle disait
cela. L'on était tenté de la demander sur-le-champ en mariage,
mais Mr Day était prudent, il n'avait pas envie de voir sa maison
envahie par Mrs Farquhar et une nichée de garnements insupportables. Loin de lui cette intention.

– Sans doute, dit-il, ta mère, en qualité d'épouse peut plaider la
responsabilité maritale si les fournisseurs viennent lui réclamer
leurs notes.

– Qu'est-ce que ça veut dire, la responsabilité maritale ?

– C'est le mari qui est responsable des dettes, et non la femme.
On ne peut pas poursuivre la femme.

C'était toujours ça. Mais cela n'était pas d'un grand secours car,
aussitôt que les fournisseurs sauraient que son beau-père avait
abandonné sa mère, ils cesseraient de lui faire crédit et, si le loyer
n'était pas payé, Mr Burnell les mettrait dehors. Elle décida d'aller
voir Mr Burnell et de lui parler.

– En attendant, pria-t-elle, me donnerez-vous de nouveau des
épreuves à corriger ? Je l'ai déjà fait, je peux le faire encore.

Elle était persuasive et Mr Day accepta, mais sous la condition
que ce serait Charley qui viendrait chercher et rapporterait les
épreuves. Il n'était pas convenable pour une jeune personne de traîner dans Fleet Street.

Cela réglé, Mary Anne se mit en devoir d'obtenir de Mr Burnell
qu'il continuât à les loger.

Mr Burnell possédait une belle maison dans une autre partie de
la City. Il se servait du bureau du Passage du Corbeau à cause de la
proximité de ses ateliers de Cursitor Street. Il avait accompli de
belles sculptures dans plusieurs églises, ce qui lui avait acquis un
certain renom, et il venait d'être nommé Marbrier du Temple. Il

aspirait depuis longtemps à cette distinction et se savait un objet d'envie pour ses collègues. La nouvelle de sa nomination s'était déjà répandue et des visiteurs venus lui apporter leurs félicitations l'entouraient lorsque Mary Anne descendit chez lui. Mr Burnell, en homme très occupé, ne s'était jamais beaucoup soucié des Farquhar. Ils lui faisaient l'effet de braves gens bien tranquilles qui payaient régulièrement leur loyer et c'était là tout ce qu'il leur demandait. Il avait salué au passage la fille de la maison de retour du pensionnat, mais ne l'avait jamais bien regardée. C'était elle sans doute qui venait lui apporter ses félicitations et lui parlait avec tant de chaleur de son nouveau poste.

– Vous êtes bien Miss Farquhar ? Mais oui ! Je n'étais pas sûr. Je vous remercie. C'est très flatteur.

Une vraie demoiselle. Il en était surpris. Le père semblait plutôt commun. Elle avait entendu parler des monuments de Culworth et de Marston Saint Lawrence ? Elle avait lu les articles de journaux à leur sujet ? Et elle s'en souvenait ? Oui, les sculptures de Culworth étaient assez réussies.

Avant qu'il eût su comment cela s'était passé, les autres visiteurs étaient partis et Miss Farquhar lui parlait de son misérable beau-père qui avait disparu sans laisser d'adresse, de sorte qu'il était impossible d'obtenir de lui l'argent du loyer.

– Alors, je me suis dit, Mr Burnell, que, maintenant que vous alliez avoir tant de travail au Temple, vous alliez peut-être employer des apprentis, qu'il vous faudra loger. Je sais que ma mère serait ravie de tenir pension pour eux. Ce serait commode pour vous, si près de votre chantier de Cursitor Street. Comme cela, nous pour-rions vous payer votre loyer comme avant, et vous n'auriez à vous occuper de rien.

Elle parlait vite avec un sourire désarmant, et il se trouva acquiescer à tout ce qu'elle disait. Certes, il emploierait plus d'apprentis. Combien de chambres pourraient-elles mettre à la dis-position de ceux-ci ? Deux seulement, avoua-t-elle, mais en ne pre-nant que deux pensionnaires on pourrait mieux les soigner. Un trop grand nombre serait un embarras, Mr Burnell comprenait bien cela, et une bande de jeunes gens risquait d'être tapageuse, il fallait évi-ter le tapage, pour le bon renom de la maison et de Mr Burnell.

Mr Thomas Burnell n'avait qu'à dire amen. Elle avait décidé, lui avait remis un quart du loyer à titre d'avance (grâce à un prêt de Mr Day) afin de conclure le nouveau marché et était remontée mettre sa mère au courant de la transaction sans donner au propriétaire le temps de réfléchir. Il espérait que tout irait bien et, d'ailleurs, l'affaire était sans importance. Sa nomination au Temple était autrement intéressante pour lui que des histoires de logements dans le Passage du Corbeau.

Mary Anne rencontra plus de résistance du côté de sa famille. Sa mère, comme devant tout changement, se montra pleine d'appréhension.

– Des pensionnaires! s'écria-t-elle. Qui entreront chez moi avec des bottes pleines de boue et laisseront traîner leurs affaires absolument partout!

– Les garçons le font déjà. Deux de plus ou de moins n'y changeront pas grand-chose.

– D'ailleurs, quelles chambres leur donnerons-nous?

– Il y a deux pièces très bien au grenier.

– Je ne saurai pas comment les nourrir. Ils auront sûrement de gros appétits.

– Ils paieront pour leur appétit, ne l'oublie pas.

– Je ne sais que dire, Mary Anne. Tenir pension, ce n'est pas de très bon ton.

– Mourir de faim dans la rue n'est pas de très bon ton non plus. Et c'est ce qui nous arrivera si nous ne prenons pas de pensionnaires.

– Tu devrais demander l'avis de Mr Day.

– Mr Day n'a rien à faire là-dedans.

Mrs Farquhar protesta, les garçons maugréèrent, mais Mary Anne l'emporta. L'on astiqua le grenier, l'on pendit des rideaux aux fenêtres, l'on commanda des petites carpettes dans un magasin d'Holborn Street, pour le compte de Mr Burnell.

– Très joli, très pimpant, dit, après un rapide coup d'œil aux deux mansardes, le propriétaire qui ne se doutait pas que c'était lui qui paierait les tapis. De toute façon, il s'agit d'un essai. James Burton, qui réussit très bien dans le bâtiment, cherche un logement provisoire, il est écossais comme vous, Mrs Farquhar. Je lui ai conseillé de s'installer chez vous pour le moment. J'ai aussi un jeune apprenti, Joseph Clarke, le fils d'un vieil ami à moi – vous avez peut-être entendu parler de lui : Thomas Clarke, l'entrepreneur de Snow Hill. Tous deux sont des jeunes gens très respectables ; ils ne vous causeront pas d'ennuis.

Il courut à ses affaires, laissant Mrs Farquhar très énervée.

– Ces messieurs ne s'attendent pas à des mansardes, dit-elle, quand ils verront les chambres, ils s'en iront.

– Jamais de la vie, dit Mary Anne. L'Écossais ne pensera qu'à sa bourse, et sa pension lui coûtera moins cher chez nous que n'importe où. Si l'autre est jeune, il aura un bon sommeil et c'est dans les lits durs qu'on fait les rêves les plus doux. Mais, je t'en prie, ne parle pas de grenier ni de mansardes. Les chambres sont au troisième étage.

Une dernière main à l'installation, une ou deux gravures au mur, une chiquenaude au rideau, un regard au miroir. Les pensionnaires n'avaient plus qu'à arriver.

Malheureusement, Mary Anne n'était pas à la maison au moment où Mr Burton et Mr Clarke vinrent s'y installer. Elle avait prévu qu'elle et sa mère les recevraient au salon (comme on disait à Ham) et qu'après cinq minutes de conversation polie elles les accompagneraient au troisième étage où elles les laisseraient défaire leurs bagages. Après quoi, le dîner serait servi à six heures.

Le destin en avait décidé autrement. Mary Anne avait été rendre visite à Mr Day, à l'imprimerie de Fleet Street, afin d'obtenir de lui un nouvel emprunt, l'argent étant rare Passage du Corbeau en attendant le loyer des pensionnaires. Elle rentra plus tard qu'elle n'avait prévu et trouva sa mère fort agitée.

– Ils sont arrivés, dit-elle. Je ne savais pas quoi faire. Je les ai menés tout de suite à leurs chambres. L'un d'eux est redescendu presque aussitôt en disant qu'il dînait en ville. L'autre est là-haut ; il m'a déjà appelée deux fois : une fois pour me dire qu'il n'y avait pas assez de place dans l'armoire pour pendre ses habits, et puis pour me demander qui lui cirerait ses bottes. J'ai été faible, je lui ai dit qu'il attende que ma fille soit rentrée, que c'était elle qui avait tout organisé.

Mrs Farquhar était rouge et essoufflée à force d'avoir monté et descendu l'escalier.

– Tu as très bien répondu, dit Mary Anne ; s'il fait le difficile, je m'en charge.

Elle s'arrêta, la main sur la rampe.

– Comment sont-ils, physiquement ? demanda-t-elle tout bas.

– Celui qui est reparti, je ne l'ai pas beaucoup regardé, dit Mrs Farquhar, mais celui qui est en haut est un grand brun.

L'on entendait des coups au plafond. Le pensionnaire frappait du pied le plancher de sa chambre. Mrs Farquhar prit un air angoissé.

– Il réclame encore, dit-elle. C'était comme ça les deux autres fois.

Mary Anne monta, un éclat batailleur dans les yeux. Elle n'avait pas encore atteint le troisième étage que la porte d'une des mansardes s'ouvrit et un jeune homme sans habit, en train de nouer une cravate de soie sur une chemise de fine batiste la regarda de haut en bas.

– Ah ! dit-il, il était temps ! J'ai cru qu'il allait me falloir descendre tous ces étages en chaussettes. Mes bottes sont poussiéreuses. Voulez-vous me les cirer ?

Mary Anne le regarda. Elle avait envie de lui lancer un soufflet en plein visage. Le fait que c'était le plus beau jeune homme qu'elle eût vu de sa vie était sans importance. Les affaires d'abord ; et sa dignité.

– Je peux donner vos bottes à nettoyer, dit-elle avec froideur, mais cela n'est pas compris dans le prix de la pension. Ce sera en supplément.

Elle paierait Charley, George ou Eddie. Les garçons feraient la besogne à tour de rôle. Ils pourraient cirer les bottes dans la cuisine où personne ne les verrait.

– Peu m'importe qui cire mes bottes, dit le jeune homme, du moment qu'elles sont bien cirées. Je suis très difficile.

Le regard hautain de cette jeune fille était déconcertant. Il s'attendait à une servante. Pour une fois, il ne savait que dire.

– Je vous demande pardon, reprit-il enfin, mais à qui est-ce que je parle ? Mon nom est Joseph Clarke, pour vous servir.

– Je suis Mary Anne Farquhar. C'est moi qui dirige cette maison. Il paraît que votre ami ne sera pas là pour dîner. Et vous ? Dînez-vous également dehors ?

Il hésita un instant. Il regarda par-dessus son épaule le désordre de sa chambre, ses habits, ses cravates étalées, les préparatifs d'une soirée en ville. Puis il regarda de nouveau Mary Anne.

– Non, dit-il. Si cela ne vous dérange pas, je préférerais dîner ici.

Joseph Clarke leur fit clairement entendre, dès le premier soir, qu'il n'avait pas besoin de gagner sa vie. Son père était un homme riche et il pouvait mener une vie oisive si cela lui plaisait. Mais il avait du talent et son père n'aimait pas qu'on gaspillât son talent. Voilà pourquoi il était en apprentissage chez Thomas Burnell.

– Mais, naturellement, ajouta-t-il négligemment, je ne suis nullement engagé. Je ne suis pas un apprenti ordinaire. Je peux quitter Burnell si j'en ai envie, et, peut-être, m'établir à mon compte. Je n'ai encore rien décidé.

Les Farquhar le regardaient avec intérêt. Les garçons qui, pour une fois, avaient les mains propres et les cheveux peignés, gardaient un silence plein de respect, et Isobel plein de terreur. Leur mère, tout émue de recevoir après tant d'années, essayait de se rappeler à quel moment il convenait de servir le vin et s'il était vulgaire de mettre le fromage sur la table. Heureusement, sa fille veillait aux fautes d'étiquette. Un garçon qui tendait la main vers le plat fut vivement rappelé à l'ordre, d'un regard furieux. Un autre, pris d'un soudain hoquet, reçut un coup de pied sous la table. La seconde part de gâteau convoitée par Isobel lui passa sous le nez et se vit offerte au pensionnaire avec un gracieux sourire.

Le pensionnaire ne s'aperçut de rien. Il était trop occupé à parler de lui.

– Mon père s'est retiré, leur dit-il. Ce sont mes frères qui dirigent l'affaire de Snow Hill. Ils réussissent très bien. Mon plus jeune frère vient d'entrer à Cambridge. Il veut devenir pasteur. Avez-vous

jamais rencontré mon oncle, le conseiller Clarke ? Il s'attend à devenir lord-maire de Londres un de ces jours.

Le pensionnaire buvait du vin : il était connaisseur. Il refusa le
fromage : il était difficile. Oui, en effet, (en réponse à une question
de Mrs Farquhar) il ne mangeait jamais de graisses. Il ne les digé-
rait pas. Il avait été un enfant maladif et restait un jeune homme
délicat. C'était là une des raisons pour laquelle il ne pouvait travailler longtemps de suite. Il se fatiguait facilement. Ne ferait-il pas
mieux alors de vivre au grand air, à la campagne ? Le pensionnaire
fronça une narine dégoûtée. Oh ! que non ! Il s'ennuierait à mourir,
à la campagne. Quels étaient ses goûts ? Il avoua aimer les jeux de
hasard mais uniquement avec des partenaires habiles et pour de gros
enjeux. Il aimait assez les courses. La saison dernière, il avait persuadé son frère d'acheter un cabriolet. Ils l'avaient inscrit dans une
course à Brighton et avaient gagné deux cents livres. Il aimait la
musique, le chant, le spectacle. La politique ne l'intéressait pas et les
événements du jour ne méritaient même pas qu'on en discutât.

– Nous avons été mis au monde pour nous amuser, dit-il, pour
faire ce qui nous plaît. N'est-ce pas votre avis, Miss Farquhar ?

C'était l'avis de Miss Farquhar. Le repas n'était pas terminé
qu'elle avait oublié l'ordre de cirer les bottes. Ce jeune homme aux
grands yeux mélancoliques, au nez aquilin, aux gestes nonchalants,
aux manières aristocratiques, était tout autre chose que les adoles-
cents boutonneux qui la lorgnaient à l'église ou que le pâle voyou
qui lui faisait des signes ardents par une fenêtre.

Celui-ci était de la même espèce que ceux qu'on décapitait en ce
moment en France. Il avait l'air de descendre d'une de leurs char-
rettes. Chacun de ses gestes respirait le roman. Un peu plus tard,
comme la soirée s'avançait et qu'ils étaient seuls tous deux au salon,
la mère s'étant discrètement retirée à la cuisine avec Isobel et les
garçons, il lui confia que, depuis la mort de sa mère, il était malheureux sous le toit paternel.

– Mon père ne comprend pas mon tempérament, dit-il. Je suis
joyeux un instant, l'instant suivant je désespère. La seule chose qui
compte pour lui, c'est le résultat tangible. Je suis parfois épuisé de
fatigue. Il traite cela de paresse. J'ai besoin de l'excitation de la bonne
société. Il traite cela de dissipation. En vérité, je suis incompris.

Mary Anne l'écoutait, transportée. Pendant trois ans, elle n'avait entendu que des verbiages féminins, la seule voix masculine étant celle du recteur de Ham qui visitait l'école le dimanche. Les propos de cabaret de son beau-père et de ses compagnons lui plaisaient autrefois, mais ceci était bien différent. Pour la première fois de sa vie elle avait un beau jeune homme à elle toute seule, et qui ne demandait qu'à lui ouvrir son cœur.

— Quand je vous ai vue ce soir dans l'escalier, j'ai immédiatement senti une sympathie entre nous, une affinité. Vous l'avez senti aussi ? dit-il.

Elle avait eu envie de le souffleter, mais c'était sans importance. C'était passé. Le vin auquel elle n'était pas accoutumée lui déliait la langue.

— A vrai dire, rien ne m'intéresse ici, répondit-elle. Diriger le ménage de ma mère est une occupation terne. Je demande autre chose à la vie.

Que demandait-elle ? Elle ne savait. Mais comme il la regardait avec admiration, une chose, jusque-là endormie en elle, s'agita. Ce mélange d'artiste et de jeune oisif était grisant pour une fillette à peine sortie de classe. Les bonnes manières de Ham avaient provisoirement émoussé la vivacité de perception de l'enfant des faubourgs. A quinze ans, les émotions s'épanouissent, le pouls s'accélère, mais l'intuition pâlit.

Mary Anne était prête pour sa première aventure amoureuse. A ce moment, à peu près n'importe qui aurait fait l'affaire. Un imprimeur de chez Mr Hughes, un garçon boucher aux yeux luisants traversant l'impasse, un inconnu descendu du coche à Holborn et lui tirant son chapeau… tous ces passants avaient posé les fondations d'un rêve, et voilà que le rêve s'incarnait dans la personne de Joseph Clarke, âgé de vingt et un ans.

La cohabitation sous un même toit compléta la situation. Le Passage du Corbeau n'était pas beaucoup plus large que l'impasse de Bowling Inn, mais le clair de lune brillait mieux sur le seuil. Le ciel était plus plein, les égouts plus discrets. L'on apercevait les étoiles par la fenêtre de la mansarde. Tant pis pour le jeune frère jaloux qui frappait au plafond de l'étage au-dessous.

James Burton, l'autre pensionnaire, ne dérangeait personne.

Sérieux, travailleur, âgé de trente ans, il avait beaucoup d'amis et ne rentrait dans sa chambre que pour dormir. Tout jetait Joseph et Mary Anne dans les bras l'un de l'autre.

Le premier baiser la surprit, elle en fut interdite. Il y avait eu des frôlements avec ses petits camarades de l'impasse, des bourrades, des gifles, des pinçons. Gamineries que tout cela. Elle découvrait une autre réalité. Si Joseph Clarke n'était encore qu'un apprenti marbrier, en amour, il avait fait ses classes. Il embrassait avec une maîtrise sans brutalité. Avec lui, pas de bécot timide, ni de rougissantes excuses.

Mary Anne goûta pleinement le supplice et l'extase de la première étreinte. Elle revint à sa chambre, stupéfaite et ravie, mais l'instinct l'avertit : « Ce n'est pas une chose à confier à ma mère. » A Charley non plus, qui épiait, soupçonneux, entre deux portes, qui remarquait que les chaussettes de Joseph étaient raccommodées et non les siennes, que le pensionnaire avait le blanc de poulet et lui la carcasse.

Mary Anne était amoureuse. Elle ne pensait qu'à Joseph. La journée était interminable en attendant son retour du chantier ; tellement interminable qu'elle inventait des prétextes pour passer au moins deux ou trois fois devant le chantier. Il interrompait son travail pour la rejoindre, de ce pas lent et aisé qu'elle trouvait irrésistible, et, tandis qu'ils parlaient devant le mur, elle savait que les autres apprentis les regardaient, la détaillaient et accouplaient leurs deux noms, ce qui ajoutait encore à son plaisir.

Mais le monde des adultes est hostile aux jeunes amours, sévère et désapprobateur. Un premier amour doit se dissimuler aux yeux inquisiteurs.

– Tu t'es couchée bien tard, hier soir. Je t'ai entendue fermer la porte. Que faisais-tu ?

– Je bavardais avec Joseph Clarke.

– Mr Burton était-il là, lui aussi ?

– Non… Il était sorti.

Silence glacé. Pas un mot de plus, mais Mary Anne revécut d'autres silences glacés, lorsque Bob Farquhar descendait allégrement l'impasse, sa canne à la main, pour aller prendre l'air. Elle le comprenait à présent. Il fallait garder le secret.

– Mrs Farquhar, madame, permettez-vous à Miss Mary Anne de venir se promener avec moi après dîner ? C'est un crime de rester enfermé par une si belle nuit.

– Se promener ? Je comptais sur elle ce soir. Il y a de la couture à faire et elle sait que j'ai mauvaise vue.

– Mère, la couture peut attendre demain matin, quand la lumière sera meilleure.

– Je ne comprends pas cette rage de vouloir courir les rues quand on est tellement mieux chez soi.

Le reproche muet, le soupir, le geste las vers la corbeille à ouvrage. Comment la mère aurait-elle pu imaginer ce que c'était que monter Ludgate Hill au bras de Joseph Clarke et de regarder avec lui le dôme de Saint Paul sous la lune ? Elle faisait signe de partir à son amoureux impatient et, un peu plus tard, voyant sa mère absorbée par son ouvrage, Mary Anne se glissait hors de la chambre et le rejoignait.

– Je peux venir avec vous ? demandait Charley, boudeur, plein de reproches lui aussi.

– Non.

– Pourquoi ?

– On n'a pas besoin de toi. (Puis, radoucie :) Tu peux nous accompagner jusqu'à Fleet Street mais pas plus loin.

La promenade troublante, excitante, parmi la foule pressée aux abords des cabarets et des cafés, servait de prétexte au retour tardif. Les cours, les étroites ruelles, les dissimulaient dans leur ombre ; une porte cochère les abritait d'une averse. Les douze coups de minuit répondaient en écho à ces paroles balbutiées :

– Mary Anne, je ne peux plus vivre sans toi.

– Mais que pouvons-nous faire ? Où pouvons-nous aller ?

A la première exubérance, à l'exaltation de la découverte, succédaient le sentiment de la faute et toutes les complications du secret : la terreur de la porte qui grince, les hasards de l'escalier obscur, un pas trop bruyant, un heurt maladroit. De telles choses réveillent une maison endormie. Des moments qui auraient dû s'éterniser étaient précipités par la peur ; la délicatesse des tendres préludes cédait devant la hâte imposée.

L'appétit augmentait mais ne rendait pas les choses plus faciles.

Le seul lieu possible de rencontre était le salon dans la nuit. Ils y furent découverts, une aube d'avril, par Mrs Farquhar qui prétendait avoir entendu des rats dans la boiserie mais, en réalité, nourrissait des soupçons depuis plusieurs nuits et avait fini par descendre l'escalier aux marches branlantes.

Fuir était impossible, nier hors de question. Ils étaient pris. Il y eut d'abord des larmes, non pas des yeux de Mary Anne, mais de ceux de sa mère.

– Comment peux-tu te conduire ainsi ? Après toutes mes recommandations ! Te glisser dans l'obscurité comme une des traînées de l'impasse ! Et vous Joseph Clarke, qui vous dites fils de gentilhomme vous qui habitez sous mon toit et qui savez que Mary Anne n'a pas de père pour la protéger !

Toute la maison était réveillée. Les garçons sortirent de leur lit, à demi endormis.

– Qu'est-ce qui se passe ? Qu'est-ce qu'ils ont fait ?

James Burton, comprenant d'un regard la situation, retourna sans mot dire à sa chambre. C'était donc cela, la honte. Cela ne se renouvellerait pas. Elle avait été découverte, prise, traitée en coupable, en sotte, en enfant.

– Ça m'est égal, s'écria Mary Anne. Je l'aime. Il m'aime. Nous allons nous marier. N'est-ce pas Joseph ?

Pourquoi ne répondit-il pas tout de suite ? Pourquoi restait-il planté là avec cet air gêné ? Pourquoi balbutiait-il quelque chose à propos de son avenir, de l'incertitude où il était du consentement de son père ? Ils étaient tous les deux bien jeunes pour se marier. Il était désolé que Mrs Farquhar se fût dérangée. Eux aussi avaient entendu des rats, ils ne faisaient pas de mal.

– Ce n'est pas vrai. Nous n'étions pas descendus à cause des rats. Nous nous aimons. Et, assurément, nous avons l'intention de nous marier.

Mary Anne, passionnée, outragée, se tourna vers sa mère. Joseph se taisait, un pâle sourire gâtant son beau visage. Une force inattendue vint soutenir Mrs Farquhar, peut-être le souvenir de Mr Thompson et des jours meilleurs. Elle se redressa avec beaucoup de dignité.

– Il n'est pas question de mariage. Joseph Clarke quittera ma maison demain matin avec une lettre pour Mr Burnell. Mary Anne, tu n'as pas seize ans et tu es encore sous ma tutelle. Va dans ta chambre.

L'heure de la révolte était passée. C'était le calme après la tempête. Mary Anne monta à sa chambre et ferma la porte à clef. C'était elle qui pleurait maintenant. Elle ne pleurait pas d'avoir été découverte, mais d'avoir vu Joseph inquiet, gêné, incapable de dire un mot pour défendre leur amour.

Elle resta toute la journée dans sa chambre. Elle entendit le bruit des bagages descendus dans l'escalier. Isobel, apeurée, lui apporta un repas auquel elle ne toucha pas.

Elle n'était plus Miss Farquhar qui dirigeait toute la maison. Elle était une enfant de quinze ans, blessée, humiliée et douloureusement amoureuse.

L'on eût dit une maison en deuil. Voix étouffées, visites. D'abord Mr Burnell. Puis Mr Day. La troisième serait-elle la directrice du pensionnat de Ham ? Allait-on la renvoyer là-bas ?

– Je n'irai pas ! se disait-elle. Je me sauverai.

Elle s'ennuya soudain de son beau-père, Bob Farquhar. Il ne l'aurait pas grondée, il aurait compris. Il lui aurait caressé l'épaule en clignant de l'œil et lui aurait dit : « Alors, le singe a fait un faux pas. Où est le riche époux à présent ? »

Il n'y avait qu'une réponse pour son esprit en tumulte. Il fallait trouver Joseph. Une fois seule avec lui, elle saurait bien lui faire promettre de l'épouser. Le consentement de son père importait peu, car Joseph était majeur. Il lui avait dit et répété que l'argent ne comptait pas pour lui. Son père était riche. Joseph n'était pas obligé de travailler. Il pouvait quitter Mr Burnell, s'installer à son compte ou ne rien faire du tout si bon lui semblait. Cela n'avait aucune importance. Une fois elle et Joseph mariés, tout irait bien. Ce qui paraissait tromperie deviendrait licite. Une femme mariée ne faisait rien de mal. Sa mère s'adoucirait.

L'optimisme naturel de Mary Anne se réveillait. Elle n'avait qu'à obtenir le consentement de sa mère, à trouver Joseph, et son avenir était assuré.

Mais ce n'était pas cet avenir-là que Mrs Farquhar envisageait pour elle. Ses projets étaient tout autres.

– Je ne te parlerai pas de ce qui s'est passé, dit-elle ce soir-là à sa fille. Moi seule suis à blâmer d'avoir pris des pensionnaires sous mon toit. Cela m'a toujours déplu et j'avais raison. Joseph Clarke a définitivement quitté cette maison et a également quitté Mr Burnell. Mr Burnell, en honnête homme qu'il est, a été scandalisé par sa conduite et a écrit à son père. Nous sommes tous débarrassés de lui.

– Où est Joseph ?

– Je ne l'ai pas demandé. Et si je le savais, je ne te le dirais pas. Son adresse ne te regarde pas. D'ailleurs, toi aussi tu vas quitter cette maison.

– Si tu veux dire que je vais retourner à Ham, je refuse. J'ai passé l'âge d'aller à l'école.

– Il ne s'agit pas d'école. Il n'en est pas question. Tu vas aller tenir le ménage de Mr Day.

Mary Anne éclata de rire.

– Quelle idée ! Pour rien au monde ! Je la connais sa maison, c'est à Islington et ça sent le renfermé. D'ailleurs je n'aime pas beaucoup Mr Day, il est mesquin et pontifiant.

Sa mère la regarda avec désapprobation. Voilà la réponse de sa fille à tout ce que son bienfaiteur avait fait pour elle. Elle le trouvait mesquin et pontifiant !

– Mr Day s'est montré très généreux. Je l'ai mis au courant de ce qui s'est passé et il trouve également que tu as besoin de protection, d'une protection paternelle. Tu la trouveras chez lui et tiendras son ménage. Après ce qui est arrivé cette nuit, la responsabilité est trop lourde pour moi.

– Très bien.

Ce soudain changement aurait dû mettre Mrs Farquhar en garde. Mais elle était trop désireuse de voir sa fille à l'abri des tentations pour en demander davantage.

Pour Mary Anne, la solution était simple. Chez Mr Day, elle pourrait faire ce qui lui plairait, et, dès qu'il serait parti pour l'imprimerie, elle se mettrait à la recherche de Joseph. Rien de plus facile.

L'atmosphère de deuil se dissipa. Les garçons se remirent à siffler, sauf Charley qui pleurait et ne voulait pas être consolé.

Le lendemain, Mary Anne partit en fiacre pour Islington. Elle fut accueillie par Mr Day, un peu plus grave que de coutume, peut-être, au premier abord, mais il se dérida bientôt et, un peu plus tard lorsqu'il lui remit les clefs du placard à provisions, il était de fort bonne humeur.

– Je crois que nous nous entendrons très bien, dit-il. Je suis sûr que tu ne regretteras rien.

Elle lui demanda à quelle heure il prendrait son petit déjeuner le lendemain matin avant de partir pour l'imprimerie. Il la regarda surpris.

– Ta mère ne t'a donc pas dit ? fit-il. Je suis retiré, j'ai quitté l'imprimerie. J'avais décidé cela il y a quelque temps. Je veux rester chez moi avec mes livres et mes autres plaisirs, nous les goûterons ensemble. Nous allons nous entendre à merveille. Plus tard, quand ma fille rentrera de pension, tu auras sa compagnie également. En attendant il te faudra te contenter de la mienne.

Il souriait, saluait, faisait des grâces. C'était ridicule. Mary Anne n'escomptait pas un Mr Day sédentaire. Elle était bien décidée à refermer la porte derrière lui tous les matins, dès huit heures et demie. Il existait donc un complot entre sa mère et lui pour la surveiller de plus près.

Mary Anne était injuste envers sa mère. Le complot était tout entier l'œuvre de Mr Day. Il était vrai qu'il avait quitté l'imprimerie après fortune faite. Mais le récit que Mrs Farquhar lui avait fait de l'inconduite de sa fille avait enflammé son imagination. La fillette avait besoin de discipline, mais d'une discipline où ils pourraient trouver tous deux leur plaisir.

Au lieu de fermer la porte de la maison derrière lui à huit heures du matin, Mary Anne dut lui fermer celle de sa chambre au nez à dix heures du soir. Elle s'était couchée de bonne heure, épuisée par les émotions des jours précédents, et, l'entendant frapper, avait pensé qu'il se passait quelque chose, qu'il était malade ou qu'il y avait le feu à la maison. Elle le vit, debout, son bougeoir à la main, un bonnet de nuit sur la tête, grotesque, plein d'espoir, repoussant.

– On s'ennuie ? fit-il.

Elle comprit. Elle lui claqua la porte au visage et tourna la clef dans la serrure. Tant pis pour ses vêtements. Une gouttière proche de la fenêtre facilita sa fuite aux premières lueurs du jour. Ainsi, c'était pour cela qu'il l'avait fait instruire à Ham ! Mais il avait compté sans Joseph. C'est Joseph qui avait achevé son instruction.

Elle avait assez d'argent pour prendre un fiacre. Elle quitterait Islington dignement, comme elle y était venue, elle ne traînerait pas dans les rues au petit jour, en butte aux passants dans lesquels elle voyait autant de messieurs Day. La leçon avait servi. L'ennui était que personne ne croirait son histoire, et, moins que tout autre, sa mère. Le respectable Mr Day, un loup en habit de berger ? Jamais ! Mary Anne avait inventé tout cela, Mr Day présenterait évidemment une autre version des événements. La parole d'un homme de quarante ans aurait plus de poids que celle d'une fille de quinze.

En chemin vers Holborn dans son fiacre cahotant, Mary Anne prit deux décisions. La première était de ne plus se fier aux apparences : tout acte de générosité cachait un motif inavoué, et, dans le cas où le bienfaiteur était un homme, un motif unique. La deuxième était de ne rentrer à la maison que mariée ; alors, arborant anneau et certificat de mariage, elle aurait la haute main sur sa mère. C'est Mary Anne qui serait la bienfaitrice. La belle-fille du riche Mr Clarke de Snow Hill serait dans une autre position que Miss Farquhar du Passage du Corbeau. Plus besoin de pensionnaires. Sa mère, Isobel, les garçons, connaîtraient enfin des jours meilleurs. Mrs Joseph Clarke les entretiendrait tous.

Elle ne possédait pour l'instant que les vêtements qu'elle portait et quelques shillings dans une petite bourse, mais elle était jeune et pleine d'espoir.

Elle descendit dignement de son fiacre et paya le cocher. Puis elle alla trouver James Burton au Temple. Oui, c'était vrai : Joseph avait quitté Mr Burnell, à la suite d'une scène des plus violentes, dit James Burton. Joseph avait déchiré son acte d'apprentissage et l'avait jeté par terre aux pieds de Mr Burnell. Mr Burnell avait traité Joseph de prodigue et de suborneur. Joseph avait traité Mr Burnell de brute et d'avare.

– Bon, dit Mary Anne impatiente, mais où est-il maintenant ?

– Dans un garni, à Clerkenwell, dit Burton. Je peux vous donner son adresse. Il a des projets insensés, il veut aller en Amérique. Je suis sorti avec lui hier soir et il s'est terriblement enivré. Nous avons fini au Carillon à trois heures du matin. Joseph a eu la chance de gagner dix livres au jeu. Si vous allez chez lui maintenant, vous le trouverez endormi.

Le garni de Clerkenwell, bien que situé dans une rue et non dans un passage, était bien différent de la demeure soignée de Mrs Farquhar. La porte d'entrée était grande ouverte. On y entrait comme dans un moulin. Une enfant souffreteuse, à genoux par terre, frottait le sol souillé de l'entrée, sous la surveillance d'une femme aux joues peintes. L'endroit avait quelque chose de louche et de sordide.

– Clarke ? Deuxième étage, première porte, dit la femme avec un mouvement du menton.

Mary Anne monta l'étroit escalier, son entrain un peu tombé. Si Joseph était trop fier pour retourner chez son père, il aurait tout de même pu choisir un logis convenable.

Il dormait, comme James Burton l'avait prévu. L'on n'eût pas dit qu'il s'était enivré la veille. Son visage était peut-être un peu coloré mais cela lui allait bien. Il avait le même air innocent et puéril que Charley endormi, et Mary Anne sentit qu'elle l'aimait plus que jamais. Elle traversa la chambre sur la pointe des pieds, réparant le désordre, rangeant les vêtements jetés n'importe comment sur le plancher, puis elle s'étendit à son côté sur le lit.

Quand Joseph trouva, en s'éveillant, Mary Anne sur son oreiller, ses projets d'embarquement pour l'Amérique moururent de leur belle mort. La présence fit son effet immédiat et fatal. Ils n'étaient plus sous le toit familial. Les marches de l'escalier pouvaient bien grincer, cela n'effrayait plus, dans un garni où l'on ne demandait rien à personne.

Au milieu de l'après-midi, plus rien au monde ne comptait que le fait qu'ils s'étaient retrouvés. L'avenir leur appartenait. Ils pouvaient en disposer à leur guise.

– Rien d'autre que cela, dit rêveusement Joseph, tous les jours, toutes les nuits. Pas de réveil matinal pas de Tommy Burnell, pas de projets.

– Il faut tout de même manger, dit Mary Anne, et cette chambre ne me dit rien. Il n'y a pas de rideau à la fenêtre et le lit est trop étroit.

Il lui dit qu'elle n'avait pas de tempérament, elle lui dit qu'il n'avait pas de sens commun. A sept heures et demie, ils sortirent pour dîner.

Si le choix de Joseph en matière de logis était au-dessous de sa position, ses goûts gastronomiques étaient nettement au-dessus. Pas question de se contenter d'une obscure taverne au fond d'une impasse. Ils dîneraient somptueusement dans le Strand, et ils ne s'y rendraient pas à pied. Il héla une chaise.

Du mouton et de la bière ? Juste Ciel, quelle idée ! Des ris de veau et un vin français léger. Un caneton ensuite, mais bien tendre. Sa façon de commander était magnifique, sa façon de payer plus encore. Les serveurs le saluaient très bas. Si son pas n'était pas des mieux assurés lorsqu'il se retrouva en plein air, qu'importait : il était toujours aussi beau, et quoi de plus facile que d'arrêter une chaise ?

– Et maintenant ? L'Opéra ? proposa-t-il en faisant tinter sa monnaie.

L'idée était tentante mais combien restait-il des dix livres gagnées au jeu ? Mary Anne secoua la tête. « Pas ce soir », dit-elle et elle tendit le bras juste à temps pour l'empêcher de tomber. En somme, c'était une bonne chose que l'on ne demandât rien à personne dans le garni de Clerkenwell.

Au cours des jours suivants, Mary Anne se rendit compte que c'était elle qui, des deux, devrait se montrer sérieuse. Ce serait à elle de tenir le gouvernail, Joseph, tout heureux d'être libéré des servitudes de son apprentissage, ne demandait qu'à rester couché jusqu'au milieu de l'après-midi, puis aller prendre l'air et s'amuser. « Pourquoi penser à l'avenir ? Pourquoi faire des projets ? » disait-

il, puis il parlait du restaurant où ils iraient dîner. L'argent ! Fi ! Il
en avait bien assez pour quelque temps. Plus tard, s'il se trouvait à
court, il pourrait toujours gagner une dizaine de livres au jeu, et, au
pire, il mettrait son orgueil dans sa poche et consentirait à s'adresser à son père. En attendant, quoi de plus charmant que d'être oisif
et de faire l'amour ?

Tandis que Joseph sommeillait sur son épaule, Mary Anne dressait ses plans : la première chose à faire était de donner son adresse
à Charley afin qu'il pût lui servir de messager, lui apporter des vêtements, des objets de première nécessité, même, si possible, de la
nourriture de la maison maternelle. Cela fut facile. Charley, refou-
lant sa jalousie, se laissa séduire par l'aventure et le roman. Si le
descendant du clan Mackenzie ne pouvait pas ramper dans la
bruyère, une dague entre les dents, il pouvait au moins se glisser
hors du Passage du Corbeau, emportant des pains dans un panier,
et recevoir un shilling pour sa peine.

Il donna des nouvelles de la maison. Mr Day avait fait entendre
sa version personnelle concernant la nuit d'Islington et traité Mary
Anne de putain. Mrs Farquhar avait signalé sa fille comme disparue. Le signalement de Mary Anne, de même que celui de Joseph,
avaient été adressés aux journaux. Ces mêmes signalements avaient
été adressés à la porte des boutiques, auberges et cabarets.

– Vous allez être obligés de déménager si vous ne voulez pas être
pris, les avertit Charley. On vous jugera et on vous mettra en prison.

– On ne vous met pas en prison parce qu'on est amoureux, dit
Mary Anne.

– Si, du moment qu'on n'est pas marié, répliqua Charley. J'ai
entendu Mr Day dire ça. Il dit que ça s'appelle vivre dans le péché,
et il doit le savoir.

Il devait le savoir, en effet.

– Il va nous falloir nous marier. Voilà tout. Tu entends, Joseph ?

Joseph, les pieds sur la barre du lit, la tête dans l'oreiller, se
limait les ongles. C'était une occupation agréable et reposante. Il
bâilla.

– Je ne comprends rien aux affaires juridiques et je m'en moque.
D'ailleurs, tu n'es pas majeure, comment peux-tu te marier sans le
consentement de ta mère ?

Là était l'obstacle. Sa mère continuait à tenir la carte maîtresse, à moins que... Si l'on arrivait à retrouver Bob Farquhar ? Et si, une fois retrouvé, on arrivait, à force de cajoleries, de pressions, de menaces, de chantage, à obtenir qu'il lui donnât son consentement, en qualité de tuteur légal ? Il y avait là le germe d'une idée qui, ayant pris racine dans son esprit, ne manqua pas de croître et de se développer.

Les recherches faites pour retrouver Bob Farquhar n'avaient jamais été poussées. C'est Mr Day qui s'en était chargé, et, maintenant qu'elle connaissait Mr Day, Mary Anne comprenait que son intérêt n'était pas exactement de retrouver le beau-père de sa protégée. Elle imaginait le clin d'œil malin, le rire familier.

– Tenir son ménage, elle est bien bonne ! aurait dit Bob.

Mary Anne tira l'oreiller de sous la tête de Joseph et l'arracha de son lit. Il la regarda, bâillant, bougonnant, bon à rien, mais d'une beauté extraordinaire...

– Quoi encore ?

– Dépêche-toi de t'habiller. Nous allons à Deptford.

Bob Farquhar était un gibier difficile, adroit, fuyant. Ce n'était pas pour rien qu'il avait imprimé des feuilles à scandale pendant vingt ans. Il connaissait tous les tours. Il avait dû disparaître, se cacher, se préparer un petit nid commode où vivre avec une compagne aimable, à l'abri des responsabilités et des reproches de sa femme.

Oui, on l'avait vu à l'Ancre-et-la-Couronne, mais il y avait déjà trois semaines. Un type lourd, carré, avec un œil en coin ? Oui, mais pas à l'Ancre-et-la-Couronne, au Lièvre-blanc. Il y a cinq, six jours. L'on faisait en vain le tour des auberges. Deptford l'ignorait. Enfin, au dernier logis, sur la route de Londres, les nouvelles se firent plus précises.

– Farquhar ? Un couple de ce nom a couché ici, il y a deux jours. Mari et femme. Chambre numéro quatre. Ils ont pris le coche pour Londres, leur fille aussi.

Une femme, une fille. Ce n'était plus vivre dans le péché, c'était de la bigamie. La bigamie était sûrement punie par la loi.

– Ont-ils dit où ils allaient ?

– Non. Mais j'ai entendu la fille parler de Pancras Fields.

Retour à Londres, à l'autre bout de la ville. Et pendant qu'ils y étaient, Joseph et elle ne feraient-ils pas bien de déménager eux aussi ?

La mégère fardée qui tenait la maison meublée de Clerkenwell les avait regardés ce matin-là d'un air soupçonneux, un numéro de *l'Advertiser* à la main. Charley allait reprendre son rôle de messager. Charley irait chercher leurs quelques effets à Clerkenwell et les apporterait à leur nouveau domicile. Leur nouveau domicile serait à Pancras, tout au bout de la ville. Si son beau-père y habitait, l'on n'aurait pas de peine à le trouver. C'était un faubourg grand comme un petit village et qui ne comptait que deux cabarets.

– Mais c'est le bout du monde, protesta Joseph. Je vois une ferme de l'autre côté de la route, avec des vaches qui paissent. Nous allons périr d'ennui dans un trou pareil.

Un baiser, un mot d'amour, une main ébouriffant ses cheveux, et il était aussi facile à mener que Charley. Elle le laissa en train de pendre ses cravates sur une ficelle tendue d'un mur à l'autre.

Bob Farquhar n'était dans aucun des deux cabarets. Au second, on la renseigna, et elle le trouva assis devant un bon repas de lard, de pain et de fromage, dans une petite maison, de l'autre côté du faubourg. En face de lui était une bonne grosse femme de son âge qui n'avait jamais dû connaître de jours meilleurs et une fille laide qui ressemblait curieusement à Bob.

« Qui frappe le plus dur, gagne » songea Mary Anne. Elle se prépara à frapper.

– Enfin, on te retrouve, dit-elle. J'ai toute la famille dehors dans un fiacre et deux hommes de loi. Que comptes-tu faire ?

A son grand regret, son beau-père ne parut pas troublé. Il se carra sur sa chaise et sortit un journal de sa poche.

– Je pourrais toujours leur lire *l'Advertiser*, dit-il. Disparue de son domicile depuis le 17 avril, Mary Anne Thompson, alias Farquhar, fille d'Elizabeth Mackenzie Farquhar, 2 Passage du Corbeau, Cursitor Street, âgée de quinze ans trois quarts, yeux bleus, cheveux brun clair, teint frais, soignée de sa personne etc., etc. Tu n'as pas vu le signalement ?

Il lui lança le journal et elle l'attrapa au vol, par habitude, comme elle avait fait d'un paquet de brochures au bon temps de l'impasse de Bowling Inn.

– Nous avons tous les deux filé de chez ta mère. Nous n'avons donc rien à nous reprocher l'un à l'autre, dit Bob Farquhar. Je te présente Mrs Farquhar numéro deux, ou Mrs Favoury, comme on l'appelait avant, et Martha, l'espoir de nos vieux jours.

La dignité n'était plus de mise, l'air justicier non plus. Un instant plus tard, Mary Anne, assise entre eux, mangeait du pain et du fromage.

– En somme, dit-elle, si je te dénonce, tu me dénonces aussi. Il n'y a rien à faire. Nous dépendons l'un de l'autre.

– C'est clair comme le jour, répondit-il.

– Tu es bigame.

– Et toi, tu mérites une fessée.

– Je ne connais Joseph que depuis huit jours, mais il n'existe pas d'autre homme au monde pour moi.

– Je connais Mrs Favoury depuis dix-sept ans, et il m'a fallu tout ce temps-là pour choisir entre elle et ta mère.

– Tu allais de l'une à l'autre.

– Je ne pouvais pas les satisfaire toutes les deux à la fois.

Mrs Favoury, nullement gênée, buvait du thé et leur souriait. Mary Anne, se rappelant les silences pleins de reproches de sa mère, s'étonnait que son beau-père eût mis dix-sept ans à prendre sa décision. Il est vrai qu'en attendant il se consolait de l'une avec l'autre, et il n'était pas surprenant que Martha eût son nez et ses yeux.

– Alors, tu t'es entichée de ce garçon ?

– Nous nous sommes entichés l'un de l'autre.

– De l'avenir ?

– Il a un père riche.

– C'est toujours plus que tu n'en as. Est-ce que son père sera convenable ?

– Oui, quand il me connaîtra.

– Hum… Mariage hâtif, regrets tardifs.

– Mariage tardif, jeunesse perdue.

Elle n'avait aucune envie de suivre l'exemple de son beau-père et de Mrs Favoury, et d'attendre Joseph Clarke pendant dix-sept ans.

– Et alors, qu'est-ce que tu veux que je fasse ?

– Que tu donnes ton consentement paternel.

– Qui paiera les frais ?

– Joseph. Il fait ce que je veux. J'arrangerai tout. Nous pourrions nous marier ici à Pancras. J'ai vu l'église en passant.

Bob Farquhar soupira.

– Il va falloir de nouveau déménager tout de suite après, dit-il. Si je mets mon nom sur ton certificat de mariage, je me découvre. Ta mère exigera son dû.

– Je me charge de ma mère.

– Dans ce cas, entendu. Allons faire la connaissance de ton galant.

Une méfiance mutuelle habitait les deux hommes. Le contraste entre eux était frappant. L'un était grand, élégant, dédaigneux ; l'autre petit, épais et lourd. Ils se dévisagèrent comme deux chiens prêts à se battre. Ce n'était pas le moment des badinages de salon, des discussions intellectuelles. La situation imposait une visite au plus proche cabaret. Ils y restèrent deux heures et en sortirent frères.

– Rappelez-vous cela, ma petite, dit Mrs Favoury à Mary Anne en regardant les deux hommes s'approcher bras dessus, bras dessous, il n'y a rien dans la vie qui ne puisse se régler en buvant un verre. Un verre ou deux. Ça ouvre le cœur et ferme la cervelle. Qu'est-ce que nous demandons aux hommes, nous autres femmes ? Vous pouvez être contente : le mariage est décidé.

Elle avait raison. Le consentement était donné. Le lendemain, tandis que les deux hommes achevaient de dissiper dans le sommeil les fumées qui avaient accompagné leur accord, Mrs Favoury et Mary Anne allèrent acheter la licence de mariage et s'entendirent avec le curé de l'église de Saint Pancras. Mrs Favoury convint que ni elle ni Martha, qui écarquillait des yeux émerveillés dans sa face ronde, n'assisteraient à la cérémonie, de crainte d'indiscrétions. Mary Anne glissa deux shillings dans la main du fossoyeur qui accepta de remplir les fonctions de témoin. Il n'y avait plus qu'à amener le mari à l'autel.

– Joseph, réveille-toi ! Nous nous marions ce matin.

– Quel temps fait-il ?

– Très beau. Pas un nuage.

– Alors, rien ne presse. Le beau temps va durer.

Il bâilla, s'étira, finit par se laisser habiller. Pas cette chemise,

celle en batiste toute neuve. Non, non, le gilet de satin. Cravate ? Il
n'en avait pas d'assortie au gilet. Il avait vu exactement celle qu'il
lui fallait, dans une boutique du Strand. S'ils prenaient un fiacre et
passaient au Strand avant d'aller à l'église ? Impossible. L'heure
était fixée. Le curé attendait.

– Tu aimes ma robe ? Je l'ai achetée hier. Mrs Favoury a été très
généreuse.

– Je la trouve ravissante. Mais pourquoi rose ? Ce rose va jurer
avec le saumon de ma cravate.

– Personne ne le remarquera, de si bon matin. Je t'en prie,
dépêche-toi.

C'était le 19 mai 1792. Ils traversèrent les champs pour gagner la
petite église, au soleil, la main dans la main. C'était non seulement
le jour du mariage de Mary Anne mais aussi celui de son seizième
anniversaire.

A mi-chemin de l'église, Joseph tâta la poche de son habit.

– C'est terrible. Nous n'avons pas pensé à la licence.

– Je l'ai. Et il faut un second témoin. J'y ai pensé aussi.

– Qui est-ce ?

– Le fossoyeur du cimetière de Pancras. Je lui ai donné deux shillings pour sa peine. Dépêche-toi. On nous attend.

Bob Farquhar, une fleur à la boutonnière, était devant le porche,
à côté du pasteur.

– Nous pensions que vous vous étiez ravisés, dit-il.

Mary Anne s'accrocha au bras de Joseph et sourit :

– Jamais de la vie, répondit-elle.

Son beau-père les regarda, sceptique : le jeune dandy à l'air hautain, Mary Anne rougissante, radieuse dans sa robe rose toute
neuve.

– Espérons que vous penserez encore de même dans dix ans, fit-il.

Le révérend Sawyer les fit entrer dans l'église. Elle était simple et
nue. Un rayon de soleil filtrait à travers un vitrail sur le mur blan-
chi à la chaux. L'on entendait les oiseaux chanter dehors dans un
bouquet d'ormes, et le lointain bêlement des moutons dans les
champs.

Mary Anne fit sa réponse d'une voix claire et décidée. L'on entendit à peine Joseph. Un moment plus tard, dans la sacristie, elle

signa son nom la première dans le registre, au-dessus de celui de
son mari.

– Et où le nouveau ménage va-t-il faire son nid? demanda le
pasteur, ravi d'avoir uni ce couple innocent.

Il tendit le certificat de mariage à Joseph, attendant sa réponse.
Joseph tourna vers sa femme un visage interrogatif. Les dernières
semaines s'étant passées délicieusement il ne devait pas être question de changer. La vie allait continuer comme par le passé : les
fiacres, les restaurants, le tourbillon de Londres, le coucher bien
après minuit, le lever à midi. Mary Anne sourit. Elle fit la révérence
au pasteur et prit le certificat des mains de Joseph.

– Nous allons à Hampstead, dit-elle. Mon mari a besoin de repos,
de lait frais et de grand air.

Elle regarda Joseph. Il la regarda à son tour, Bob Farquhar
étouffa un rire et donna un coup de coude au fossoyeur.

C'était le premier défi.

Ils y étaient revenus, à plusieurs reprises, mais à quoi bon ? Ces discussions ne menaient à rien, ils étaient dans une impasse.

– Alors, tu m'as toujours menti ?

– Je ne mens jamais. C'est bien trop compliqué.

– Tu nous as dit à tous, le premier soir, Passage du Corbeau, que tu avais beaucoup d'argent.

– J'en avais, à ce moment-là. Il a filé très vite. Mais je peux en regagner.

– Comment cela ?

– Aux cartes, en spéculant, en pariant aux courses. Ça s'arrange toujours.

– Mais, ton père ? Tu m'as dit que ton père était riche, que tu pourrais toujours obtenir de l'argent.

– C'est un peu compliqué.

– Comment, compliqué ?

Elle lui mit les mains sur les épaules et l'obligea à tourner son visage vers elle. Pourquoi toujours ce rire insouciant, ce haussement d'épaules évasif ?

– Joseph, dis-moi la vérité Tout de suite. Finissons-en. Je t'aime. Je te promets de ne pas me fâcher.

Ils étaient mariés depuis six semaines et, bien qu'elle lui eût fait faire ce qu'elle voulait – ils menaient une vie régulière dans un petit logement et il avait déjà le teint plus clair, l'air moins fatigué –, il rcfusait toujours obstinément de parler d'avenir. Lorsqu'elle lui demandait s'il avait écrit à son père, il changeait de conversation.

Le calme de Hampstead commençait à perdre un peu de son charme. Elle avait envie de rentrer en ville, de voir sa mère et les garçons, de se pavaner sous son nouveau nom de Mrs Joseph Clarke, belle-fille du fameux entrepreneur, de goûter tous les avantages de sa situation de femme mariée.

Ils devaient déjà deux semaines de loyer et il était vraiment ridicule de vivre comme des sans-le-sou quand un mot au père de Joseph leur assurerait la situation à laquelle ils avaient droit, et le respect de tous. Mary Anne désirait les privilèges traditionnels des jeunes épouses : les cadeaux de noce, les félicitations, le trousseau, l'argenterie, l'installation dans une maison à eux (une petite maison pour commencer). A quoi bon être mariée si l'on n'avait rien de tout cela ?

Un bébé naîtrait à l'automne, elle en était sûre à présent. Elle aurait besoin de tout, alors ; Joseph devait bien le comprendre. Elle le regarda de nouveau avec insistance. Les yeux noirs se dérobèrent, refusèrent de rencontrer les siens.

– Qu'y a-t-il, Joseph ?

Tout à coup, il mit la main dans sa poche et en sortit une lettre.

– Bon, dit-il, tu l'as voulu. Je ne voyais pas la nécessité de gâter ton plaisir. Mais, puisque tu y tiens !

La lettre était datée du 23 mai, quatre jours après le mariage et portait l'en-tête de Angel Court, Snow Hill.

« N'ayant reçu de toi que des déceptions depuis ton plus jeune âge, je ne me suis pas étonné lorsque Thomas Burnell m'a appris ta vilaine conduite. Je te rappellerai que ce n'est ni la première ni la seconde fois que tu te rends coupable d'une semblable inconduite et que c'est surtout dans l'espoir de te ranger que je t'avais mis en apprentissage chez Burnell. Je n'ai jamais cru à ton talent et Burnell me confirme qu'il est inexistant. La seule voie qui te soit ouverte, pour autant que j'en peux juger, est de gagner honnêtement une ou deux livres en exerçant le métier de tailleur de pierre pour un patron marbrier. Je remarque que tu as épousé la jeune personne que tu as séduite ce qui, connaissant ton caractère, me surprend mais cela importe peu, puisque je n'ai aucune intention de vous recevoir ni l'un ni l'autre. En souvenir de ta mère il te sera versé, ta vie durant, la somme d'une livre par semaine soit cinquante-deux livres par an, mais n'espère rien d'autre de moi à l'avenir, et sache qu'à ma mort tout ce que je laisserai, y compris mon entreprise, reviendra à tes frères.

« Ton père THOMAS CLARKE »

Joseph regardait sa femme lire la lettre. Tiendrait-elle sa promesse de ne pas se fâcher ? Elle était parfois emportée, il le savait. Il y avait déjà eu entre eux des querelles, des scènes, des moments de colère qu'il avait toujours réussi, jusqu'alors, à dissiper par des gestes amoureux. Mais comment prendrait-elle l'allusion à son « inconduite » ? « Ce n'est ni la première ni la seconde fois... » disait la lettre paternelle. C'était bien là le hic. Allait-il être obligé de lui avouer la malheureuse histoire de la sœur de l'aubergiste ? Ou l'aventure, plus lamentable encore, de la femme du charretier ? Devait-il se préparer à des reproches, à des larmes, à des claquements de portes, au retour de Mary Anne chez sa mère ?

Joseph connaissait sa femme moins bien qu'il ne croyait. Ces allusions à son passé la laissèrent indifférente. Les méthodes tactiques qu'il avait employées au début de son séjour Passage du Corbeau l'avaient amplement renseignée à ce sujet. Une phrase de la lettre la frappa plus durement que tout le reste : « Je n'ai jamais cru à ton talent et Burnell me confirme qu'il est inexistant. » Cela seul comptait. Et le conseil pour l'avenir : « ...en exerçant le métier d'ouvrier marbrier. » Était-ce donc là leur unique perspective ? Elle déchira la lettre en menus morceaux et sourit à son mari.

– Voilà pour ton père, dit-elle. Et tes frères ?

Il haussa les épaules.

– John est l'aîné, dit-il. C'est le fils du premier mariage de mon père, et il a des années de plus que nous. Marié, père de famille. Il habite Charles Square, à Hoxton. Nous nous entendons bien. Thomas, le second, est le portrait de notre père, travailleur, prudent, il se méfie de moi. James ne s'occupe pas de l'affaire, il est à Cambridge, il fait ses études pour devenir pasteur. J'ai aussi une sœur. Mais à quoi bon parler d'eux ? Je suis le paria de la famille. Ça a toujours été comme ça.

A parler ainsi, il reprenait de l'assurance. Rien n'était jamais de sa faute.

– Et ton oncle ?

– Quel oncle ?

– Tu nous as dit, à la maison, que ton oncle était le conseiller Clarke, qui serait peut-être un jour lord-maire de Londres.

– Oh ! ça… (Joseph haussa une fois de plus les épaules.) A vrai dire, c'est un parent éloigné. Je ne le connais pas personnellement.

Chaque mot qu'il prononçait confirmait ses pires appréhensions. En réalité, il lui avait menti dès le début. Les Clarke n'étaient pas les gens riches qu'elle avait cru. C'étaient des commerçants comme il y en avait des milliers, sans grandes relations, vivant petitement. Elle avait été tellement amoureuse de Joseph, et si éblouie par son charme, qu'elle n'avait jamais pensé à l'interroger de plus près. Avait été amoureuse… Y songeait-elle déjà au passé ? Non… jamais… jamais… elle repoussa cette pensée.

– Il n'y a qu'une chose à faire, dit-elle, c'est de nous adresser à ton frère John. Laisse-moi m'en charger, cela vaudra mieux.

Son optimisme naturel renaissait, comme chaque fois qu'elle avait un plan à dresser, une démarche à entreprendre. Elle emberlificoterait le frère John comme elle avait emberlificoté Mr Day pour qu'il lui donne des épreuves à corriger, impasse de Bowling Inn. Beaucoup de choses dépendraient aussi des sentiments qu'elle inspirerait à la femme du frère John.

Elle alla seule à Hoxton. Elle choisit un dimanche après-midi, afin de trouver le frère John attendri par l'office et le déjeuner dominical, confortablement installé au sein de sa famille.

Charles Square, plaisant et tranquille, entouré de maisons neuves, respirait l'aisance et l'honorabilité. « Nous pourrions habiter l'étage supérieur, songea-t-elle. Il doit y avoir deux pièces devant et une autre derrière. Pas de loyer à payer. »

Elle portait la robe de mousseline rose de son mariage. Elle avait l'air ingénu et juvénile. C'est le frère John lui-même qui ouvrit la porte. Elle le reconnut tout de suite. Il ressemblait à Joseph en plus vieux, plus fané, moins élégant, et devait être encore plus facile à mener.

– Pardonnez-moi, dit-elle. Je suis la femme de Joseph, et elle fondit en larmes.

L'effet fut prodigieux. Le bras fraternel pour la soutenir jusqu'au

salon, l'appel anxieux à l'épouse (elle était, Dieu merci, du type
maternel), les regards curieux des enfants vivement renvoyés de la
pièce... Le calme rétabli et après avoir bu le cordial qu'on lui
offrait, elle raconta son histoire.

– Si Joseph savait que je suis venue, il ne me le pardonnerait
jamais. Je lui ai dit que j'allais voir ma mère. Mais je savais, après ce
qu'il m'avait dit de vous deux, que vous ne me mettriez pas à la porte.
Il a tant d'affection pour vous ! Mais vous savez comme il est fier.

Ils avaient leurs doutes sur son affection comme sur sa fierté
mais, quand elle souriait à travers ses larmes, les doutes fondaient.

– La lettre de son père lui a brisé le cœur. Vous êtes au courant,
n'est-ce pas ?

Ils étaient au courant. C'était affligeant, mais l'on n'y pouvait
vraiment rien.

– Ce mariage est entièrement de ma faute. C'est moi qui me suis
fait enlever. J'étais malheureuse à la maison, et ma mère m'avait
envoyée tenir le ménage d'un monsieur.

Elle conta l'incident de Mr Day, la porte enfoncée – elle exagérait
un peu – au milieu de la nuit, sa fuite chez Joseph.

– Qu'auriez-vous fait à ma place ? demanda-t-elle à Mrs John.

Mrs John exprima son horreur, son indignation, sa pitié. Pauvre
enfant, quelle aventure !

– Je savais ma mère incapable de me protéger, et mon frère
Charley est encore trop jeune. Je ne pouvais me fier qu'à Joseph.
Vivre ensemble n'aurait pas été convenable. Alors nous avons été
bien obligés de nous marier. Mon beau-père m'a donné son consentement.

Elle s'étonnait elle-même de trouver son histoire véridique. La
porte enfoncée était la seule invention, mais utile.

– Et où est votre beau-père, à présent ?

– Il est parti pour l'Écosse. Nous devons deux semaines de loyer
pour notre logement de Hampstead et l'on nous mettra dehors
samedi prochain. Si seulement nous avions un toit ! Voyez-vous, à
l'automne...

Elle regarda Mrs John. Mrs John comprit.

Moins d'une semaine plus tard, Mr et Mrs Joseph Clarke étaient
installés dans la maison de Charles Square. Ils disposaient de

l'étage supérieur. Ce n'était pas tout à fait ce qu'elle avait espéré
devant l'autel de Saint Pancras, mais personne d'autre qu'elle ne le
saurait jamais. Le quartier, en tout cas, était bien supérieur au
Passage du Corbeau. L'adresse avait de la distinction, et elle se permit un petit air condescendant la première fois qu'elle rendit visite
à sa mère.

– Tu comprends, cela nous convient parfaitement. Nous sommes
chacun chez nous, mais nous voisinons à notre gré. Joseph a une
pension de son père, il est complètement indépendant.

Ce n'était pas ce que Thomas Burnell avait raconté à
Mrs Farquhar, mais elle fut convaincue. Elle s'était ennuyée de sa
fille. Tout fut pardonné. La seule chose qu'elle ne s'expliquait pas
était la réapparition soudaine de son mari, redisparu aussitôt après
le mariage.

– De quoi vais-je vivre ? Que vont devenir Isobel et les garçons ?

– Il faut continuer à prendre des pensionnaires.

– Mais comment as-tu pu laisser partir ton beau-père ? Tu aurais dû
le retenir pour me donner le temps d'avoir recours à la loi contre lui.

– Inutile. Il n'a pas le sou.

L'on ne parla plus de Bob Farquhar. Il avait fait ce qu'elle lui
demandait, il pouvait disparaître. Il n'eût pas été à sa place dans
Charles Square. Ni John, ni Joseph Clarke ne dînaient en manches
de chemise. La tenue, avant tout. Mary Anne était prête à oublier
définitivement son beau-père, mais elle avait compté sans Martha
aux joues rondes.

Martha se présenta, un matin, au seuil de la maison de Charles
Square, en réponse à une annonce de journal demandant une nourrice sèche pour un bébé encore à naître. Mary Anne la fit monter
dare-dare à l'étage supérieur, avant que Mrs John ne l'eût aperçue.

– Que fais-tu là ? Qui t'a dit de venir ?

– J'ai vu l'annonce du journal. J'ai deviné que c'était vous.

La fille regarda Mary Anne. Tout son visage exprimait une muette
adoration. Avait-elle bien tout son esprit ? Les yeux n'étaient-ils pas
un peu vagues ?

– Mon beau-père sait-il que tu es ici ?

– Ils ne veulent plus de moi. Ils disent que je dois gagner ma vie.
Alors, je viens vous demander de me prendre comme servante.

– Combien veux-tu gagner ?

– Je ne sais pas. La nourriture et le logement.

Oui, elle savait faire la cuisine. Oui, elle savait faire la lessive, oui, elle savait ravauder, repriser. Elle savait faire le marché.

– Si je te prends, il ne faudra jamais parler de mon beau-père, ni de ta mère, ni de notre rencontre à Pancras. Tu seras Martha Favoury, une servante, et c'est tout, tu comprends ?

– Oui.

– Si tu fais quoi que ce soit qui me déplaît, je te renverrai sur-le-champ.

– Je ne vous déplairai pas. Je ferai tout ce que vous me direz.

Un instant plus tard, Martha avait trouvé un tablier et frottait la pierre de l'âtre. Un regard, un sourire l'avaient, à Pancras, réduite à l'esclavage. Oui, madame ; bien, madame. Pas de gages, le logement et la nourriture, un point c'est tout.

Mrs Joseph Clarke avait une servante. Mrs Joseph Clarke pouvait dire à Mrs John :

– Si cela vous rend service, je puis vous prêter Martha pour l'après-midi.

Un mot de ce genre, sans avoir l'air d'y toucher, égalisait les choses. Mrs Joseph et Mrs John étaient quittes.

Mary Anne et Joseph passèrent deux ans à Charles Square et y mirent au monde deux enfants. Le premier mourut peu après sa naissance. Le second était une fille que l'on baptisa Mary Anne comme sa mère. Quand le troisième s'annonça, Mrs Joseph Clarke déclara que l'étage supérieur de Charles Square ne leur suffisait plus. Il leur fallait une maison à eux, mais qui la paierait ? Le père de Joseph était mort en tenant sa parole : Joseph n'hérita pas d'un sou en dehors des cinquante-deux livres de pension annuelle. L'entreprise de Snow Hill prospérait, mais sans la participation du second fils. Le second fils haussait les épaules. Il avait une livre par semaine, un toit qui ne lui coûtait rien, et n'avait même pas à payer de gages à sa servante. Pourquoi donc se tourmenter ? Ils pourraient continuer indéfiniment à vivre chez le frère John.

– Tu ne désires pas être indépendant ?

– Je suis indépendant.

– Tu ne désires pas être respecté, considéré ; tu ne désires pas

qu'on parle de toi comme d'un homme capable, comme d'un
Thomas Burnell ? Cela ne te ferait pas plaisir de voir ton nom,
Joseph Clarke, sur une maison qui t'appartienne ?

– Je préfère vivre comme un gentilhomme.

Mais était-ce vivre en gentilhomme que d'habiter au troisième
étage dans la maison de son frère, et de partager la table de son
frère sans même toujours attendre d'y être invité ? N'était-ce pas
plutôt vivre en parasite et en parent pauvre ? Ah ! s'il avait eu seulement une once d'énergie, une parcelle d'ambition !

– Frère John, nous vous encombrons. Vos enfants grandissent,
vous avez besoin de nos chambres.

– Nullement, ma chère. Il y a de la place pour tout le monde.

– Mais il faut que Joseph travaille, qu'il fasse quelque chose. Il a
du talent, il ne lui manque que l'occasion de l'exercer. Le testament
était injuste, inique. Joseph a droit à sa part de l'entreprise fami-
liale.

Le frère John parut soucieux. La mort de son père les avait tous
éprouvés. Il était déjà en conflit avec l'autre frère, Thomas, qui
avait hérité de l'intelligence du père et de la plus grande partie de
sa fortune. John s'était aliéné ses bonnes grâces en accueillant
Joseph. Il se demandait parfois s'il ne vaudrait pas mieux pour
lui se retirer complètement, en laissant Thomas mener l'affaire à
sa guise.

– Joseph ne demande rien, ajouta vivement Mary Anne en
remarquant le pli de contrariété sur le front de John, le froncement
de sourcil indécis. C'est moi qui demande pour lui. Il suffirait d'une
petite somme pour l'établir et, naturellement, dès qu'il ferait des
bénéfices, il vous la rendrait. Avez-vous entendu dire, à propos, que
les Brewer de Golden Lane vendent leur fonds ? La maison est en
bon état et il y a une cour derrière. Joseph, avec un apprenti pour
l'aider, un débutant…

Charley ferait l'affaire. Pas d'étranger. Tout le profit pour la
famille. Pas de salaire à des étrangers.

– Cela pourrait débuter comme une annexe de l'entreprise de
Snow Hill, qu'en pensez-vous ? Mais Thomas n'aurait pas voix au
chapitre, cela resterait entièrement entre Joseph et vous. Vous vous
entendez bien, tous les deux.

A Noël 1794, les Joseph Clarke s'installèrent à Golden Lane.
Enfin, Mary Anne avait sa porte sur la rue, son escalier. Elle ne se
heurtait plus sur tous les paliers aux enfants du frère John. Des
rideaux neufs pendaient aux fenêtres, des tapis neufs couvraient le
plancher. Martha, en robe à fleurs, bonnet et tablier, donnait la
commande au garçon boucher. Il y avait une charrette pour Mary
Anne deuxième du nom, un berceau pour le bébé à naître, le tout
payé sur les fonds de l'affaire, payé par le frère John qui s'était dis-
puté avec le frère Thomas.

– Comment vont nos affaires ? Mais fort bien, vraiment. Une
commande pour un monument à Saint Luke. Une autre à Saint
Léonard. Joseph a plus de travail qu'il n'en peut faire.

Faisons admirer la maison aux visiteurs. Montrons-leur les
chambres nettes et pimpantes, la petite fille bien vêtue, la servante
stylée dans la cuisine. Tous les signes de la prospérité, de la réussite.
Mais tenons la porte de la cour bien fermée pour cacher les blocs de
granit encore intacts, les outils abandonnés dans le hangar,
l'absence du maître.

– Mr Clarke est-il là ?

– Non, malheureusement. Il est sorti pour affaire. Une très grosse
commande.

Plus tard, beaucoup plus tard, Martha chuchotait :

– Le maître est rentré.

Joseph, les mains dans les poches, donnait des coups de talon
dans les blocs de granit. Inutile de demander d'où il venait : son
visage enflammé, ses mains tremblantes, la façon dont il essayait de
la prendre dans ses bras pour effacer d'un baiser le regard accusateur, en disaient long.

– Je travaillerai demain, mais pas aujourd'hui. Aujourd'hui, faisons un peu la fête. Au diable le travail !

Il ne fallait pas faire de reproches. Il ne fallait pas menacer. Il ne
fallait pas montrer son mécontentement. Tout cela avait chassé Bob
Farquhar loin de sa mère. Sourions donc, rions, et roulons gaiement
en voiture par la ville. Continuons à porter beau devant Mrs John.
Celle-ci venait souvent à Golden Lane, toujours soucieuse et, finalement, en larmes.

– John a eu grand tort de rompre avec Thomas, il le reconnaît à présent. C'est un enfant lorsqu'il est question d'argent, et sa part d'héritage est en train de fondre. Tant que le chantier de Golden Lane ne rapportera pas de bénéfices, tout ce que nous pouvons faire, c'est spéculer à la Bourse, et John n'y entend rien. Vous ne pourriez pas obtenir de Joseph qu'il travaille un peu plus ?

– Il travaille beaucoup, mais les affaires boudent, l'hiver a été mauvais, et il y a la guerre, l'incertitude des temps.

Mary Anne prenait le premier prétexte venu pour excuser son mari.

– D'ailleurs, la spéculation n'est pas une chose si risquée que cela, si l'on connaît les gens qu'il faut. Un ami de Joseph vient de gagner une fortune. Je crois d'ailleurs que Joseph l'a présenté à John. Si l'on suit ses conseils, nous nous réveillerons peut-être tous riches, un beau matin.

Pas d'inquiétude. Pas de craintes. Un cœur confiant en l'avenir, c'est la bataille aux trois quarts gagnée, et la ruse fait le reste. Il ne faudrait pas demander d'argent au frère John avant que ses spéculations aient réussi. En attendant, Mr Field, l'orfèvre de Golden Lane, consentait à leur prêter de l'argent. « Mon mari est le neveu du conseiller Clarke, et, au cas où l'affaire de mon mari ne rapporterait pas tout de suite, le conseiller nous aiderait. Mais si vous nous avancez une petite somme pour une courte période... » Pour une courte période, quel est l'orfèvre qui n'aurait pas été prêt à rendre service à ses voisins si élégamment installés, et qui disposaient de l'appui du futur lord-maire de Londres ?

Il faudrait voir également James Burton, pas pour lui demander de l'argent, pour le moment, mais des conseils. Il était entrepreneur à présent et réussissait fort bien, il verrait au premier coup d'œil les fautes et les omissions du chantier de Golden Lane.

– Un mot de vous, Mr Burton, aurait tant de poids. Joseph est timide et réservé. Il ne veut pas courir après les commandes. En souvenir d'autrefois...

– Autrefois ?

Elle lui souriait. Il avait, depuis longtemps, quitté le Passage du Corbeau, et habitait une maison qu'il avait construite dans Bloomsbury. A l'entendre parler, mi-taquine, mi-tendre, l'on aurait pu croire que c'était avec lui et non avec Joseph qu'elle batifolait, trois ans auparavant. « J'aurais mieux fait… » était sous-entendu et parfumait l'air, jamais avoué, jamais prononcé.

En souvenir d'autrefois, donc, il fit des commandes, mais le travail était négligé, défectueux, en retard. Il retira bientôt sa clientèle. Pourquoi continuer à employer un artisan malhabile, rarement sobre et qui avait l'air de vous faire une grâce en acceptant de travailler pour vous ?

– Le malheur, Mrs Clarke, c'est que votre Joseph boit.

– Pis que cela, Mr Burton, il n'a pas de talent.

L'opinion paternelle était entièrement confirmée à présent : talent inexistant. Elle avait épousé un homme sans ambition, sans volonté. Pourtant, elle l'aimait encore. Il était jeune, il était beau, il lui appartenait. Par un soir chaud d'été, elle tint, pour la première fois, leur fils aîné dans ses bras. Edward avait les yeux de sa mère, sa bouche, ses traits. Elle le fit admirer à la sœurette de dix-huit mois, à la fidèle Martha, à la sage-femme souriante ; mais Joseph n'était pas auprès d'elle.

C'était le 28 juillet 1795. Naissance d'un fils et successeur à Golden Lane. Étendue dans son lit, elle regardait le plafond. S'il a choisi cette nuit-là pour aller boire, je lui dirai ma façon de penser, songea-t-elle. Il y avait des limites à l'indulgence. Pour une fois qu'elle avait besoin de lui, il n'était pas là. Demain, elle serait forte, prête à affronter l'avenir et à reprendre le commandement. Mais ce soir, par pitié, un peu de calme et de tendresse. Quand il rentra, il n'était pas soûl, mais très pâle, et il la regarda fixement sans même un coup d'œil au nouveau-né dans son berceau.

– L'affaire est manquée, dit-il.

Elle s'assit dans son lit et le regarda debout dans l'encadrement de la porte.

– Quelle affaire ? Que veux-tu dire ?

– L'affaire de la City, la Bourse, la spéculation. Je suis allé à Charles Square dès que j'ai appris la nouvelle. Je suis cependant arrivé trop tard.

Il se jeta sur le lit et éclata en sanglots. Elle le tint contre elle, comme elle tenait leur fils, une heure auparavant.

– Il n'est jamais trop tard. Je vais réfléchir. Je trouverai quelque chose, lui dit-elle.

Joseph secoua la tête, défiguré par les larmes. Tout ce qu'elle pouvait faire ne réussirait plus à lui masquer sa propre incompétence. Il avait pris des airs d'expert pour conseiller son frère trop confiant.

– Combien ton frère John a-t-il perdu ? demanda-t-elle.

– Toutes ses économies. Tout ce qu'il possédait. Il l'a appris ce matin dans la City et il n'est pas rentré chez lui. Il s'est tué à midi. On l'a retrouvé dans une voiture, à Pentonville, une balle dans la tempe.

CHAPITRE VIII

L'important était de faire bonne contenance, de sauver la façade, de ne jamais laisser voir combien ils étaient près de la faillite. John s'était suicidé. Eux survivaient avec tous les signes de l'abondance, des trumeaux peints, des parquets cirés, des tentures de soie, des toilettes pimpantes. De la mousseline brodée au plumetis pour les enfants. Une épinette louée au mois, non payée, des feuillets de musique, des livres à reliures de cuir, des candélabres d'argent. Des gravures de mode étalées sur une table, des billets de théâtre, des broderies encadrées, le dernier pamphlet sorti des presses, une caricature grossière. Un petit chien au cou enrubanné, aux oreilles pendantes, deux tourterelles dans une cage, le tout composé à dessein de figurer l'aisance, la prospérité, de bien marquer que Golden Lane n'avait rien de commun avec l'impasse de Bowling Inn.

Sous ces fanfreluches, la charpente était nue. Le squelette de la misère riait aux murs. Recouvrons de damas le plâtre qui s'écaille, les voisins verront le décor et non la fissure.

Seule, couchée dans son lit à côté d'un mari soûl, elle voyait sa vie rejoindre, répéter celle de sa mère : un bébé chaque année, les malaises, les irritations. Les quatre petits visages autour de la table reproduisaient le passé. Mary Anne, Edward, Ellen, le bébé George dépendaient entièrement d'elle, non de Joseph. Joseph se mettait à ressembler à son beau-père, Bob Farquhar, d'une ressemblance de cauchemar : les yeux bouffis et somnolents, les lèvres balbutiant une excuse. Comment en sortir ? Comment vaincre l'image de sa mère ?

Mrs Farquhar venait voir sa fille tous les dimanches, et la conversation féminine se traînait dans l'ennui : le prix du poisson, les manies d'un nouveau pensionnaire, Isobel qui aidait à présent au ménage, un traitement pour les rhumatismes. Mais, derrière ce pauvre verbiage, se dissimulait un reproche muet : ce mariage d'amour, voulu avec tant d'obstination par Mary Anne n'avait pas apporté la fortune. Le terrible : « Je te l'avais bien dit » flottait entre elles. Des espoirs qui avaient entouré cette alliance avec les Clarke, aucun ne s'était réalisé. Les demi-frères de Mary Anne n'étaient plus. Ils s'étaient engagés dans la Marine (comme simples matelots, ce qu'on se gardait bien de dire) et tous deux avaient été noyés au cours de la bataille du cap Saint-Vincent. Charley habitait Golden Lane où il servait d'apprenti à Joseph, mais il n'y voyait aucun avenir et menaçait de le quitter pour l'armée.

– Tu disais que nous allions tous devenir riches. Il n'en est rien.

Les commandes qu'ils obtenaient étaient humiliantes. Une pierre tombale sans ornement pour une marchande de fromages du voisinage, ou une simple inscription pour un boucher d'Old Street, qui venait de mourir.

Toujours inventer, manœuvrer, masquer l'incapacité du mari. Cela continuerait-il donc toujours ainsi ? Que faire ? Il devait y avoir un moyen de sortir de cette stagnation. Elle se rappela les vieilles feuilles de scandale, à un sou, feuilletées dans les cabarets par des pouces crasseux. Elles passionnaient deux ou trois soirs, on se les arrachait, on en discutait, puis elles allaient envelopper la tête de morue pour le chat et finissaient dans le ruisseau. Tels étaient les libelles publiés par Mr Hugues, par Blackloch au Royal Exchange, par Jones de Paternoster Row, par des quantités d'autres à tous les coins de la ville. Qui écrivait ces turpitudes ? Quelque gazetier de troisième classe auprès du grabat d'une épouse malade ? Pourquoi pas une femme ? Rien de plus facile que d'entraîner Joseph à sortir, de choisir les traiteurs chez lesquels fréquentaient les publicistes. Rien de plus facile que de les approcher, bavarder avec eux, lancer une allusion, découvrir leurs noms de guerre, leurs adresses sordides. Et, tandis que Joseph faisait rouler les dés, se vantait et jouait au gentilhomme, elle apprenait le jargon du métier et le genre de denrée demandée sur le marché.

Sydney de Northumberland Street, Hildyard de Fetter Lane, Hunt de Beaufort Buildings dans le Strand : ceux-là connaissaient les ficelles. La plume adroite flattait d'abord le lecteur, épinglait une citation classique en exergue, affectait des connaissances que ne possédaient ni celui qui écrivait, ni ceux qui le lisaient. Le début fort digne, un ou deux paragraphes bien pédants, puis crac ! venait le sous-entendu, le coup de coude dans les côtes. C'est pour cela qu'on dépensait un sou, pour cela qu'on imprimait la feuille. Plus élevé le rang de celui qu'on salissait, plus grand l'intérêt de la nouvelle.

– Où avez-vous appris ce style caustique, Mrs Clarke ?

– Au berceau. On me donnait un encrier de vitriol au lieu de biberon.

Elle écrivait ces horreurs au lit, tandis que Joseph ronflait, et personne ne devina la vérité, même pas Charley, mais elles servirent à payer cinq factures – sur soixante. En outre, cela la distrayait des soucis du ménage, du croup et des convulsions, de la fièvre au milieu de la nuit, des trous dans le tapis, des humeurs de Martha, des soupes brûlées, des étreintes de Joseph qu'elle ne désirait plus. Comment les éviter ? En feignant la maladie, en feignant la fatigue, en allant jusqu'au bout de tous les mensonges et en feignant la frigidité... Quatre enfants suffisaient. Mais comme elle les aimait quand elle les tenait pour la première fois, inertes, la tête disproportionnée et ballante, les yeux fermés, les mains cireuses ! Ils étaient à elle, pas à Joseph. Si elle avait eu une certaine sécurité, elle en aurait enfanté une douzaine. Mais pas dans cette situation ; elle ne voulait pas mettre au monde des pauvres pour la paroisse.

Elle ne voyait pas d'issue. Comment faire taire les fournisseurs ? Ce n'est pas en griffonnant à la chandelle qu'elle nourrirait sa famille, aiderait sa mère, ferait un homme de Charley. Trop de gens dépendaient d'une femme – et d'une femme de vingt-trois ans – réduite aux seules ressources de son esprit.

Elle luttait en vain. Les créanciers vinrent. Ils emportèrent les tables et les chaises, ils emportèrent les tourterelles et les lits. Il ne mourait pas assez de boutiquiers à qui il fallait des tombes ; d'ailleurs il s'agissait toujours des tombes les plus simples. Joseph fit faillite et l'on vendit le chantier. Martha elle-même dut s'en aller,

dans les larmes et les protestations, pour aller prendre une place de
nourrice sèche à Cheapside.

Cela se passait pendant l'été 1880. Il fallait aviser au plus vite. Il
n'y avait rien à espérer du frère Thomas de Snow Hill, mais le plus
jeune, le curé ? Le révérend James Samuel qui sortait de Cambridge
avait une maison trop grande pour lui, Craven Place, dans
Bayswater, et y donnait déjà asile à Mrs John. On trouverait de la
place pour tout le monde, en se serrant. Les Joseph Clarke démé-
nagèrent donc. Avec le temps, qui sait, le curé deviendrait peut-être
un évêque ; en attendant, les enfants avaient un toit, c'était le principal, et Joseph était obligé de s'observer. Peu importait ce qui se
passait au coin de la rue, du moment qu'il était présentable pour
dîner à cinq heures.

Les voisins étaient aimables, Craven Place respirait le calme ; le
curé, fort hospitalier, tenait table ouverte, et Mary Anne avait soif
de nouveaux visages. Les Taylor qui habitaient au numéro 6 de la
même place furent sa grande découverte. Trois frères dans l'armée,
deux dans la marine et une fille qui portait le même nom qu'elle.

« Il ne peut pas y avoir deux Mary Anne. Je vous appellerai
May. »

De nouveau, comme au pensionnat de Ham, elle avait une compagne avec qui plaisanter, rire, échanger chapeaux, robes et rubans,
taquiner sans merci tous les hommes de leur entourage. La plaisanterie était un bienfait, un antidote aux échecs du mariage. May
Taylor avait des relations qui pourraient être utiles, car, si Mary
Anne voulait habiller ses enfants, il fallait fournir de la provende
aux imprimeurs de Fleet Street. Une grand-mère Taylor tenait,
dans Berkeley Street, une Institution pour Demoiselles fort réputée
et dont le prospectus disait : « L'établissement de Mrs Western dis-
pense une pieuse instruction aux jeunes personnes, et comporte des
classes pour dames plus expérimentées. »

Quand les jeunes personnes étaient couchées et les dames
réunies, Mrs Western se laissait parfois aller à quelques petites
indiscrétions.

– Je puis vous raconter ce qui se passe dans la haute société. Mes
élèves appartiennent aux meilleures familles.

La jeune Mrs Clarke qui venait aux classes afin de s'entretenir en

français prenait des notes d'un genre particulier, avec des abrévia-
tions d'imprimeur. On ne les montrait ni au curé ni aux Taylor,
mais elles trouvaient le chemin de Paternoster Row. Résultat : une
pelisse pour Ellen, une charrette pour George.

Il y avait un oncle Taylor dans Bond Street, le grand-oncle
Thomas, cordonnier de la Cour, il était encore plus utile que la maîtresse de pension des jeunes personnes de qualité. Entre quatre
murs, après deux verres de porto, il n'avait plus de secrets pour ses
parents et relations.

– Puisque vous êtes la meilleure amie de ma nièce, Mrs Clarke, je
puis bien vous dire…

Il pouvait, et il disait, à la grande joie des pamphlétaires de Grub
Street. Chauve, rubicond, ventripotent, avec un nez de perroquet, le
bonhomme adorait faire une partie de dames au coin du feu, la
panse bien garnie.

– A vous de jouer, Mrs Clarke.

– Non, à vous, Mr Taylor.

– Il fallait me prendre, je vous souffle. Mais que disais-je ?

– La princesse Augusta…

– Ah ! oui dans son boudoir ! Cela se passait à Windsor.

– Et personne ne s'en est aperçu ?

– La dame d'honneur. On l'a expédiée à la campagne avec une
pension.

– Mais qui était l'amant ?

– Chut, approchez-vous plus près.

Le grand-oncle Thomas était impayable, son nez énorme penché
sur le damier, mais elle avait parfois l'impression qu'il se doutait de
quelque chose.

– Avez-vous vu l'écho paru dans *Grands Personnages* l'autre
semaine ?

– Non, Mr Taylor. Mon beau-frère, le curé, n'achète pas les
feuilles à un sou.

– C'est curieux qu'on ait publié l'anecdote sur la reine. Je me
demande qui a bien pu vendre la mèche.

Qui, vraiment ? Elle disposa les jetons et le laissa gagner pour dissiper ses soupçons. Il lui dit en passant qu'elle devrait bien acheter
ses chaussures chez lui, numéro 9, Bond Street, près de Piccadilly.

– Vous êtes trop cher pour moi, Mr Taylor. Mon mari n'a pas de fortune.

– Ma nièce ne m'a-t-elle pas dit qu'il vivait de ses rentes ?

– D'une toute petite rente que lui a léguée son père.

– S'il en est ainsi, vous devez avoir du mal à joindre les deux bouts, avec quatre enfants sur les bras.

– Ce n'est pas facile, en effet.

– On est amoureuse de son mari ?

– Nous sommes mariés depuis huit ans.

Il tripota ses pions, puis se gratta le nez. Le brouhaha du salon Taylor leur permettait des apartés. Elle se demandait où il voulait en venir avec ses questions. Il poussa un de ses pions et elle l'imita. Il fredonnait à mi-voix, enfin il dit tout bas :

– Il est toujours possible d'augmenter ses revenus, quand on est une jeune femme comme vous, belle et futée. J'en ai aidé beaucoup dans votre cas. N'en parlez pas à ma nièce, elle n'est pas au courant.

Pas au courant de quoi ? Que lui chuchotait ce vieillard ? Se proposait-il de lui prêter de l'argent à trois pour cent ?

– C'est beaucoup de bonté de votre part, dit Mary Anne, mais j'ai horreur de faire des dettes.

Il se remit à fredonner, à tripoter les pions, puis, avec un regard de côté pour s'assurer qu'on ne les écoutait pas :

– Pas question de ça. Ce sont les messieurs qui paient. Il ne s'agit que de s'entendre. J'ai deux ou trois salons de réception au-dessus de ma boutique de Bond Street. Discrétion, silence, aucune crainte d'être découverte. Le dessus du panier de la haute société a seul mon adresse. Le prince de Galles lui-même est de mes clients.

Elle comprenait à présent. Seigneur ! Qui s'en serait douté ! Ce vieil oncle Tom tenait une maison de rendez-vous. Il faudrait qu'elle soit bien démunie pour en arriver là, mais comme c'était amusant ! Rien d'étonnant qu'il connût tous les potins. Une ombre tomba entre eux sur le damier. La petite May Taylor posa la main sur l'épaule de son amie.

– Que discutez-vous tous les deux avec tant d'intérêt ?

– Les prix du cuir. Votre oncle me dit que, lorsque mes chaussures commenceront à s'user, il sera heureux de m'en fournir.

Elle quitta le damier avec une révérence, les yeux dans ceux du vieillard. Il n'y avait pas de mal à lui montrer qu'on l'avait compris.

– Je l'ai dit comme je le pense, ma chère, fit-il. On ne sait jamais. Vos chaussures peuvent s'user plus vite que vous ne croyez.

Il lui tendit sa carte avec un grand salut.

THOMAS TAYLOR

BOTTIER

Fournisseur de la Cour

9, BOND STREET, LONDRES

– C'est mal libellé, dit-elle. Vous auriez dû mettre : Thomas Taylor, ambassadeur du Maroc (hein?) à la Cour de Saint James. A propos, vous faites sur mesure ou devrai-je prendre le premier modèle venu?

Les petits yeux brillèrent, les bajoues se creusèrent de rides :

– Je vous promets, belle dame, chaussure à votre pied.

Sa nièce pirouetta, tout amusée, et déclara à ses amis :

– Mary Anne va acheter des chaussures chez l'oncle Tom !

La conversation devint générale.

– Prenez garde, cela vous coûtera cher.

– Terriblement cher.

– Vous faites des prix pour la famille, oncle Tom?

Le vieux fredonna et sourit sans répondre. Rien d'inconvenant n'avait été dit. Il s'agissait d'un innocent badinage. Il se mit à parler de musique et de chant. L'on oublia les souliers et la soirée s'acheva. Mary Anne fut raccompagnée chez elle, à deux portes de là, par un certain capitaine Sutton, ancien officier de grenadiers, camarade de régiment d'un des frères Taylor. En prenant congé d'elle, il retint un instant sa main puis, avec une expression bizarre dans les yeux, lui demanda :

– Où nous reverrons-nous, Mrs Clarke? Craven Place ou Bond Street?

Était-ce une invite? Elle lui ferma la porte au nez et monta l'escalier en courant. Elle passa devant Mrs veuve John, devant le sanctuaire du curé, devant les livres de prières disposés pour le service du lendemain, traversa la chambre des enfants où tous quatre

dormaient, vides, inconscients, fragments d'elle-même, dépendant
d'elle. Elle entra dans sa chambre où gisait Joseph. Il n'avait pas pu
atteindre le lit et dormait par terre. Elle se demanda si le curé
l'avait entendu tomber. En tout cas, il lui avait épargné la honte de
le voir entrer en titubant chez les Taylor, du soudain silence suivi
d'un bruit de conversation pour couvrir la confusion, du geste charitable d'un frère Taylor allant le prendre par le coude.

Elle se pencha pour fouiller ses poches et y trouva un shilling. Il
avait trois guinées en sortant. Demain, ce seraient les excuses habi-
tuelles : une partie de cartes, un verre avec des amis... Elle glissa un
oreiller sous sa tête et le laissa dormir.

Où étaient sa plume et ses papiers ? Qu'allait-elle donner ce soir
en pâture aux vautours ? Rien de Mrs Western depuis plusieurs
jours. Le dernier scandale était une naissance clandestine à
Devonshire House, le cadavre d'un bébé trouvé dans un placard
enveloppé dans un essuie-mains. L'on prétendait qu'il était à la fille
de cuisine, mais il paraît... Rien de nouveau sur Mr Pitt ? Elle se
creusa la cervelle. L'on avait vu le premier ministre trébucher dans
les couloirs. Un couplet de Pope y donnait un double sens. Se rappeler que le poison devait se trouver dans la pointe finale. Elle griffonna pendant vingt minutes, puis ferma les yeux.

Pas d'autre bruit dans la chambre que la respiration de Joseph.
Un enfant pleura. Elle alla le consoler, le rendormit, bien bordé
dans son petit lit. Pas de repos pour son active cervelle, mais des
conjectures.

Le regard admirateur et interrogatif du capitaine Sutton :
« Craven Place ou Bond Street, Mrs Clarke ? »

CHAPITRE IX

La semaine suivante, c'était le tour des Taylor de venir chez les Clarke. On ferait de la musique. La veille, un billet du capitaine Sutton : « J'ai rencontré ce matin un de mes amis, Bill Dowler. Puis-je l'amener souper chez vous ? » Réponse : « Vous m'en verrez ravie. » Ce fut une de ces rencontres qui changent une vie.

Énervée, juste avant la réception, par une demande amoureuse de Joseph, Mary Anne avait besoin de distraction, et en trouva. L'étranger était assis à côté d'elle. Elle aima son visage, ses yeux bleus, sa taille moyenne et son teint clair. Le bavardage des autres convives les laissait deviser tranquillement entre eux. Le badinage glissa à l'entente, l'entente à la sympathie. L'humeur du moment les trouva d'accord. Le résultat en fut une combinaison chimique troublante pour tous deux. Elle sentait venir une complication détruisant projets et scrupules dans l'apparition de cet homme qui lui plaisait trop. Comment se comporter en présence de ce danger ? Le désir, mort désormais pour Joseph, renaissait pour Dowler. Celui-ci était tout ce que celui-là n'avait pas su être. Dowler était protecteur, Joseph pesait sur elle ; Dowler était ferme, Joseph faible ; Dowler parlait avec calme, Joseph glapissait. Pas de propos superficiels et vantards avec le nouveau venu. Les paroles étaient mesurées, les pensées réfléchies. Il y avait de la force dans ces mains, dans ces larges épaules… Elle comprenait trop bien à présent son erreur, le léger vernis qui l'avait éblouie à quinze ans. Ceci était tout autre chose. « Si nous nous étions rencontrés plus tôt, que serait-il arrivé ? »

Regret de milliers d'amoureux, éprouvé une fois de plus. Dowler ne précipitait rien ; calme, réservé, il excitait davantage encore sa flamme, lui faisant se dire – choquée par ses propres sentiments : « Je veux cet homme. Comment vais-je m'y prendre ? »

Quelle réponse espérer à cela sous le toit du curé ? Le malheur était que Bill Dowler avait le sens de l'honneur, d'où, peut-être, sa séduction. Pas de rendez-vous de minuit pour lui, pas de parquets grinçants. Si le dîner était à cinq heures, il partait à dix – supplice pour tous deux –, mais l'honneur était sauf. On ne compromet pas une femme. Fils unique de parents tendres et moraux, il partageait leur code : « Crains Dieu et ne fais pas le Mal. »

Une soirée à Vauxhall ? Certes, avec plaisir. Mais ils seraient à six ou même à huit, jamais à deux. Leurs épaules se touchaient tandis qu'ils regardaient les marionnettes ; leurs mains se frôlaient en se tendant vers l'ours Bruno ; leurs rires se mêlaient ainsi que leurs regards, avec toute la chaleur d'une intimité inavouée. Mais qu'apportait la fin de la soirée ? Un retour en chaise à Bayswater, quatre par quatre, quand une charrette à deux aurait fait des miracles.

Les allusions de May Taylor éveillaient la pitié dans son regard.

– Son mari est une véritable brute, ne le saviez-vous pas ?

– Je l'avais compris à ce qu'en disait Sutton. Quelle pitié !

La compassion était dans sa voix et dans son air protecteur. Mais il n'y avait pas de déclaration, pas d'attaque ; tout juste un volume de poésie, avec quelques strophes soulignées, une caresse à Edward, une poupée pour Ellen.

– Si je peux jamais faire quelque chose pour vous, me promettez-vous d'avoir recours à moi ?

Faire quelque chose ? Grand Dieu ! La croyait-il donc de marbre ? Devait-elle demeurer impassible, baisser la tête, subir ? Ou bien imiter les pensionnaires de Ham et effeuiller des marguerites ? Il m'aime, il ne m'aime pas. Il m'aura, il ne m'aura pas. Cette année, l'année prochaine, un jour, jamais. En attendant, toutes les nuits, le sommeil de Joseph, les semaines gâchées, les tons chauds du plein été.

Ce fut Joseph lui-même qui, en fin de compte, força la décision. Peut-être avait-il deviné, malgré son hébétude, que ce n'était pas seulement la fatigue qui la rendait insensible, peut-être avait-il perçu ce qu'il y avait derrière le bâillement, la tête détournée, la résistance.

– Qu'est-ce qui t'arrive ? Pourquoi es-tu changée ?

– Changée ! Que te faut-il ? Regarde dans la glace.

Pas de reproches voilés. Un coup direct. Le ton du dégoût lui disait jusqu'où il était tombé ; il regarda dans la glace et vit son image, un monstre, la caricature de ce qu'il avait été. Les traits déformés, le teint brouillé. Les yeux noirs rapetissés dans le visage bouffi. Les mains tremblantes, les épaules voûtées. La bouche de travers comme si une guêpe l'avait piqué. Une épave de son être d'autrefois, et il n'avait pas même trente ans.

– Je te demande pardon. C'est plus fort que moi.

La honte venait au matin, avec l'apitoiement sur soi-même, et les mains mendiantes, un pleur de remords, une prière pour rentrer en grâce.

– Je n'ai pas eu de chance. Tout s'est mis contre moi.

Les conversations avec son frère, le curé, étaient sans résultat. Au solennel : « Que Dieu, dans sa miséricorde infinie, t'accorde la paix », répondaient les larmes et la promesse de se bien conduire dorénavant, mais il savait, dans son cœur, qu'elle le méprisait et, l'après-midi venu, tout espoir était évanoui. Un petit verre pour calmer cette main qui tremblait, un second pour rappeler la fierté perdue. Un troisième pour raffermir le pas, un quatrième pour donner de la couleur et de la gaieté à l'univers. Un cinquième pour les dominer tous, pour être Dieu tout-puissant. Un sixième pour engourdir la cervelle et apporter l'oubli. A la fin, le plongeon total aux bras de ses démons.

– Il faudra des mois de soins, Mrs Clarke. J'en ai vu d'autres dans son état, qui ont guéri. Mais il ne faut pas relâcher un instant votre surveillance. Un seul verre, et tout est à recommencer. C'est un fardeau que vous porterez toute votre vie, surtout avec de petits enfants.

Ainsi parla le médecin dans le cabinet de travail du curé où ils s'étaient réunis en conseil de famille, Mary Anne, le révérend James et Mrs John. Enfin l'on reconnaissait les faits, l'on regardait l'horreur en face. L'on n'essayait pas de farder ou d'écarter la vérité.

– Vous dites que mon mari est dipsomane, moi je dis que c'est un ivrogne. S'il me faut choisir entre lui et les enfants, je choisis les enfants.

Sinon quoi ? S'enchaîner pour toujours à son chevet, le mettre au vert, de temps à autre, comme le gardien d'une bête sauvage, d'un ours qui avance en se dandinant, la langue pendante ? Les enfants partagés entre les divers membres de la famille, les filles chez sa mère, les garçons chez Mrs John ? L'infirme et elle-même à la charge de la paroisse ? Elle rejeta cette image et, s'adressant au curé :

– Voilà neuf ans, dit-elle, que je supporte cette existence. C'est six de trop. Cela a commencé avant que nous quittions Charles Square, et tout s'est définitivement gâté à Golden Lane. Mieux vaudrait pour lui et pour nous tous qu'il se tire une balle dans la tête comme votre frère John.

Le curé la pria de retarder sa décision. Des paraboles lui montaient aux lèvres : l'époux prodigue, la brebis égarée, le pécheur repenti.

– Il y a plus de joie… commença-t-il, mais elle l'interrompit.

– Au ciel, peut-être, dit-elle, mais pas sur terre, pour une femme.

Il lui rappela les liens du mariage et l'anneau qu'elle portait et la bénédiction. Dans la bonne et la mauvaise fortune, tant qu'ils vivraient…

– Tout ce que je possède est à toi. Il a dit cela aussi, et il ne m'a rien donné. Sauf sa maladie qui m'a fait perdre un enfant. Par respect pour votre habit, je tairai les détails ignobles.

Choquée et éberluée, la famille n'insista pas. Le médecin, homme raisonnable, était de l'avis de l'épouse. Il lui conseilla un séjour hors de la ville, pour un temps au moins. Repos… grand air… un sédatif pour les nerfs. Le mari resterait Craven Place, aux soins d'un infirmier.

Le curé hésitait. L'époux prodigue était aussi un frère prodigue, et Joseph était un Esaü sans lentilles. John s'était suicidé ; il fallait sauver Joseph. Peut-être, avec le temps, le ménage se raccommoderait-il. Mais une jeune femme seule au monde avec quatre petits enfants… Rougissant, il se força à prononcer les paroles d'avertissement.

– Êtes-vous assez forte, Mary Anne, pour résister à la tentation ?

Elle ne l'était pas. C'était là toute l'affaire. La tentation était devant elle, et elle ne demandait qu'à céder et à oublier. Elle voulait se laisser vivre.

– Je réponds de moi, et des enfants aussi.

Inutile de parler au curé de la lettre, déjà écrite mais non encore envoyée, qu'un messager discret porterait chez Dowler.

L'on chargea dans un coche les enfants stupéfaits et, accompagné de May Taylor et d'Isobel, le petit groupe alla s'installer dans un logis meublé d'Hampstead.

– Où est papa ? Il est malade ? Pourquoi il criait ?

L'on fit taire Edward ; d'ailleurs, le voyage faisait diversion. L'air pur de Hampstead était rafraîchissant et le Cottage Jaune, propriété d'une Mrs Andrews, donnait sur la colline d'Haverstock et la bruyère en boutons. Il fallait oublier Joseph couché dans la maison de Craven Place derrière les stores baissés. Le décor à présent était celui de l'évasion et du roman. Demain apporterait une réponse à sa lettre ou Dowler en personne. Elle lui dirait : « Pourquoi ne pas rester ? Vous pourriez prendre la chambre de May Taylor, elle est obligée de partir. Sa famille a besoin d'elle. Et Isobel… eh bien, Isobel s'occupera des enfants. Elle est si gentille avec Ellen qui a de mauvaises nuits… M'avez-vous apporté des livres ? Je ne peux pas vivre sans livres ni musique. »

Puis, les bougies allumées et les rideaux tirés, un homme serait un monstre si… Elle sombra dans un sommeil traversé de promesses.

Le lendemain apporta tout autre chose que ce qu'elle avait rêvé. Mary Anne II se réveilla, toussant et délirant, en proie à une forte fièvre. L'après-midi, une éruption apparut sur son visage et sa poitrine. La petite fille appelait Martha, Martha qui les avait quittés, il y avait un an à présent. Sa mère, à genoux près de son lit, ne parvenait pas à la calmer.

– Je veux Martha. Va chercher Martha.

L'enfant se tournait, s'agitait, répétait sans cesse le même nom. Un docteur appelé par Mrs Andrews hocha la tête. Une mauvaise rougeole, très contagieuse. Les autres l'attraperaient ; l'on ne pourrait l'éviter. Les ventouses ne serviraient à rien, le lait chaud était le seul remède.

– Isobel, où habite Martha ?

– Toujours au même endroit, à Cheapside, il me semble. Chez des nommés Ellis.

– Vas-y tout de suite avec May. Prends un fiacre. Ne regarde pas à la dépense.

– Mais comment la décider à venir ? Voilà douze mois qu'elle est partie.

– Dis-lui que j'ai besoin d'elle. Elle viendra.

Remords. Angoisse. Les yeux vitreux sur l'oreiller n'étaient pas ceux de l'enfant mais ceux de Joseph. Les deux se confondaient, ceux du mari, ceux de la fille. En vain, elle offrait ses prières à une Puissance offensée. Si j'ai mal agi, prends ma vie, mais épargne mon enfant.

De l'eau fraîche sur le front brûlant. En vain. Les minutes étaient des heures, et les heures une éternité. Charles Square, puis Golden Lane, le rire d'un bébé. Quelque chose s'était gâté dans ce mariage, mais à qui la faute ? Et pourquoi cela devait-il conduire cette enfant sur un oreiller brûlant ?

– Me voici, madame.

– Martha !

Elle la serra dans ses bras en pleurant. Il y avait quelque chose de rassurant dans cette face ronde, cette silhouette trapue, ce châle – un cadeau d'adieu – et ce panier d'osier ; il y avait une source d'espoir dans son attitude, dans la manière dont elle posait le panier, ôtait le châle.

– Qu'avez-vous dit à vos maîtres ?

– Je me moque pas mal d'eux. Je leur ai dit que ma mère était malade.

Le sourire de Bob Farquhar. Le clin d'œil de Bob Farquhar.

– Voici Martha, trésor. Voici Martha qui vient s'occuper de toi.

Son affolement s'était calmé, son cœur était soulagé, il n'y avait plus d'autre sensation en elle que la fatigue, une fatigue doulou-reuse qui la laissait debout sans mouvement.

Elle regarda vers la porte entrebâillée et vit Bill Dowler.

– Que faites-vous ici ?

– J'ai reçu votre lettre, je suis venu tout de suite.

– Ma lettre ?

L'enfant lui avait fait tout oublier. L'hameçon, l'appât expédiés de Craven Place appartenaient à une autre époque, à une ère révolue. Le Cottage Jaune était un hôpital et non un refuge d'amoureux.

– Vous venez trop tard.

Il ne comprenait pas ce qu'elle voulait dire, et ne demanda pas d'explications. Elle souffrait, elle était épuisée, rien d'autre n'importait. Il lui ouvrit les bras et elle y vint comme une enfant sur le cœur de son père.

Ce fut un étrange réconfort, jamais goûté encore, entièrement inattendu, et non la tendre soirée montant vers un sommet passionné qu'elle avait imaginée. Il la conduisit dans le salon de Mrs Andrews et ils s'assirent à la fenêtre ouverte en se tenant par la main. Dans le jardin, Isobel poursuivait Edward désobéissant. May Taylor cueillait des fleurs avec Ellen, le bébé George marchait sur son tablier.

– J'ai pensé que vous pouviez avoir besoin d'aide. J'ai ce qu'il faut sur moi.

– Mon beau-frère, le curé, m'a donné de l'argent.

– Cela ne sera peut-être pas assez.

Pas assez pour quoi ? Pour la maladie, la mort, la catastrophe, pour tous les malheurs imprévus, pour les futures épreuves ?

Tout à coup, il demanda :

– Vous avez quitté votre mari ?

– Oui.

– Je veux dire : pour toujours ?

Elle ne répondit point, car elle ne savait pas. Si elle disait « non », cette halte près de la fenêtre ne signifiait plus rien ; il se lèverait, s'en irait, retournerait vers la ville. Si elle disait « oui », l'enfant dans sa chambre, là-haut, deviendrait un otage. Comment, si elle faisait un pacte avec Dieu, être sûre qu'il y serait fidèle et ne confondrait pas les questions ? Sa peur était la force maîtresse, son remords dominait tout.

– Si ma Mary Anne guérit…

Elle n'acheva pas la phrase. Il comprit. Son sort dépendait de cette enfant, celui de cette jeune femme aussi. La rougeole était devenue pour elle un symbole, un écriteau à deux flèches : droite et gauche. Si l'enfant guérissait, le devoir, la reconnaissance, une

ferme résolution la ramèneraient Craven Place auprès de Joseph.
Telle était l'humeur de ce moment bourré d'inquiétude. D'ailleurs,
l'angoisse faisait pâlir l'inclination.

Sur lui, la peur agissait différemment, aiguisant le désir. La voir
inquiète et affligée redoublait son amour. La prudence l'avait
retenu jusqu'alors, le mari lui bouchant le chemin comme une
ombre. La demeure du curé avait contribué à réprimer ses désirs,
mais, ici, le terrain neutre tuait les conventions. Chose curieuse, la
charmante coquette qui le taquinait à Vauxhall, lui pressant le
genou et jouant de l'éventail, vit sa beauté pâlir devant cette femme
aux yeux fixes, malheureuse, angoissée, ne songeant qu'à son
enfant.

– Vous passerez la nuit ici ? Je vous en prie. Vous m'êtes d'un tel
soutien ! Je sais que Mrs Andrews a encore une chambre à louer.

Elle ne lui souhaita même pas la bonne nuit mais courut aussitôt,
comme attirée par un aimant, vers la chambre de l'enfant malade.

– Comment va-t-elle, Martha ?

– Mieux, je crois, madame. Elle est moins agitée. Allez dormir. Je
passerai la nuit près d'elle.

– S'il arrive quelque chose, réveillez-moi tout de suite.

Au lit. Dormir. L'obscurité totale. Pas de pensée, de rêves, rien
jusqu'au matin, et puis la torture instantanée du réveil. Elle saisit
un peignoir et courut, pieds nus, interroger Martha. Au lieu de la
chambre de ténèbres, elle trouva des rideaux ouverts, Martha souriante, et une petite tête soulevée sur l'oreiller, de grands yeux
brillants et calmes.

– La fièvre est partie. Elle est presque guérie.

– Oh ! merci, mon Dieu !

Mais pourquoi cette onde passionnée, ce flot d'émotion, ce désir
soudain qui la fit courir, cheveux au vent, droit à la chambre de son
ami, oublieuse du pacte avec Dieu, oublieuse de tout ce qui n'était
pas ce besoin poignant d'être serrée dans des bras.

– Je t'aime. J'ai tant désiré ce moment.

A qui la reconnaissance ? A Dieu qui est aux cieux ? Cela n'avait
de sens ni pour elle ni pour Bill Dowler. Ce qui avait été n'était plus ;
le présent, c'était ceci. Isobel rentra chez elle, de même que May
Taylor. Les amants avaient la maison pour eux seuls. Les autres

enfants attrapèrent la rougeole, mais qu'importait ? Quelques boutons sur la figure, une toux dans la nuit. Martha et Mrs Andrews les
soignaient.

– Tu ne retourneras pas chez ton mari ?

– Jamais… Jamais…

Mais Edward attrapa la maladie, le dernier, et en mourut.

Elle ne raisonnait pas profondément. L'humeur du moment la prenait, faisait sa marque, semblait la réponse aux vœux du cœur, puis la pensée s'élevait, contredisait, détruisait l'émotion.

Joseph était la cause de la mort et de la tragédie. Elle avait suivi son cœur et son instinct et ils l'avaient trahie. Si son mari avait réussi comme son maître Burnell ou comme James Burton, la catastrophe ne se serait jamais abattue sur eux. Ils seraient à présent heureux et prospères, et Edward vivrait.

Elle ne concevait pas la paix de l'esprit sans réussite matérielle. Les deux allaient de pair; toute son expérience le confirmait. L'échec signifiait pauvreté, misère, et la misère, c'étaient les odeurs et la veulerie de l'impasse de Bowling Inn. Une femme vieillie avant l'âge, lasse, nerveuse, entourée de marmots insupportables, telle était l'image de son avenir, et tout cela par la faute d'un mari qui n'avait pas réussi. C'était l'homme le nourricier. C'était l'homme qui tenait la bourse. Il fallait donc trouver un homme assez fou pour la vider sur vos genoux, et ce serait la revanche du passé.

Trimer, mettre des enfants au monde, économiser, faire bon visage, rien de tout cela ne lui avait valu de reconnaissance, de récompense, mais un mari aux soins d'un gardien et un fils mort. Il fallait désormais obtenir tout ce qui lui avait été refusé jusqu'alors, et lutter au besoin pour s'en emparer.

L'idylle de Hampstead avait été un apaisement à la douleur, la purge du corps. La tendresse et le désir s'enfuirent quand un petit cercueil cachant un enfant de cire dont le sourire, le rire, le contact devraient lui venir à présent du bébé George, fut descendu, couvert d'une gerbe de lis, dans la tombe béante.

Bill Dowler, amant, réponse à tous les désirs, se changea en Bill Dowler, ami et bailleur de fonds, amant tout de même, d'ailleurs, quand le cœur lui en disait. Son rôle était défini, accepté, ne soulevait plus de questions : il n'était plus Mr Dowler, mais oncle Bill. Elle ne s'interrogeait pas sur son rôle futur. Tant qu'il aurait de l'argent, il lui suffirait. Si l'amour s'épuisait et sa bourse de même, elle chercherait ailleurs. Il ne pouvait être question de mariage tant que vivrait Joseph, mais le mariage n'était pas tout dans un monde fait par les hommes. L'oncle Tom, cordonnier de Bond Street, tapi comme une ombre dans un coin noir, pouvait ou non lui procurer des trésors.

L'oncle Tom vint la voir à Hampstead, avec son neveu et sa nièce. Elle savait pourquoi. Elle vit son regard. L'excuse, certes, était valable : sympathie, condoléances, une caresse paternelle sur le bras. Mais, tous deux étant restés seuls un instant, elle sentit le regard appréciateur, réfléchi, calculateur, et elle se demanda si c'était ainsi qu'il examinait le cuir, mesurant poids et souplesse, avant de le marchander.

– J'ai cru comprendre, dit-il sans la regarder, en fixant un point derrière elle, aux propos de ma jeune nièce, que vous n'aviez pas l'intention de retourner Craven Place.

– En effet.

– Et que si j'ose m'exprimer ainsi, vous avez ce qu'il vous faut pour le moment ?

– Je ne dépends plus de la pension de mon mari ni de l'aide des siens, si c'est cela que vous voulez dire.

– Parfaitement… parfaitement. Situation provisoire. Le secours d'un ami.

Son chuchotement, courtois mais cynique, jetait un doute sur l'avenir. « Vieil oiseau, se dit-elle, malin, sagace, il connaît son monde. »

– La Bourse, murmura-t-il, c'est risqué, dans l'état actuel du pays. On gagne des fortunes mais on les perd encore plus vite. A moins d'être expert à ce jeu, mieux vaut n'y point toucher.

Aucun mot ne fut prononcé, mais elle savait qu'il parlait de Bill. Elle dit hardiment :

– Eh bien, que me conseillez-vous ?

– Une somme à votre nom, naturellement. C'est le plus sûr. Une jeune femme comme vous a besoin de sécurité. Un compte en banque, et vous êtes indépendante... A moins...

– A moins...?

– Le bail d'une maison vaudra peut-être encore mieux, murmura-t-il ; à votre nom, naturellement. L'argent file facilement, mais la propriété demeure. Dans votre situation, cela serait peut-être le plus sage.

Elle l'imaginait tenant les fils d'une série de marionnettes. Fais ceci, ma jolie, danse, lève la jambe. Doucement, maintenant, gentiment, voilà comment on les prend. Elle regarda vers l'autre bout de la pièce et vit Bill en conversation avec May Taylor. Solide, sûr, et pourtant... John Clarke avait risqué tout ce qu'il avait dans des spéculations puis il s'était fait sauter la cervelle dans une voiture, à Pentonville.

Ce n'était pas là, sans doute, le sort qui attendait Bill, prudent et sage, mais une calme retraite entre son père et sa mère qui l'adoraient, une vie tranquille à la campagne. Où, entre l'église et ses vénérables parents, Mrs Clarke trouverait-elle place ?

Les vaisseaux avaient été brûlés quand une femme avait quitté son mari. Eh bien qu'ils flambent, et au diable l'hypocrisie !

– Dites-moi, fit-elle, quelle est au juste ma valeur marchande ?

Il la regarda cette fois bien en face, en courtier, en marchand qui connaît son métier.

– Quel âge avez-vous ?

– Vingt-cinq ans.

– Vous pouvez n'en avouer que vingt, mais on les veut plus jeunes. Je parle en général. Ce n'est pas toujours le cas. Mariée depuis combien de temps ?

– Il y aura neuf ans cet été.

– Sujet à éviter. Cela fait baisser la cote. Mariée deux ans et subitement veuve. La fleur à peine touchée, cela peut attirer. Tout dépend des goûts du client, évidemment, et de la mode du jour.

– Quelle est la mode en ce moment ?

– N'importe quoi de vivant. De la vivacité, de la malice. L'innocence et la niaiserie ont fait leur temps. Le prince a donné le ton, avec

Mrs Fitz. Les moutons suivent. Vous avez entendu parler de Lord Barrymore ?

– J'ai vu son nom imprimé.

Et couvert de boue, songea-t-elle, dans des pamphlets orduriers. Ou bien était-ce Richard, le septième comte qui avait enlevé la fille d'un cocher puis, ayant trébuché sur son propre mousquet dans la milice de Berks, avait vu finir ses jours ?

– N'est-il pas mort ? ajouta-t-elle.

– Un des frères, l'ami intime du prince, est mort. Mais il en reste trois, plus déchaînés l'un que l'autre. Ils ont également une sœur. Son Altesse Royale m'a dit un jour qu'elle jurait encore mieux que ses frères. C'est du comte actuel que je parlais. Il ferait votre affaire.

Son affaire…

– Il a épousé une Irlandaise en 95, continua-t-il, mais elle habite Waterford et laisse le champ libre à Sa Seigneurie. Il a une patte folle, mais ça ne le gêne pas. On l'a surnommé Pied-Bot. Un de mes meilleurs clients, par le fait. Vous n'avez qu'un mot à dire et je vous présente.

Elle vit les yeux de Bill Dowler se diriger vers elle, les yeux tendres d'un amant heureux et possesseur. Combien de temps durerait la possession ?

– Vous parliez de propriété, fit-elle à voix basse, d'une maison en ville. Je vois bien l'avantage. J'ai des amis dans le bâtiment qui pourraient être utiles.

James Burton, ce vieux camarade, serait de bon conseil. Il construisait des maisons avec grand succès, couvrant tout Bloomsbury de ses créations. Mais Bill pourrait-il fournir l'argent ?

Le cordonnier dut lire ses pensées car il se tut un instant en faisant un coup d'œil vers Dowler, jaugeant l'homme ; puis, revenant à elle et lui tapotant le genou :

– Pas d'affaires, ici, dit-il, rien que du sentiment. Si vous avez du goût pour lui, allez-y, ne vous gênez pas. Je ne le vois pas signant au bas de la page, c'est tout. Je vais vous dire…

– Quoi donc ?

– Nous nous comprenons. Voyez vos amis du bâtiment et choisissez votre maison. J'avancerai l'argent.

– Sur quelle garantie ? N'est-ce pas un peu risqué ?

Il rit et se tapota le nez.

– Vous n'êtes pas un risque, vous êtes une certitude, dit-il. N'ayez pas peur, je retrouverai mon argent avec les intérêts. Avez-vous une mère ?

– Oui, et une sœur, et un jeune frère.

– C'est la mère, la carte qu'il faut jouer, et la jeune sœur. Installez-vous avec elles, cela donne un certain cachet. Une jeune veuve sous l'aile maternelle vous a un petit air honnête et respectable qui excite l'appétit. Suffit pour l'instant. Vous savez où me trouver, quand le moment sera venu.

Il fouilla dans une vaste poche et en sortit un sucre d'orge et deux fruits confits. Il les tendit en souriant aux enfants très graves.

– Qui veut un bonbon du vieil oncle Tom ?

Approchez… Approchez… Elle le voyait dans une foire, frappant sur un tambour. Des rideaux bien fermés, de couleur cramoisie… Qu'y avait-il derrière ? Les enfants attirés par les friandises s'approchaient. George, la lèvre poisseuse, sautait sur son genou. Le vieil ogre qui attire les petits enfants… Elle se sentit soudain irritée et alla retrouver Dowler.

– Emmène-moi, dit-elle, je n'en peux plus.

Il la regarda, perplexe. Quoi donc ? Sur-le-champ ? Ces gens étaient venus passer la journée avec elle. Un instant auparavant, il l'avait vue, attentive et rieuse, en conversation animée avec ce vieux masque de Taylor. Les larmes de son deuil étaient séchées depuis longtemps, elle n'en parlait jamais, elle ne pleurait pas la nuit sur l'oreiller qu'ils partageaient, pourquoi, alors, ce regard angoissé de créature poursuivie par des fantômes ?

– Je t'emmènerai où tu voudras, répondit-il. Nous partirons ce soir, demain ou après-demain. Qu'est-ce qui se passe ?

Elle aurait pu répondre : « Il se passe que la terre tourne. Tu peux me quitter d'un jour à l'autre. Pas volontairement, certes, mais sous la pression des circonstances. Tes tendres parents qui habitent à Uxbridge comptent plus que tout pour toi, n'est-ce pas ? Ou bien, tu te marieras avec la fille de quelque châtelain et moi je tomberai sous le marteau de ce vieux commissaire-priseur qui me guette dans le coin. Combien, une mère de trois enfants, un peu défraîchie, ne demandant qu'à servir ? En parfait état, garantie sur facture, combien ? »

Elle se contenta de lui sourire et dit :

– Je m'ennuie.

C'était donc cela ? Comme elle le cachait bien ! Pas de regard distrait, pas de bâillement. Et pourtant… Il y avait un défi dans son
ton. « Dédommage-moi de tout ce que j'ai perdu », semblait-elle
dire. Il avait fait de son mieux, que fallait-il encore ? Il était toujours
à sa dévotion, obéissait à ses caprices, amusait les enfants, payait
Mrs Andrews. Si elle avait été libre de se remarier… Non, cela
n'aurait pas été facile. Autant qu'il l'aimât et dût continuer à
l'aimer, il y avait, dans l'atmosphère de la vieille demeure
d'Uxbridge, dans le visage de son père… Quoi qu'il en fût, elle
n'était pas libre, il n'y aurait donc pas de conflit. Peut-être pourrait-
on penser, plus tard, à une maisonnette, une agréable petite demeure
sur les terres d'un ami, où lui rendre commodément visite. Et quand
ses parents mourraient, tout s'arrangerait sans faire de peine à personne. En attendant, il allait l'emmener hors de ce fouillis de sœur,
d'amis, d'enfants convalescents ; il l'aurait toute à lui.

– Je connais un village, proposa-t-il. Chalfont Saint Peter, à dix
lieues à peine de la ville. Une petite auberge, très peu fréquentée.
Des champs et des bois, des chemins silencieux.

Le vide de son visage lui montra l'erreur qu'il commettait.

– Saint Peter quoi ? demanda-t-elle. Merci du pèlerinage ! Pour
l'amour du Ciel, vivons un peu. Allons à Brighton.

Heureusement, si telle est sa fantaisie, que j'ai eu de la chance à
la Bourse, se dit-il. Brighton est cher, alors que Saint Peter…

En moins de cinq minutes, elle avait tout organisé. Sa mère viendrait la remplacer à Hampstead. Elle irait demain en ville s'acheter
une robe. Elle n'avait rien à se mettre, tous ses chapeaux étaient
démodés. Isobel l'accompagnerait, May aussi. C'était la fin de la
saison, tout était au rabais.

– Et des souliers ? demanda l'oncle Tom Taylor.

Le regard qui accompagnait cette question intrigua Bill Dowler.
Non, le vieux parlait courtoisement, n'y entendait pas malice ; après
tout, c'était son métier et May était sa nièce ; peut-être voulait-il lui
rendre service, lui faire faire des économies.

– Je me chausserai à Brighton, riposta Mary Anne.

Pourquoi ce ton revêche ? Elle tourna le dos au vieillard qui

continua de sourire et d'offrir des bonbons aux enfants. Il avait dû
l'offenser, songea Dowler. Les femmes étaient bien compliquées.

L'amour fut réciproque cette nuit-là, comme jamais encore.
Pourquoi alors le voyage à Brighton ? D'où provenait cet accès
d'ennui ? Mieux valait ne pas poser de questions, faire les courses,
écrire pour retenir un appartement, porter, en bon oncle Bill, un
enfant sur ses épaules jusqu'à la table du petit déjeuner, écouter
sans les entendre les sœurs parler chiffons : les plumes étaient-elles
encore de saison, la gorge se portait-elle couverte ? Une dernière
énigme : était-ce pour lui qu'on se parait ? Il le pensa lorsqu'ils se
trouvèrent à Brighton, sur la promenade. Elle n'avait d'yeux, de
sourire, de rire que pour lui, malgré tous les regards de passants
tournés vers elle.

Dieu, qu'il en était fier ! Les cheveux massés en boucles, à la dernière mode, une robe fort élégante (non payée ? passons), un chapeau couvert de plumes, incliné sur l'oreille, aucun souci au monde,
ses chagrins oubliés… La pauvre enfant méritait bien ce plaisir,
après tout ce qu'elle avait enduré. Son butor de mari lui avait gâté
ses plus belles années.

– Heureuse ? demanda-t-il en regardant ses yeux dansants.

Elle lui prit le bras et le serra, sans répondre.

– L'air te fait du bien, tu as déjà des couleurs.

Des couleurs, quelle farce ! songea-t-elle, mais elle ne dit rien.
Voilà la foule qu'elle avait toujours souhaitée. Le grand air, la brise
marine n'y étaient pour rien. Ce qui lui donnait son teint animé,
c'était de voir enfin de tout près le monde des scandales, le monde
à la mode, les puissants dont elle lisait les aventures depuis son
enfance, les personnages des feuilles à un sou, les hommes et les
femmes qu'elle avait brocardés sans que nul ne le sût. Ils étaient là,
en chair et en os, tels qu'elle les avait imaginés, brillants, affectés,
frivoles, et mûrs pour sa moisson.

– Voilà les gentilshommes qui conduisaient à quatre – la bande
des « Diables à Quatre » –, passant au galop en agitant gracieusement leur fouet. Bill Dowler lui désignait les personnages connus.
Lords Sefton, Worcester, Fitzhardinge, Sir Bellingham Graham, et
n'était-ce pas là Crawford, dit la Théière, et Bynes, qu'on surnom-
mait Caniche ?

– La meilleure cravache de tous, c'est Barrymore, lui dit-il. Je l'ai rencontré un jour à Almack. Pas mon genre, un vrai casse-cou. Tiens, le voici.

La charrette et les quatre chevaux les dépassèrent à toute allure. Le conducteur, un dahlia gros comme un chou à la boutonnière, tourna la tête pour les regarder, puis dit quelque chose à l'oreille de son compagnon.

C'était donc là Pied-Bot, le client du vieux Taylor ! Fouettait-il ses femmes comme il fouettait ses chevaux, forçant leur rythme, les punissant de leurs lenteurs ? « Parfait, mon ami, songea-t-elle, mais pas pour l'instant. Je vous verrai un de ces jours à Bond Street. Venez sans boutonnière. J'ai horreur des choux. Et je ne tiens pas particulièrement au fouet à onglets. »

Elle dit tout haut :

– Allons un peu plus loin. Nous verrons peut-être le prince de Galles.

Par un coup du hasard, ce fut James Burton qu'ils rencontrèrent.

– Quelle surprise, Mrs Clarke !

– Mr Burton ! Je suis bien aise. Connaissez-vous Bill Dowler ?

Pas question de Joseph. Burton comprit la situation et ne s'en étonna point. Elle était faite pour quitter le droit chemin. Autant à Brighton qu'ailleurs…

– Retrouvons-nous ce soir au Casino, dit-il. L'on se racontera ce qu'on est devenu. Ce sera tout à fait comme autrefois.

Autrefois ? Rien n'aurait pu être plus différent. Comment comparer l'éclat de ces salles aux petites pièces de Golden Lane, à l'escalier aux marches branlantes du Passage du Corbeau par où Burton s'esquivait discrètement pour ne pas gêner les frasques de Joseph ?

« Elle est fort en beauté, se dit-il, et diablement séduisante. » Était-ce avec intention qu'elle avait ce soir-là congédié Dowler, son cavalier servant, afin de parler tranquillement avec lui ? Elle en vint tout de suite au fait.

– Je veux une maison, dit-elle, une maison à Londres.

– Combien pouvez-vous mettre ? Voulez-vous acheter ?

– Je pensais à un bail de dix ans.

Il la regarda en se demandant qui paierait. Ce Dowler ? Ou bien avait-elle d'autre gibier ?

– Il faut que vous sachiez, reprit-elle, que j'ai quitté Joseph pour de bon. J'habiterai seule avec ma mère et mes enfants.

Dans ce cas, le terrain était libre. Une flèche dans l'espace trouverait peut-être sa cible.

– J'ai des maisons en construction, Tavistock Place, dit-il. Les baux seront de mille à quatorze cents.

– Loyer payé d'avance ? Par semestre ou trimestre ?

Il sourit et secoua la tête.

– Ne me pressez pas ainsi ! Il faut s'arranger à loisir, entre vieux amis comme nous.

– Quand pourrai-je m'installer ?

– Au printemps prochain. Si vous ne savez où loger en attendant, je peux vous trouver quelque chose à Brighton. La saison reste animée jusqu'en décembre.

Le temps de me retourner, songea-t-elle, de me faire ma place. Se faire voir, se faire connaître. Et Londres ensuite.

– J'aimerais avoir une maison en ville tout de suite après Noël, dit-elle, mais tenez cela secret. Pour l'instant, en tout cas.

– Vous ne voulez pas que votre ami le sache ?

– Je lui en parlerai plus tard.

La perspective, songea-t-il, était encore plus excitante. Ce n'était donc pas Dowler qui paierait. Dans ce cas, les affaires pourraient se combiner avec le plaisir.

– Et moi ? demanda-t-il. Pas de menus travaux pour le constructeur ? Je devrai inspecter le toit de temps en temps, l'état de la peinture, les moyens d'aération. Je vous enverrai un mot avant de passer, bien entendu.

Son regard en disait long. Elle comprit où il voulait en venir. En d'autres termes, elle n'aurait pas à se soucier du loyer. Les quatorze cents livres pourraient être passées sous silence. Un bail de dix ans, moyennant un petit écart, de temps en temps. Après tout, c'était un vieil ami, et très acceptable. Récemment marié, il ne serait pas gênant. Sa vie de famille absorberait le plus clair de son temps. Logée pour rien, elle n'aurait pas besoin de recourir aux bons offices de l'oncle Tom. Elle pourrait se passer de Bond Street et se faire des relations toute seule. Elle leva son verre en regardant Burton dans les yeux.

– En qualité d'architecte, dit-elle, vous aurez vos entrées.

Pas un mot de plus. Elle savait l'accord conclu.

« J'ai fait le plongeon, se dit-elle, et il n'y a pas à y revenir. Je sais ce que je veux et je ferai ce qu'il faut pour l'avoir. Je paierai en nature, je ne tricherai pas, je ne serai pas malhonnête. Personne ne pourrait dire que je n'aurai pas gagné mon argent. Donnant, donnant. C'est un métier comme un autre, comme celui de boucher, de boulanger, de faiseur de chandelles. Il faut bien vivre. »

L'important serait qu'ainsi elle gagnerait de l'argent. Pas de l'argent à amasser, à mettre de côté, de l'argent à dépenser. Écrire pour les feuilles à scandale ne rapporterait jamais assez. Enfin, elle pourrait acheter ce dont elle avait envie : des robes, des manteaux, des colifichets, des chapeaux extravagants, des toilettes pour sa mère et Isobel, des jouets pour les enfants. Ces guinées-là n'iraient pas fondre dans les poches de Joseph. Une maison à elle, meublée à son goût. De nouveaux visages, de nouvelles gens, de nouveaux amis. Une existence à grandes guides que personne au monde n'aurait le droit de lui reprocher, et gagnée par elle toute seule.

Le séjour à Brighton porta ses fruits. Le cercle de ses relations s'étendit. Quand Bill Dowler venait la rejoindre, les fins de semaine, il se heurtait à présent à des rivaux. Les cartes de visite des Diables à Quatre ornaient son miroir. « Je te verrai à midi », lui disaient-elles, ou bien : « Retrouvons-nous à souper », et elle s'en allait aux courses avec Johnny Brunnel, puis, midi venu, il la trouvait avec Charles Milner.

– Qui t'a donné cette petite cravache en diamants ?

– Quoi ? Cela ? Oh ! Pied-Bot Barrymore. C'était une plaisanterie.

– Plaisanterie coûteuse.

– Il a les moyens.

Elle était toujours dans la charrette de l'un, le phaéton de l'autre. Interrogée, elle passait légèrement, esquivant les questions.

– Je ne m'étais jamais amusée, jusqu'ici. Maintenant, je m'amuse.

Autrement dit, c'était à prendre ou à laisser. Ils avaient eu leur heure, l'heure était passée. Il pouvait gagner à la Bourse ou rentrer sagement chez lui à Uxbridge, comme il voudrait.

Le malheur, c'est qu'il gagnait rarement à la Bourse. Le marché

était en baisse et, dans l'ensemble, il perdait de l'argent. Il faudrait
bien qu'il rentre à Uxbridge. A la fin de l'automne, il lui fit part de
ses projets.

– Je connais une gentille petite maisonnette, pas loin de chez
nous. Cela vous suffirait tout juste, aux enfants et à toi. Qu'en
dirais-tu ?

Elle songea : « Nous y voici. Regardons la vérité en face et jouons
cartes sur table. » Elle se leva et lui mit les bras autour du cou, baisa
ses yeux, son cou, le bouton de son gilet.

– Je vais m'installer en ville. Tavistock Place, dit-elle. J'ai une
maison par Burton, très bon marché. Je ne veux pas habiter près
d'Uxbridge, je ne veux pas me cacher dans une petite maisonnette.
Je veux me montrer au contraire. En voilà l'occasion.

Ainsi… Brighton avait été une expérience, une répétition. Il allait
assister à présent au véritable spectacle.

– Ne mâchons pas les mots, dit-il. Tu es à vendre ?

– Le gagnant ramasse tout, dit-elle. C'est le hasard du jeu. Tes
coups de chance ne dureront pas, et tu le sais. A quoi bon prétendre
le contraire ? Il faut que je dresse mes plans et que j'aie ma liberté.

– Liberté de quoi ? De te pavaner en phaéton ?

– Cela, je le fais déjà. Mais j'aurai plus de commodités Tavistock
Place.

– Burton fournissant la maison et Pied-Bot t'y faisant visite ? Y
passant la nuit et te laissant deux cents guinées ?

– Deux cent cinquante, j'espère, cachées dans un dahlia.

Elle rit et l'embrassa encore. Il se savait battu.

– As-tu entendu parler de Kitty Fisher ? demanda-t-il. De Lucy
Cooper, de Fanny Murray ? Elles ont pris le même chemin et fini
toutes trois dans le ruisseau.

– Très basse classe, répliqua-t-elle. Je vise plus haut.

– C'est pour cela que je ne te suffis plus. Je n'ai pas de titre. Mon
père n'était qu'un simple négociant. Je t'ai dit que ma famille était
dans le commerce des vins.

– Le vin est vendu, Bill, et ton père retiré. Qu'y a-t-il pour moi
là-dedans ?

– Quand il mourra, j'hériterai.

– Tu hériteras d'un râtelier et d'une perruque, et moi je serai

chauve. Je veux vivre maintenant, ne pas compter sur un lointain
avenir.

– Mais l'amour ?

– Je t'aimerai probablement toute ma vie. L'amour n'a rien à
faire avec l'argent.

– Je devrai me contenter de la part qu'on voudra bien me donner
quand Pied-Bot aura pris la sienne, alors ? Qu'inscriras-tu sur la
porte ? Entrée libre ? Prix réduit pour les vieux amis ? Musique sans
supplément ?

– J'ai pensé à envoyer des cartes à tous les clubs : Mrs Clarke
reçoit tous les soirs, sauf le mardi. Le mardi est réservé à
Mr William Dowler.

Elle l'embrassa encore, affectant de badiner. Mais ce n'était pas
un badinage, il le savait et elle aussi. Elle voyait enfin poindre, tout
proches, les jours meilleurs, les splendeurs, les niaiseries féeriques
qu'elle inventait autrefois pour Charley. Bill Dowler ne lui avait
jamais offert de champagne au petit déjeuner, ni de roses au milieu
de la nuit, ni de diamants à l'aube ; mais les Diables à Quatre
savaient vivre avec allure, et cela l'amusait de se faire conduire,
enveloppée de fourrures, par un pair du royaume. Elle se sentait
bien loin de l'impasse de Bowling Inn.

Certes, elle aimerait Bill toute sa vie, ce n'était pas cela qui
comptait. Ce qui comptait, c'est qu'elle ne voulait à aucun prix
d'une maisonnette à Uxbridge. Ses goûts avaient mûri et son ambition galopait. Au diable, le sentiment ! Le sentiment appartenait au
passé, sauf quand il y avait clair de lune ou qu'il lui prenait un
caprice à trois heures du matin.

Que cette nouvelle existence était donc facile ! Pas de soucis, pas
de tracas, et, une fois surmontée la première atteinte à la dignité, le
pas suivant allait de soi. Les hommes étaient francs, directs, et
reconnaissants de peu, amusants causeurs à souper, bien que généralement gris. Après neuf ans auprès de Joseph, elle avait l'habitude. Quelques étreintes maladroites suivies par un ronflement sur
l'oreiller, ce n'était pas la mer à boire. Les ronflements d'un pair
agaçaient moins que ceux d'un marbrier, et un pair était prodigue
de cadeaux, ce qui compensait bien des choses. L'important était
qu'elle choisissait à sa guise et prenait qui lui plaisait. Pas question

d'attendre et d'espérer. Deux douzaines de cartes d'invitation au cadre de son miroir : quelle était la plus tentante ? C'était aussi simple que cela.

Une lettre du curé reçut une brève réponse :

« Je ne retournerai jamais auprès de Joseph, et les enfants pas davantage. Faites-le-lui comprendre, je vous prie, de la façon qui vous plaira. S'il essaie jamais de nous faire revenir de force, il lui en cuira. Merci pour tout ce que vous avez fait, mais, à l'avenir, oubliez-nous.

Bien sincèrement vôtre

M. A. C.

L'enveloppe fut la dernière qu'elle cacheta par la simple méthode de la cire étalée du bout du doigt. Le papier ne portait aucune adresse, seulement la date de février 1802.

Par la suite, lorsqu'elle écrivit – à ses amis et non plus au curé – son papier à lettres portait gravé « Tavistock Place », et le cachet de l'enveloppe n'était pas un doigt mais l'empreinte très nette de Cupidon à califourchon sur un âne.

DEUXIÈME PARTIE

CHAPITRE I

Une porte blanche, un perron de pierre bien poli, des fenêtres gaiement fleuries, un marteau de cuivre représentant une tête de femme fermant un œil... Où a-t-elle déniché cela ? se demanda l'étranger. C'était très révélateur, pour qui savait. Il frappa et tira la sonnette. La porte s'ouvrit.

– Mrs Clarke est-elle là ?

Un bruit de voix en témoignait. De même que les grands manteaux militaires, les cannes en bois des îles, les bicornes jetés sur une table entre deux ou trois chapeaux à bords roulés. Un bouledogue grondant, attaché par sa laisse, était couché dans le vestibule, la gueule entre les pattes. Près de lui, une paire de bottes, une épée. Les visiteurs semblaient nombreux et, visiblement, du genre masculin. Le garçon qui avait ouvert la porte devait être un valet. Pourtant, il ne portait pas de livrée et son visage avait un air connu.

– Je vous ai déjà vu, dit l'étranger.

– Oui, Monsieur. J'habitais chez le capitaine Sutton. Il m'a mis ici pour servir Mrs Clarke.

C'était donc cela ! L'étranger posa sa canne. C'était le garçon qui passait pour le fils naturel de Sutton – il n'en était rien, mais c'était plus convenable. Bonne façon de se débarrasser de lui que de le placer comme valet de pied dans cette maison.

– Que Monsieur se donne la peine de monter et s'annonce lui-même.

Pas de cérémonies, on l'avait prévenu ; et, même, un bruit de petits pieds gambadant et de rires puérils. Les enfants, en évidence.

Cela à dessein d'attendrir le client ou d'aveugler le naïf. Il monta l'escalier et entra dans le salon. Une vieille dame maigre et nerveuse vint à lui et lui tendit sa main osseuse.

– Je suis Mrs Farquhar. Entrez, je vous en prie. Ma fille n'est pas encore rentrée de Ramsgate.

On lui offrit un verre de vin et des biscuits, le tout apporté par une adolescente gauche qui rougit jusqu'à la racine des cheveux quand il la remercia, puis s'éclipsa.

– Isobel, monsieur préfère peut-être le porto au Xérès.

– Non, madame, je vous assure. Ce xérès est délicieux.

Le brouhaha qui régnait dans la pièce rendait la conversation difficile. La vieille dame s'agitait, se répandait parmi les invités, tant mieux. S'il n'avait pas été au courant, il aurait juré s'être trompé d'adresse. Les enfants turbulents qui jouaient par terre, escaladaient le canapé, grimpaient sur le dos des fauteuils ; les propriétaires des bicornes et chapeaux à bords roulés (dont il connaissait certains de vue, jeunes coqs de Saint James) qui jouaient avec les enfants, les faisaient monter sur leur dos, sauter en l'air, prêtaient à l'atmosphère un caractère bourgeois assez amusant pour des yeux prévenus.

Il pensait au vieux Tom Taylor et à son billet griffonné un soir, de Bond Street : « Je vous dis qu'elle fera tout à fait l'affaire. Ne manquez pas d'y aller. A nous deux, nous pourrons la former pour qui vous savez. »

Il y eut une soudaine commotion. L'animation changea de caractère. Les enfants se précipitèrent vers la porte et les jeunes coqs se redressèrent. A travers le brouhaha, un rire vous chatouillait l'oreille, une voix éveillait votre attention.

« Mes chéris, vous m'étouffez… George, avec tes mains répugnantes ! Le charbon, c'est très amusant dans la cave, pas au salon. Ellen, ton pantalon est décousu, cours chez Martha… Mère, tu ne le croirais jamais ! cinq heures pour rentrer de Ramsgate, cela n'a jamais pris aussi longtemps : deux chevaux estropiés. J'aurais tué Pied-Bot ! Où est Isobel ? Je meurs de faim, qu'on me donne à manger… Eh ! Bobby Fitzgerald, vous êtes un monstre, vous m'avez abandonnée jeudi. Remettons cela à vendredi soir… nous irons aux Sadlers Wells, Grimaldi est rentré et il a des mots… impossibles à répéter ; c'est comme cela que je l'aime. Qui est assis là-bas, dans le coin ? Je ne connais pas ce visage. »

L'étranger se leva, s'inclina, baisa les mains, murmura quelques mots et dit son nom. Il tendit sa carte en s'excusant.

Les yeux bleus lurent la carte puis examinèrent le visage. « Elle se demande ce que je viens faire ici, se dit-il. Mais le vieux Taylor a raison, tout à fait ce qu'il nous faut. Vive d'esprit et brûlant d'arriver. Parfait… »

– Ogilvie ? Il me semble que je connais votre nom. Je l'ai entendu il y a peu de temps, je ne peux pas me rappeler où.

– Le capitaine Sutton aura pu vous parler de moi.

Cela l'étonna. Elle le regarda de haut en bas, mesurant le muscle et la chair, puis, avec un petit mouvement des sourcils :

– Excusez-moi. Mais vous ne me paraissez pas tout à fait son genre. Il s'entoure plutôt de garçons bouclés. J'en ai un, Sammy Carter, comme valet de pied.

– Madame, vous vous méprenez. Mes relations avec le capitaine Sutton sont uniquement professionnelles.

– Pour ce qui est de cela, les miennes aussi.

L'œil toujours légèrement perplexe, elle regarda de nouveau la carte et lut, sous le nom du visiteur, son métier.

– Oh ! je sais maintenant qui vous êtes ! Agent de l'Armée. Voilà qui explique tout. Vous devez être très occupé, avec cette guerre qui nous menace et tous ces jeunes gens qui réclament des grades. Pour moi, j'en connais des douzaines.

L'éclatant sourire se montra. L'inconnu comprit que ses lettres de créance avaient été acceptées. Mais il remarqua que l'on mettait sa carte de côté pour plus ample information.

– Quelle charmante maison ! murmura-t-il. L'œuvre de Burton ?

Elle le regarda tranquillement. Sans en rien laisser voir, elle avait compris l'arrière-pensée.

– Oui, répondit-elle. Il en est le constructeur et le propriétaire. Burton est écossais, ma mère aussi, le saviez-vous ? Les Burton, les Mackenzie, les Farquhar, nous avons tous l'esprit de clan.

Esprit de clan, c'était bien dit ; il était au courant de la situation. Taylor lui avait glissé qu'elle ne payait pas de loyer.

– Tavistock Place est très bien située, dit-il. J'ai toujours aimé

Bloomsbury. Une oasis de calme et de tranquillité, avec tout le mouvement du monde à deux pas. Vous devez souvent avoir des amis qui entrent le soir, en passant.

Il songea : « Si cela la laisse impassible, elle est très forte. » Elle ne sourcilla pas. Elle prit un biscuit.

— Les bons amis sont les bienvenus, dit-elle, mais ils viennent quand on les invite.

Une pierre dans son jardin ? Peut-être bien… Il lui versa du xérès.

— Le marteau de votre porte est fort amusant. Où l'avez-vous découvert ?

— Chez un brocanteur de Hampstead. C'est mon fils George qui l'a choisi. Il a eu cinq ans à la Saint-Valentin… Il est assez précoce.

— Cela donne son cachet à la maison.

— Ravie qu'il vous plaise. Et la porte peinte en blanc, l'aimez-vous aussi ? C'est très salissant, certes, mais cela ressort dans la nuit.

Parfait. Du tac au tac. Il savait où il était et s'amusait.

— Vous voulez dire, répliqua-t-il, qu'elle apparaît de loin au voyageur égaré ?

— Les voyageurs égarés ne sont pas reçus. Les colporteurs non plus, ni les bohémiens vendeurs de balais. Les enfants pourraient attraper leurs puces. Je dis à tous mes amis que la maison est à côté de la chapelle. Vous avez dû le remarquer également. Très commode pour matines.

Elle sourit et passa, l'abandonnant à sa mère. Commode pour matines, oui vraiment ! Plus commode encore pour Burton. Pour Barrymore aussi et les autres Diables à Quatre. Mais vraiment loin de son agence de Saville Row.

— Encore un peu de vin, Mr Ogilvie ?

— Non, madame, je vous remercie.

— Ma fille a tant d'amis ! Nous sommes littéralement envahis le mercredi.

Envahis toute la semaine, à ce qu'on lui avait dit, mais plutôt vers minuit, quand la vieille dame dormait et les enfants aussi. Cela valait mieux, lorsque Pied-Bot Barrymore lui rendait visite. Dans Bond Street, il n'avait aucune discrétion, lui avait dit Tom Taylor qui le déplorait ; il arrivait dans sa charrette à deux chevaux, sonnait du cor et criait : « Taïaut » pour faire ouvrir les fenêtres, scandalisant les boutiquiers du voisinage et réveillant leurs femmes. Tout Bond Street se plaignait, et c'est tout juste si Tom Taylor n'avait pas été obligé de fermer boutique. Il avait dû se faire oublier quelque temps et envoyer ailleurs ses pratiques.

– Voulez-vous aider à donner le bain aux enfants, Mr Ogilvie ?

Le Ciel l'en préserve ! Il n'était pas venu pour cela. Il y avait des gens prêts à tout, vraiment. Le jeune Russell Manners relevait déjà ses manches, et l'homme de loi irlandais nommé Fitzgerald, de qui l'on aurait pourtant attendu plus de dignité, gambadait vers l'escalier, un enfant sur son dos. Était-ce là un des rites du mercredi ? Tom Taylor aurait dû le prévenir.

– En vérité, madame, je n'ai pas beaucoup l'habitude des enfants.

Cela suffit à la vieille dame. Pas à sa fille. L'œil bleu le regarda fixement, de l'autre bout du salon.

– Sornettes, Mr Ogilvie. Ce n'est pas difficile. Une brosse et du savon. Vous êtes agent de l'Armée, vous devriez connaître ça. Pensez à tous les jeunes officiers de dragons.

Ma parole, elle lui mettait un mioche dans les bras, un petit démon qui se débattait, les mains gluantes, lui enfonçait ses talons dans les côtes en criant : « Hue dada ! »

– Quel est votre prénom, Mr Ogilvie ?

– William, madame.

– Tu entends, George ? Voilà un nouvel oncle. Nous avons déjà un Bill. Celui-ci, nous l'appellerons oncle Will.

Inutile de protester, et le petit donnait des coups de pied. Montée bruyante de l'escalier suivie par la foule. Le jeune Manners trébucha contre lui, rouge et en sueur.

– C'est Pied-Bot qui a lancé cela. Le diable l'emporte. Il prétend que c'est un excellent exercice, que cela remplace économiquement la salle de gymnastique.

– Pourquoi ne refusez-vous pas ?

– Pour me faire mettre à la porte ? Pas de danger !

La récompense de Manners valait donc le supplice par l'eau. Il avait gagné ses éperons, pas Ogilvie. Il jeta le petit garçon hurlant dans la baignoire.

– Chéri, laisse oncle Will te laver les menottes.

Maudites menottes ! Il ne pouvait tenir le garnement. Il avait de l'eau dans les yeux, la bouche, les cheveux. Pan ! Une savonnette le frappa en plein le menton, parmi les cris de joie montant d'une autre baignoire. Une fillette aux yeux ardents le garrottait d'une serviette.

– Nous allons gagner, George, nous allons gagner. Tu seras le dernier.

Hurlements du petit monstre aux mains charbonnées, glissant comme une anguille.

– Frottez plus fort, Mr Ogilvie. George a horreur de perdre.

La voix fraîche lui parlait de tout près, l'épaule ronde touchait son épaule. Tournant son visage ruisselant, il vit le sourire moqueur jouissant de son supplice. Tom Taylor pourrait chercher ailleurs pour ses projets pervers, l'agence de Saville Row faire faillite, sauter : William Ogilvie en avait assez.

– Je n'ai aucune envie de jouer à la nounou. Frottez-le vous-même.

Elle enleva la petite brute de ses mains incapables et enveloppa sa tête d'une serviette pour étouffer ses cris. Puis, regardant l'homme rouge, trempé et furieux, elle dit :

– Nigaud ! Pourquoi être venu à cinq heures, et un mercredi encore ! Ces garçons vont rester à dîner, puis ils s'en iront. Revenez à dix heures, je serai seule.

Il essuya lentement son visage, sa cravate trempée. Il remit son habit rayé d'éclaboussures puis baissa les yeux vers elle, à genoux par terre, en train de cajoler son fils récalcitrant. Il dit :

– Je ne vous pardonne pas ces dix minutes atroces. Je suis trempé jusqu'aux os. D'ailleurs, je déteste les enfants. Qu'aurai-je, si je reviens ce soir ?

Elle se redressa, secouant une boucle humide qui lui retombait sur les yeux et répondit :

– Sam… ou le drapeau du pirate, à votre choix.

Il descendit, assourdi par les cris des enfants, prit sa canne et son chapeau. Le bouledogue montra les dents. Sam Carter, valet de pied, ancien compagnon de jeux du capitaine de grenadiers Sutton, lui ouvrit la porte avec un salut. A la fenêtre du salon, Mrs Farquhar lui fit un signe d'adieu. Encore quatre heures et demie, exactement, jusqu'à dix heures du soir. Alors, les rideaux seraient tirés, les bougies allumées, voilées sans doute les portes du salon fermées. La maîtresse de maison serait seule à l'attendre. Quel dommage que sa visite dût être une démarche d'affaires, mais l'on n'y pouvait rien, et, de toute façon, une association, s'ils devaient être associés, interdisait l'intimité. Un pas dans la mauvaise direction serait fatal. Donc, tout bien considéré… Il se dirigea en flânant vers Russell Square.

Quand il revint, à dix heures, les volets étaient clos, mais un regard aux fenêtres du salon lui révéla de la lumière. Elle avait dit vrai au sujet de la porte, la peinture blanche attirait l'œil comme un aimant. Il frappa et, confiant, attendit. Cette fois, ce fut une servante qui ouvrit la porte, ronde et trapue, les traits à peine visibles sous l'énorme bonnet en forme de champignon. Pas de Sammy Carter.

— Bonsoir. Où donc est le valet de pied ?

— Il se couche à neuf heures. La maîtresse dit qu'il est encore en croissance et a besoin de beaucoup de sommeil. C'est toujours moi qui ouvre, la nuit.

— Votre maîtresse songe à tout.

Cette fois, pas de bouledogue, pas de chapeaux. Le vestibule était plongé dans l'ombre, à l'exclusion d'une unique lampe.

— Et comment vous appelez-vous ?

— Martha, monsieur. Je suis gouvernante. A l'office, on m'appelle Mrs Favoury.

— C'est là un témoignage du respect qui vous est dû. Puis-je monter ?

— S'il vous plaît, monsieur. Monsieur trouvera Madame au salon. Elle m'a dit de ne pas attendre Monsieur, que Monsieur se reconduirait tout seul.

Excellente organisation, certes. Telle était donc la routine nocturne : le visiteur au premier, Martha au sous-sol. Que pensait Martha de tout cela ?

— Êtes-vous de service ainsi chaque soir ?

— Oh ! non monsieur. Seulement quand on attend un nouveau visiteur comme Monsieur. Mr Dowler, Mr Burton, et Mylord ont la clef.

Tiens ! Et si tous trois arrivaient en même temps ? Cela ne provoquerait-il pas, pour le moins, une certaine confusion, qui sait, des effusions de sang ? Nul doute qu'elle n'eût tout réglé et fût au fait de leurs mouvements. Le grand bonnet disparut. Ogilvie monta l'escalier ciré et eut l'impression d'entendre derrière les portes fermées du salon une voix de femme fredonnant une chanson. Il reconnut l'air, la rage du moment à Vauxhall. Tout Londres le chantait ce printemps-là :

> *Demain est un leurre*
> *Soyons heureux aujourd'hui.*

L'air paraissait plus joli ici qu'à Vauxhall. La chanson d'une femme était une chose agréable et reposante pour un homme surmené. Assurément, elle ferait l'affaire à laquelle il la destinait et saurait s'y maintenir. Un rire, maintenant ! Riait-elle toute seule ? Une toux, masculine. Que manigançait-on ? Rembruni, il frappa assez fort à la porte. Il y eut des bruits confus, un chuchotement, des pas étouffés, une porte refermée au fond du salon, puis la voix s'éleva claire et sans trouble :

– Entrez, Mr Ogilvie.

Il entra et regarda autour de lui. Ils étaient seuls. Tout était tel qu'il l'avait imaginé : les lumières discrètes, la maîtresse de maison en négligé, à demi étendue sur un canapé, adossée à de nombreux coussins.

– Quelqu'un était avec vous ?

Il y avait de la méfiance dans sa voix et une accusation. Il n'aimait pas écouter aux portes, mais c'était un jeu où il était passé maître. Elle le regarda en souriant. Elle rejeta le polissoir avec lequel elle était en train de faire briller ses ongles et lui tendit sa main à baiser.

– Personne. Charley, seulement. C'est mon frère. Je l'ai envoyé au lit. Il sait rester à sa place.

Elle tapota le canapé à côté d'elle. Toujours méfiant, il regarda par-dessus son épaule.

– Toute votre famille habite donc sous ce toit ?

– Oui, mais elle ne nous dérangera pas. Je vous ai dit que nous avions l'esprit de clan. C'est notre sang écossais, une espèce de sentiment du foyer, qui nous porte à rester ensemble.

Il la regarda de plus près. Teint parfait, épaules et gorge mises en valeur par cette collerette de dentelle. Vingt-six ou vingt-sept ans, avait dit le vieux Taylor, et mariée pendant neuf ans à un ivrogne. Elle devait être endurante pour l'avoir supporté si longtemps.

– Écoutez, dit-il. Je vais être très franc. Je suis venu ici pour vous parler d'affaires. Rien d'autre.

– Dieu soit loué. J'ai passé la nuit dernière à Ramsgate.

– Avec Lord Barrymore ?

– Oui, vous le connaissez ? Il est délicieux, mais quelle ardeur ! J'en reviens couverte de bleus et toujours sur la hanche gauche. Dieu sait pourquoi ! Voulez-vous boire quelque chose ? Un peu d'eau-de-vie ?

– Volontiers.

Maintenant qu'elle était au courant de ses intentions, elle changea d'attitude, se redressa un peu, croisa les mains sur ses genoux. Elle abandonna l'air langoureux et parut attentive.

– Eh bien, parlez, dit-elle. Je suis tout oreilles.

Il remplit son verre et vint s'asseoir à côté d'elle.

– Depuis combien de temps habitez-vous ici ?

– Un an.

– Vous réussissez bien ?

– Pas mal, mais c'est chanceux.

– Vous avez de l'argent de côté ?

– Grand Dieu, non ! Je vis au jour le jour, comme la plupart d'entre nous. Je n'ai pas de loyer à payer, c'est toujours ça de pris.

– Pas de rentrées régulières du côté de Burton ?

– Ne dites pas de sottises. James est écossais. J'ai déjà de la chance d'avoir cette maison.

– Et Mylord ?

– Pied-Bot fait des cadeaux, des diamants surtout. L'ennui c'est que j'ai envie de les porter et non de les mettre en gage. Les hommes ne se rendent pas compte que c'est d'argent que nous avons besoin, d'argent liquide pour payer le boucher.

Il acquiesça.

– C'est la même chose dans toutes les affaires. Du crédit tant qu'on veut, mais les espèces sont toujours pour demain. Qui avez-vous encore de régulier ?

Elle hésita.

– Vous ne connaissez probablement pas. Bill Dowler. Un ami très dévoué mais qui dépend de son père. Il vient de perdre gros à la Bourse, avec ces bruits de guerre. Je ne saignerai pas un homme que j'aime, cela n'est pas honnête.

Ogilvie sirota son eau-de-vie, croisa les jambes, et se mit à jouer avec un fil de son bas de soie blanche.

– Je suppose que vous vous faites passer pour veuve ?

– Qui vous a dit que je ne l'étais pas ?

– Tom Taylor. Je serai franc. C'est lui qui a insisté pour que je vous fasse cette visite. Nous travaillons ensemble, Bond Street est à un pas de Saville Row. Il m'envoie la moitié de ses pratiques : tous les jeunes officiers qui désirent de l'avancement, lieutenants, capitaines, je connais les tours et les détours et je sais où m'adresser.

Elle avança un coussin et y appuya son flanc. Puis elle reprit son polissoir et en frotta ses ongles.

– Si Pitt arrive à ses fins et nous plonge dans la guerre, vous allez rouler sur l'or ?

– En théorie, Mrs Clarke, pas en pratique. Nous sommes trop nombreux sur la place, à présent, et Greenwood et Cox tirent toute la couverture à eux. Ils ont le régiment du roi, les dragons et la moitié des régiments de ligne. Les petites maisons comme la mienne ne sont pas de taille. Guerre ou non, je finirai par sauter, c'est uniquement affaire de temps – officiellement, du moins. Mon idée est de travailler dans la coulisse, en particulier. C'est là que vous entrez en scène.

Elle regarda ses ongles polis, puis leva les yeux vers lui.

– Comment cela ?

– En exerçant une certaine influence.

Il parlait sèchement, il ne voulait pas en dire trop.

– Vous voulez que je donne des petits soupers à mes amis officiers, et que je leur dise : « Achetez vos galons chez Will Ogilvie, il vous fera des prix » ? Ils ne m'écouteront pas. En outre, je ne connais pas grand nombre d'officiers. Quelques gentils garçons viennent s'amuser un peu ici, c'est tout. Et un vieux général d'infanterie qui devrait être à le retraite depuis des années. Il s'appelle Clavering.

Ogilvie hocha la tête et reposa son verre.

– Je connais bien Clavering. Il n'est bon à rien. Non, Mrs Clarke, ce n'est pas de cela du tout qu'il s'agit. Nous nous adresserons à la tête.

– Les frères Wellesley ? Ne dites pas de sottises. Ils sont si raides qu'ils ne peuvent même pas ôter leurs bottes, alors leur culotte, n'y songeons pas !… Ce n'est pas eux qui cogneront à la porte blanche, ils passeront devant en allant à la chapelle, sans même tourner la tête.

– Ce n'est pas aux frères Wellesley que je pensais.

– Je connais Jack Elphinstone et Duncan Mackintosh, tous deux sont colonels du 60e, et puis après ? J'ai rencontré une fois le vieil Amherst, sur la plage, à Brighton. Il était commandant en chef avant le duc d'York. Un vieux gâteux de près de quatre-vingts ans. Rien à faire, Mr Ogilvie, il vous faudra chercher ailleurs pour relever la fortune de votre maison. Ah ! peut-être, s'il s'était agi de la Marine…

Elle parut songeuse. Le premier lord de l'Amirauté lui avait fait un jour des propositions, puis avait pris peur et s'était enfui à Portsmouth.

Ogilvie sourit. Curieux, qu'elle n'eût pas deviné à qui il pensait. Elle en avait elle-même prononcé le nom et ne s'y était pas arrêtée. Mieux valait laisser à Taylor le soin de préciser…

– Écoutez, Mrs Clarke. Si nous trouvons le personnage – nous, c'est-à-dire vous, Tom Taylor et moi – et lui mettons le grappin dessus – en d'autres termes, si cet homme que je ne veux pas nommer s'amourache de vous comme il faut –, jouerez-vous le jeu ?

– Mais quel jeu ?

– Partager ce que vous gagnerez. Et vous gagnerez beaucoup, à condition d'apprendre les règles élémentaires que je pourrai vous enseigner en quelques semaines.

Elle le regarda, le sourcil levé.

– Que pourrez-vous donc m'enseigner que je ne sache déjà ? Êtes-vous tellement expert ? Vous m'intriguez.

Il secoua la tête avec un peu d'impatience.

– Je ne parle pas de votre métier, madame. Vous en connaissez toutes les finesses. Je veux bien le croire. Je voulais dire que je vous apprendrai les rudiments du mien : l'avancement et non l'amusement des militaires.

Elle haussa les épaules.

– Vous voulez me prendre comme garçon de bureau? Oh! j'en serais très capable. J'ai toujours adoré les métiers masculins, déjà quand j'étais petite fille. La politique, la médecine, les gazettes, tout ce que vous voudrez. Et si cela me rapporte de l'argent, par-dessus le marché, tant mieux. J'ai trois enfants à nourrir, comme vous le savez, sans compter le reste de ma famille. A propos, mon frère cherche une place. Si vous le preniez comme garçon de bureau, lui aussi?

– Parfait. La besogne régulière pour lui, le grand art pour vous. Mais, comprenez-moi bien, Mrs Clarke, si cela se fait, si mon projet se réalise, il vous faudra peut-être, et même presque certainement, quitter cette maison.

Elle se redressa avec un regard d'horreur.

– Ma jolie maison? Mais je la trouve fort commode et tout y est à mon goût. En outre, j'y fais ajouter une petite aile.

– Si nous attrapons votre homme, Mrs Clarke, vous n'aurez pas besoin de votre petite aile. Il vous donnera une maison trois fois plus grande que celle-ci. Adieu, Burton, Barrymore, et le reste. Tout cela n'est que du menu fretin.

Il l'avait appâtée. Les yeux bleus se plissaient, puis s'écar-quillaient. Il voyait son esprit actif monter des pairs aux premiers ducs mais elle n'avait pas encore mis le doigt sur le nom.

– S'il s'agit d'une sécurité véritable, dit-elle – elle parlait plus lente-ment à présent, choisissant ses mots –, il n'est rien dont je ne sois capable pour y parvenir. Vous avez rencontré ma mère, cet après-midi, Mr Ogilvie. Elle tremble, elle est nerveuse, vieillie avant l'âge. Abandonnée par deux maris, elle n'a personne pour la protéger. J'ai eu de la chance, sinon nous serions mortes de faim. Je ne veux pas finir comme elle. Ni mes enfants. J'ai perdu un fils… J'ai fait un vœu. Je ferai tout ce qu'une femme peut faire au monde; que ce soit vil, sale ou méchant, peu m'en chaut. Mais, par le Ciel, le petit garçon que vous avez mis ce soir dans son bain poussant des cris de paon, et ses sœurs aussi, grandiront sans soucis, il faut qu'ils soient à l'abri du besoin. Tout ce que j'ai fait dans le passé, tout ce que je ferai à l'avenir, c'est pour eux; et le Ciel ait pitié de l'homme qui se jouerait de moi.

Elle se leva et se mit à marcher dans la pièce. Le sourire avait quitté son visage. Elle écarta le rideau, regarda la pluie tomber de l'autre côté de la vitre. Était-il congédié ? Il reposa son verre.

– Vous pouvez vous fier à moi, dit-il. Je serai un ami. Ma vie n'a pas toujours été facile, la vôtre non plus. Nous sommes nés tous les deux à Londres, dans la City, n'est-ce pas ? En effet ! Et puis nous avons le même genre de talents, le même genre d'esprit. Or, voilà, juste devant votre nez, une certaine classe, une certaine société. Née riche, oisive, inutile, et pourrie de vanité. Vous y avez déjà grignoté, moi aussi. Eh bien… taillons-nous à présent une part plus large du gâteau. A la santé de vos enfants.

Il vida son verre, et lui baisa la main.

– Que dois-je faire à présent ? demanda-t-elle.

– Allez chez Tom Taylor, Bond Street, numéro 9.

– Je sais l'adresse mais je n'y suis jamais encore allée. J'espérais, je ne sais pourquoi, éviter cela.

– Je comprends votre sentiment, mais n'y pensez plus. Vous ne regretterez pas votre visite, c'est moi qui vous le dis.

Il se dirigea vers la porte. Elle le suivait des yeux.

– Quel jour, et à quelle heure ?

– Vendredi, huit heures, huit heures du soir, il va sans dire. Nous vous ferons chercher en voiture.

– Y serez-vous ?

– Non, mais Taylor y sera. Il vous guettera à la fenêtre. On ne vous fera pas attendre. Et, à propos, préparez un petit sac de nuit, au cas où…

– Au cas où… ?

– L'on vous invitera peut-être à passer quelques jours à la campagne.

Elle fronça le sourcil, puis sourit, rit, ouvrit sa porte.

– Je me fais l'effet d'une petite fille qui s'en va travailler dans une fabrique pour la première fois, son châle, ses galoches et son dîner noués dans un baluchon. Quand j'avais treize ans, Mr Ogilvie, mon beau-père est tombé malade. Il était correcteur d'imprimerie, alors j'ai corrigé les épreuves à sa place et je les rapportais au surveillant en prétendant que c'était mon père qui avait fait le travail. On n'a pas deviné la vérité, pendant des semaines. J'ai bien fait ma première besogne, ce n'était pas du travail bâclé.

– J'en suis sûr. Celle-ci non plus ne le sera pas. Bonne nuit.

– Bonne nuit.

Elle le regarda traverser la rue et agita la main. Elle remit le verre sur le plateau, redressa les coussins et souffla les bougies. Elle monta se coucher mais ne put dormir. Un nouveau tournant apparaissait sur sa route, mais il n'y avait pas de Joseph ronflant par terre pour la pousser. Ni d'Edward, à jamais silencieux dans son berceau. Ni de Bill à étreindre en pleurant sur l'oreiller. Charley, dans sa chambre, en haut, était trop jeune et trop ignorant. « Mon Dieu, pensa-t-elle, comme une femme peut être seule quand c'est elle qui gagne le pain quotidien ! »

Le vendredi arriva. Un jour comme un autre, avec ses menues besognes familières. Des fournisseurs vinrent au matin présenter leurs factures et furent éconduits avec de bonnes excuses. Elle fit les menus de la journée avec Martha. Le docteur vint voir sa mère qui souffrait de rhumatismes. Elle sortit faire des emplettes avec Isobel qui avait besoin de gants et de bas. Elle dîna à six heures avec les enfants, pour son plaisir. George était agité, malade peut-être. Dans ce cas ?…

– Ce n'est rien, madame, dit Martha. Il a mangé trop de pommes…

Charley, désœuvré, avait besoin d'argent.

– Des amis m'ont demandé de venir jouer au tennis. Dois-je y aller ?

– Assurément. Un peu plus de décision, chéri.

La maison était enfin silencieuse. Son bagage était fait, une mante sombre cachait sa robe du soir. La voiture était à la porte, Sam Carter attendait. Soudain, sans raison, une douleur lui durcit le ventre.

– Sammy, souhaite-moi bonne chance.

– Pourquoi, madame ? Où allez-vous ?

– C'est précisément là ce que je ne sais pas. Mais souhaite-moi bonne chance.

– Certes, madame, je vous la souhaite.

– Maintenant, ferme la portière, et donne l'adresse au cocher : Bond Strcct, numéro 9.

Il faisait noir dans les rues, c'était une soirée du début d'avril. L'on sentait les approches du printemps, en retard comme d'habitude. Quelqu'un donnait un bal dans Hanover Square, des voitures s'arrêtaient. Elle eût souhaité que la sienne la déposât là, elle aussi, confiante et gaie, au lieu de l'emmener vers un mystérieux rendez-vous. Elle se rappela le fiacre, Islington, et Mr Day en bonnet de nuit à sa porte. Onze ans de cela et combien de ponts traversés !... La voiture s'arrêta dans Bond Street. Elle s'emmitoufla dans sa mante. Une lumière brillait à une fenêtre du premier étage, évoquant l'image de l'oncle Tom guettant, excité et complice. Tant pis, il était trop tard pour revenir en arrière, les dés étaient jetés. A la lueur brouillée de la lanterne de la rue, elle lut l'enseigne de la boutique : « Taylor. Bottier », et le blason portant l'inscription « Fournisseur de la Cour »... L'ambassadeur du Maroc (hein ?) aimait les expressions à double entente.

Tom Taylor l'attendait dans le vestibule, sur son trente-et-un : habit de velours paon, cheveux poudrés, souliers à boucles.

— Ma chère, je suis bien heureux. Comme il y a longtemps que nous ne nous étions rencontrés ! Il y a au moins trois mois que je n'ai pas eu le plaisir de vous voir, depuis la soirée que vous avez donnée à mes petites nièces. Comment vont vos enfants ? Beaux, comme toujours ? Et vous ? Mais il n'est pas besoin de le demander. Épanouie, une vraie rose...

Le vieux envoya un baiser au plafond et la guida vers l'escalier.

— Je devrais vous en vouloir, continua-t-il. Depuis combien de temps nous connaissons-nous ? Plus de deux ans. Et vous n'étiez encore jamais venue chez l'oncle Tom. Pas même pour lui acheter des chaussures.

— Je vous l'ai dit Craven Place. Vous êtes trop cher.

— Sottise, petite, sottise que tout cela ! Pour vous, double rabais.

Son escalier était imposant, couvert d'épais tapis, flanqué dans tous les angles de miroirs à cadres dorés. Sur le palier, un petit nègre, en écharpe et turban, l'attendait pour la débarrasser de sa mante.

— Où sommes nous ? demanda-t-elle. A Istanbul ?

Il sourit et se frotta les mains mais ne répondit pas à la plaisanterie. Son petit œil professionnel détaillait la robe.

— Charmant, dit-il, et exactement le décolleté qu'il faut. Il y a beaucoup de femmes assez sottes pour montrer trop largement ce qu'il faut laisser deviner, émoussant ainsi tout le plaisir de l'anticipation. Chez vous, au contraire, un soupçon du grand sillon... le reste est promesse. Avez-vous apporté des gants longs ?

– Non. Pour quoi faire des gants ? Allons-nous à une réception ?

– Les gants achèvent une toilette. Mais cela ne fait rien. J'en ai que je vous donnerai.

Il toucha le lac d'amour sur son épaule.

– Très bien, dit-il. J'aime la note de couleur sur ce blanc et c'est facile à nouer. Tout cela glisse des épaules ? Je m'en doutais. Très commode.

Il fit un pas en arrière pour observer l'ensemble.

– Vous vous êtes trompé de métier, lui dit-elle. Vous devriez vendre des soieries et non du cuir, puisque vous en savez si long sur la coupe des robes.

– Vous seriez étonnée, dit-il, des choses auxquelles j'ai mis la main, dans des cas urgents. J'ai vu des femmes venir ici, belles comme des anges du ciel, mais habillées de façon désolante, pomponnées comme pour aller à la fête du village. Oh ! mais l'oncle Tom est venu à leur secours ! J'ai coupé avec de grands ciseaux dans les rubans et les dentelles, fendu les corsets trop serrés, allégé les boucles trop épaisses sur la nuque. Sans ces dernières touches, les petites n'auraient jamais convenu. Elles le savaient et m'en remercièrent. Par ici, ma chère, donnez-vous la peine d'entrer prendre un petit rafraîchissement.

Elle regarda autour d'elle, malveillante et sur ses gardes. Ils étaient dans la pièce dont la fenêtre cintrée donnait sur la rue. Sièges de velours rouge, bougies rouges, tapis plus épais encore que celui qu'elle foulait un moment auparavant. Un canapé pareil à celui de son salon, à côté d'une table et, sur la table, des verres, autour d'un magnum de champagne. Elle remarqua promptement qu'il y avait trois verres.

Elle remarqua également des paravents dressés çà et là, faciles à déployer, et des tableaux représentant des amours parmi des nuages rebondis. Un grand miroir au mur reflétait le canapé et la table. L'ensemble, songea-t-elle, était un peu lourd et clinquant. Si c'était là le goût de la pratique, elle ne l'en estimait guère. Peut-être ces cupidons fouettaient-ils les esprits lents et excitaient-ils les appétits hésitant à risquer leur chance. Alors, avec des bougies rouges...

– Vous prendrez du champagne, ma chère ? dit l'oncle Tom.

– Si c'est la coutume.

Pour un rien, elle fût rentrée chez elle. Ce décor l'ennuyait. Un piège où prendre quelque général gris et où il faudrait lui tenir compagnie. Mieux valait cent fois s'en tenir aux vieux amis qu'elle connaissait et batifoler avec Pied-Bot à Ramsgate.

– Maintenant, donnez-moi de vos nouvelles.

Ses petits yeux étaient émerillonnés.

– Des nouvelles ? Quelles nouvelles ? Ma vie est très remplie : la maison, les enfants, ma mère, vous savez ce que c'est, et maintenant, ces bruits de guerre qui dérangent tout. Mes amis whigs sont désolés et hochent gravement la tête ; mes amies tories, assurément, exultent et sautent de joie. Moi, je ne prends parti ni pour l'un ni pour les autres, cela ne me regarde pas. Vous connaissez Burton, mon propriétaire ? Il tourne au patriote, il est très excité. Il dit qu'en cas d'invasion, il lèvera un régiment de maçons et en prendra lui-même le commandement. Il prétend que l'idée de la guerre le désespère ; au fond, il adore cela.

– Et comment va Lord Barrymore ?

– Il s'embarque demain pour l'Irlande et en est malade à l'avance.

– Son épouse est dans une situation intéressante, paraît-il.

– On le dit, mais j'en doute. Ces Irlandaises veulent monter à cheval… C'est fatal pour les grossesses.

– Mr Dowler est-il en ville ?

– Je l'ai vu la semaine dernière. Très abattu et découragé. Il a été forcé de renoncer à la Bourse et d'aller pleurer misère chez son papa. Votre William Ogilvie m'a plu, mais de quoi s'agit-il au juste ?

Tom Taylor mit un doigt sur ses lèvres.

– Un autre jour, fit-il à voix basse, pas maintenant.

Puis, plus haut et remplissant son verre :

– Qu'avez-vous encore de beau à me raconter ? Pas de potins ?

– L'on ne m'a rien rapporté, ces derniers temps. Je ne sais que ce que je lis. Dites-moi, est-ce vrai, ce que dit le *Post* – vous devriez le savoir avec tous ces clients royaux qui viennent se faire comprimer les orteils dans vos chaussures –, est-ce vrai que le duc d'York a

congédié son frère, qu'il y a eu du grabuge à Gibraltar et que Kent
a été rappelé ?

Le visage de Tom Taylor devint pourpre ; il s'étrangla, toussa,
cracha, le champagne l'étouffait. Elle lui donna de petites tapes
entre les omoplates puis, voyant que cela ne servait à rien, elle prit
un sandwich.

– Vous avez avalé de travers ? Mangez ces concombres, cela
remettra les choses en place. Oh ! votre habit de velours paon…
quel dommage !

Elle prit le volumineux mouchoir dans la poche dudit habit et
l'essuya, puis le remit en place. Il lui fit un signe énergique des deux
mains – elle ne le comprit pas. Il l'implora du regard – elle ne le vit
pas. Affamée tout à coup – le champagne lui avait ouvert l'appétit –,
elle mangeait et parlait tout à la fois. Elle se sentait de bien meilleure
humeur.

– Il devient un vrai tyran, ce Frédéric-Auguste. Il renvoie ce pauvre
duc de Kent et refuse de donner un commandement au prince de
Galles. Tout cela, sans doute, parce qu'il est le chouchou de son papa
et peut faire ce qui lui plaît ; le vieux est complètement dérangé du
cerveau. Quelle tribu ! reconnaissez-le, ils ne valent pas mieux que les
Bourbons. Quelques fautes de plus et, boum, leurs têtes dans le
panier. Dieu merci, je suis écossaise et ne leur dois aucune allégeance.
Ces sandwiches sont très bons. Viennent-ils de vos cuisines ?

Elle se servit sans attendre sa réponse.

– Remarquez, reprit-elle, que les Stuarts n'étaient pas plus malins
que ça. Le jeune Charlie portait fort bien le kilt, mais c'est à peu près
tout. Le bruit d'un mousquet le faisait filer comme un lièvre. Ma
mère me tuerait si elle m'entendait, mais, toute petite déjà, ces
parades me plaisaient, les habits rouges et tout cela. Moi, d'ailleurs,
j'aime les hommes grands, et celui-là n'était pas une mauviette. Ne
serait-il pas temps que vous m'annonciez enfin carrément mon sort ?
Qui allez-vous sortir de votre chapeau, ce soir ? Je vous préviens que
si c'est un vieux cheval de bataille sur le retour, je n'y toucherai pas,
quand bien même il m'offrirait toute une rangée de médailles.

Elle reprit sa place sur le canapé, souriante, détendue. Le champagne était agréable après le souper frugal des enfants et elle commençait à trouver la pièce assez plaisante et les cupidons inoffensifs.

– Et alors, ces gants ? demanda-t-elle. Allons, au travail.

Son hôte, dont le visage exprimait un embarras extrême, s'adossa à la porte.

– Je crains bien qu'il n'en soit pas besoin.

– Tant mieux. Ils ne feraient que me gêner.

– Vous ne me comprenez pas. Je veux dire que…

Le négrillon entra, le tira par la manche et lui chuchota quelque chose à l'oreille. Tom Taylor se pencha pour l'écouter, un peu gêné par sa panse, puis quitta en hâte la chambre, suivi par son page. Prise de soupçon, elle se leva brusquement.

– Ah non ! cria-t-elle, vous n'allez pas filer et me planter là. Vous allez d'abord me mettre entièrement au courant. Qu'est-ce que tout cela, et pourquoi cet enfant en turban, et ces histoires de gants…?

Une pensée horrible lui traversa l'esprit : on lui destinait un nègre ! Quelque vieux rajah constellé de rubis.

– Bon Dieu ! cria-t-elle, si c'est un nègre, vous vous l'enverrez vous-même.

Elle entendit du bruit derrière elle. Le paravent bougeait, se repliait, découvrait des portes, et ces portes étaient ouvertes sur un second salon. Un homme y était debout, appuyé au chambranle, les mains aux revers de son habit, une jambe croisée devant l'autre. Taille : six pieds deux pouces ; teint vermeil, yeux bleus et proéminents, nez épais ; âge, la quarantaine. Elle reconnut aussitôt ces traits vus cinquante, cent fois, dans les gazettes, les pamphlets, et son cœur se serra. C'était un visage acclamé par des foules aux milliers de visages. Une inclinaison de tête en réponse aux acclamations, une main au chapeau, et bonsoir. La soudaine présence, si proche, de ces traits la déconcerta, ces traits, ceux de Frédéric-Auguste, duc d'York et d'Albany.

– Je ne suis pas nègre, dit-il, et, même si je l'étais, du diable si j'emmènerais Tom Taylor à Fulham. Où est votre manteau ?

Elle le regarda. Elle ne pouvait pas répondre. L'humiliation et la rage se disputaient en elle. Cet Ogilvie, cet oncle Tom… ils avaient osé lui lancer cela à la tête sans la prévenir. Des gants blancs… assurément… et pas cette toilette de l'an dernier mais une robe toute neuve… des boucles d'oreilles, des broches. Elle était là, éberluée, les yeux écarquillés, la bouche ouverte comme une fille de cuisine.

S'en voulant, lui en voulant, elle fit la révérence. Martha n'aurait pas été plus disgracieuse, n'eût pas plongé plus bas. Ses souliers ne convenaient pas à ce genre d'exercice, il lui pinçaient le talon. Tout ce qu'elle avait appris depuis trois ans était soudain oublié.

– Je suis désolée, dit-elle. L'oncle Tom a tout gâché. Enfin, nous avons tout gâché, lui et moi. Je n'étais pas préparée.

– Préparée… à quoi ? demanda-t-il.

Il prit un sandwich.

– Je ne vous plais pas ? Je n'ai pas eu le temps de me changer, j'arrive directement des Gardes. Je suis levé depuis six heures et suis resté enchaîné à mon bureau jusqu'à ce soir avec un entracte de deux heures dans une cour de caserne poussiéreuse. Je n'ai pas encore dîné, vous non plus, et je crève de faim. Nous dînerons et souperons tout ensemble, en arrivant à Fulham. Dépêchez-vous. Pourquoi ce négrillon ne vous donne-t-il pas votre manteau ? Avez-vous apporté un sac ?

– Oui. Il est en bas.

– Eh bien, descendons. Il fait chaud ici comme dans un four. Ce vieux sot n'ouvre jamais les fenêtres et son champagne est bouillant. N'en buvez plus. Vous seriez soûle comme une grive.

Il posa une grande main sur son épaule, la poussant devant lui, prit la mante aux bras du négrillon enturbanné apparu sur le palier, et la jeta sur les épaules.

– Où est Taylor ? Il se cache ? Tu lui diras que nous somme partis.

Elle se dirigea vers l'escalier.

– Pas par ici, fit-il. Là, par derrière. Il y a une entrée secrète sur Stafford Street. Par ici, donnez-moi la main.

Il la conduisit dans un corridor, ouvrit une porte, et lui fit descendre, deux marches à la fois, un étroit escalier. Elle trébucha sur ses hauts talons, faillit tomber.

– Vous ne connaissiez pas cette sortie ? demanda-t-il. C'est bien commode. Je ne peux pas galoper dans une *barouche* en plein Bond Street pour me trouver nez à nez avec une duchesse en train de commander des chaussures. Tous ceux qui sont au fait entrent chez Tom par la porte de derrière.

Pour qui la prenait-il ? Pour une roulure du coin de la rue ?

– Je n'étais encore jamais venue ici, dit-elle et je n'y reviendrai

pas. Toute cette histoire est un malentendu, depuis le commencement jusqu'à la fin.

Elle avait sa dignité. S'il voulait une fille pour la nuit, il pouvait
en ramasser une. La méthode manquait de grâce et aussi de savoir-
faire.

Il la poussa dans la voiture et s'assit à côté d'elle, occupant
presque toute la place, de sorte qu'elle était serrée dans son coin. Il
étendit ses pieds bottés sur le siège en face de lui et l'attira contre
son flanc.

– Le trajet est assez long jusqu'à Fulham. Faisons toujours
connaissance en attendant.

Elle soupira et se laissa aller contre son épaule, résignée au pire,
mais furieuse, et brûlant du désir de se venger – non pas de lui pauvre
idiot, il n'y pouvait rien – mais d'Ogilvie et de l'oncle Tom. Si elle eût
soupçonné seulement ce qu'ils projetaient… eh bien, elle aurait pris
l'initiative et mis elle-même tout en scène. Elle aurait engagé un chef
et deux ou trois valets pour la soirée, appris ses goûts et les plats qu'il
aimait, fait venir des musiciens, changé la disposition du salon et de
la chambre d'amis… A l'heure du petit déjeuner – s'il n'était pas
parti avant – il aurait eu derrière lui la nuit la plus agréable du
monde et tout ce qu'elle avait à donner. Pied-Bot lui disait toujours
que Tavistock Place était la maison la plus plaisante et la plus commode de sa connaissance ; les soupers y étaient bons, le vin bien
choisi, les lits étaient un rêve, et un mot de lui, quelque temps à
l'avance, aurait fait des merveilles. Au lieu de cela… Jetée comme un
colis dans une voiture, et en route pour Fulham ! Aucune occasion de
se mettre en valeur, de faire voir comment elle parlait, comment elle
marchait, d'exercer les dons particuliers par lesquels elle séduisait les
hommes et s'en faisait admirer. Pour cette affaire-ci, on aurait pu se
contenter de n'importe quelle jeune souillon, ou n'importe quelle
vieille putain, pomponnée pour l'occasion.

– Ah ! voilà qui vous remet, dit-il. Et maintenant que diriez-vous
de souper ? Voici Fulham Lodge, là, à droite. Je suis affamé comme
Moïse au désert.

Il y avait des valets de pied fort discrets qui ne la regardèrent pas.
L'un d'eux prit son sac, un autre son manteau, et, la précédant, lui
firent monter un étage vers une grande chambre carrée. Tout était

préparé, prévu : brosses, pelotes à épingles, peignes et flacons garnissaient la coiffeuse devant son grand miroir, un lit à courtines avec chemise de nuit, robe de chambre, et pantoufles. Elle fut obligée, quoi qu'elle en eût, de reconnaître qu'il n'y avait rien à reprendre au style, aux préparatifs. Dans la réciproque, c'est-à-dire si c'était lui qui fût venu Tavistock Place, elle n'aurait pas songé à la chemise de nuit ni aux pantoufles. Un nécessaire à raser, assurément, et des peignes dans le cabinet de toilette, mais pas tout ceci… Elle renifla le linge. Fleurant la lavande, doux et fin comme un mouchoir… Quel dommage que sa mère ne dût pas le voir, elle qui attachait tant d'importance à la qualité du linge et aimait à raconter l'histoire du drap qui passe dans un anneau de mariage !

– Si madame est prête à descendre… Son Altesse Royale l'attend.

Il l'attendait, vraiment ? Eh bien, il l'attendrait encore un peu. Il se méprenait sur l'oiselle, s'il se figurait qu'elle allait s'asseoir en face de lui, les cheveux ébouriffés par la scène de la voiture. La tenue, d'abord. Quelques gouttes de ce flacon… Le parfum était bon, il pouvait l'être, juste ciel, un parfum princier ! Tom Taylor avait raison, des gants auraient fait mieux, des gants achèvent une toilette, mais, puisque les gants ne faisaient pas partie des accessoires fournis, elle en concluait que Son Altesse y attachait peu d'importance. Elle descendit l'escalier avec grâce et dignité. Elle avait là l'occasion de déployer sa marchandise. Il ne la remarqua même pas, la poussa dans la salle du souper, puis meugla comme un taureau parce que le potage était froid.

– Sacredieu, cela arrive continuellement ! Trois fois en une semaine. Je renverrai le cuisinier. Mon estomac crie famine. Apportez-moi du pain.

On enleva les assiettes de potage. On présenta des petits pains tout chauds et croustillants, aussitôt suivis par le potage réchauffé à point.

– Quel service ! se dit-elle. Quel personnel ! Si ç'avait été Martha…

Il lapait sa soupe comme George le faisait, à la manière des petits chiens. Quand George lapait ainsi, elle le chassait de sa table. Bravo pour les manières royales. Devait-elle parler ou faire figure de cire ? En tout cas, elle pouvait manger sans l'attendre. Il acheva sa sole bonne-femme en quelques bouchées, tandis qu'elle chipotait la sienne, supposant qu'un rôti allait suivre. Le rôti suivit : une selle d'agneau garnie. Comme il l'attaquait avec entrain, son gilet s'écarta et un bouton vola comme une flèche sur la table. Le prince Charlie... le clan Mackenzie... les coups de la fortune. C'était un signe du destin. Elle ne put y résister.

— Me permettez-vous, dit-elle, de le donner à mon frère ?

Elle vit la désapprobation du valet de pied derrière le siège princier tandis qu'elle tendait le bras et sortait le bouton de la salière.

— Quelle idée ! Ces boutons ne s'ajustent qu'à ces gilets faits à la main, sur commande, par un tailleur de Windsor qui connaît ma circonférence.

— Ce n'est pas pour le porter... mais à titre de symbole.

— Symbole de quoi ? D'un embonpoint croissant ?

— Mon frère n'a que vingt ans et il est mince comme un roseau. Non, peut-être pour le porter à sa chaîne de montre, comme une espèce de talisman.

Elle se demanda si elle allait lui raconter l'histoire, ou si ce serait manquer de tact. Les Hanovre étaient peut-être encore susceptibles, au bout de cinquante ans.

— Nous venons d'Écosse, voyez-vous. Le clan Mackenzie. Un de nos aïeux possédait un bouton d'argent, cadeau personnel du jeune prétendant ; il a été malencontreusement perdu. L'on disait qu'il portait chance. Ceci n'est pas tout à fait la même chose, je le sais, mais pourtant...

— Cela ne peut pas faire de mal ? Je n'en suis pas si sûr, si vous êtes Jacobite.

— Oh ! mais je ne le suis pas.

— Vous êtes tous pareils, vous autres Écossais. Vous ne valez pas mieux que les Irlandais. Si vous le pouviez, vous nous poignarderiez dans le dos. Moi, je ferais fusiller tout cela.

— Que vous êtes sanguinaire !

Voyant le visage du valet, elle ajouta :

— Enfin, vous êtes un guerrier. C'est votre métier, il faut dire, on vous élève pour cela.

Au point où elle en était, il ne servirait à rien de le mettre en colère. Maintenant qu'elle était ici, il fallait jouer le jeu jusqu'au bout, se montrer gaie, obligeante, gagner honnêtement sa nuit.

– J'ai appris par votre conversation chez Taylor, dit-il, que nous n'en avions plus pour longtemps. Marqués par la charrette à la première occasion.

– On n'entend rien de bon en écoutant aux portes… allait-elle dire, puis se reprit. Elle ne devait pas oublier en présence de qui elle était.

– On entend dire beaucoup de sottises, continua-t-elle, et on lit beaucoup de ragots dans les gazettes et les pamphlets. Je ne faisais que les répéter à l'oncle Tom.

Quelle catastrophe s'il la mettait à la porte à une heure pareille, les chevaux dételés et couchés dans leur litière. Il lui faudrait rentrer à pied à Bloomsbury ! Comment une femme jaugeait-elle l'humeur du prince et s'apercevait-elle qu'elle perdait sa faveur ? Peut-être le trajet en voiture lui suffisait-il. Après le souper, adieu, et ouste… Ce n'était pas comme avec Pied-Bot ni comme avec Burton. Elle jeta un regard à son visage après le troisième plat. Il semblait impassible et bon enfant. Prêt à manger de la tarte aux coings arrosée de sauternes.

– Ainsi, fit-il en la regardant fixement, vous pensez que je suis un tyran ? Que je persécute mes frères ?

Il avait entendu jusqu'au moindre mot, rien ne lui avait échappé. Par ma foi, il n'y avait plus qu'à jouer franc jeu et accepter la situation. S'il la prenait par l'oreille pour la mettre dehors, elle ne pourrait blâmer qu'elle-même.

– Vous devez bien reconnaître, dit-elle, en appuyant ses bras sur la table, que c'est dur pour le prince de Galles de ne pas exercer de commandement. Si le vieux… si Sa Majesté bat de nouveau la breloque, le prince de Galles, en sa qualité de prince régent, pourra renverser le jeu ; et c'est vous qui serez sur le pavé, pas lui.

Le valet de pied remplit le verre du duc puis le sien, et elle aperçut au passage le visage du garçon. Ses yeux étaient vitreux comme ceux d'un poisson hors de l'eau.

– Cela ne me regarde nullement, dit le duc. Le roi commande. Je ne fais qu'obéir et transmettre les ordres.

– Je comprends, dit-elle. Dans ce cas, certes, c'est difficile. Si Sa Majesté s'entête, vous n'y pouvez rien.

– On ne saurait mieux dire, répondit-il. Expliquez donc à vos amis, lorsqu'ils se divertissent aux potins du palais, qu'ils feraient mieux de lire le règlement et d'apprendre ce qui est permis ou non à un commandant en chef. Votre ignorance donne une idée de l'infini. La leur aussi.

La tarte aux coings avait disparu. L'on servit le fromage de Stilton. Un second bouton jaillit du gilet trop serré ; il le lui lança sans dire un mot. Elle le mit auprès du premier, dans son corsage.

– Continuez, dit-il. J'aime qu'on me dise mes fautes.

Le sauternes, doux après le bordeaux et le vin du Rhin – dont elle avait trop bu –, la sole bonne-femme, le champagne tiède de l'oncle Tom, suivi par les jeux à la hussarde dans la voiture, le tout avait fait son effet, et elle ne se sentait pas la tête aussi claire qu'il eût fallu. En règle générale, quand elle s'appliquait à gagner une affaire, elle ne buvait pas, mais ce soir les choses étaient allées de travers dès le début. Elle posa son menton dans sa main et regarda les bougies. La réalité devenait une espèce de rêve, et les objets étaient sans substance.

– Je suis sûre que vous avez bien fait à Gibraltar de renvoyer Kent chez lui. Il n'était pas l'homme de la situation. Pourquoi diable l'aviez-vous envoyé là-bas ? Son esprit méticuleux, son sentiment pointilleux du devoir… D'ailleurs, tous ses hommes le détestent, ça, c'est un renseignement que je tiens de première main. J'avais des amis dans la Marine à Gibraltar, à l'époque de la mutinerie ; ils ont fait cause commune avec le malheureux bataillon qu'on a accusé de tout… lequel était-ce ? Le Royal…? J'ai oublié. Rien de tout cela ne se serait passé si Kent avait montré pour une once de bon sens. Certes, les hommes s'ennuient, cloués dans une garnison, sans combat ; ils se dissipent, ces vétilles sont fatales. Mais que fait Kent ? Ma parole, il ferme toutes les échoppes de marchands de vin, interdit la ville à tous ses hommes, les cloître dans leurs casernes. Bon Dieu, c'est moi qui aurais fait du tapage si j'avais été soldat ! A propos, ils vous adorent tous, ils pensent que vous êtes un héros, bien qu'il y ait eu des moments où… enfin, où les choses n'aient pas été tout à fait comme vous vouliez.

Elle se redressa et essaya de regarder les bougies bien en face. Que diable était-elle en train de dire, et est-ce que cela relevait du crime de trahison ?

– Quand cela, par exemple ?

– Eh bien… mais en Hollande, sans doute…

Elle essaya de se rappeler. Qu'avait-elle donc lu dans un pamphlet, à moins qu'elle ne l'eût écrit elle-même peu de temps après la naissance de Mary ? C'était au moment du fiasco de Dunkerque, pour autant qu'il lui en souvînt.

– Je ne mets pas en doute votre courage, continua-t-elle. Vous avez des audaces de tigre, mais l'audace peut perdre une bataille, si l'on n'a nul plan. Je me rappelle maintenant, n'était-ce pas là ce que vos critiques vous ont reproché ? Vous n'aviez pas de plan, et c'est pour cela que vous avez dû rentrer chez vous. Du courage… Seigneur, ce n'est pas cela qui vous manque ! Vous êtes resté debout toute la journée au milieu des balles. Mais ne trouvez-vous pas que c'est un peu manquer de jugeote et provoquer le destin que d'exposer ses arrières complètement découverts ? Une chance, en somme, que vous soyez encore là. Mais vous y êtes… A votre santé, donc !

Elle vida la dernière goutte de sauternes et, quand elle eut fini, lança le verre par-dessus son épaule. Il se brisa en miettes. C'était un tour des Diables à Quatre qu'elle avait appris d'un expert et cela lui donnait toujours une satisfaction intense de sentir le pied de cristal se casser.

C'en était fait d'elle maintenant, sans doute. Il allait appeler le garde et l'expédier pour longtemps à la prison de New Gate. Au fond, cela valait la peine, et cela serait amusant à raconter à ses descendants : une troussée sur la route de Fulham, un souper, et deux boutons de gilet.

Il se leva de table et lui donna la main. Elle se redressa, attendant les paroles de disgrâce.

– Je propose que nous nous couchions tous les deux de bonne heure, dit-il, mais je vous rejoindrai au petit déjeuner. L'on ne nous dérangera pas : nous pourrons passer toute la journée en manœuvres. Je reconnais que je suis lourd sur le champ de bataille et je veux apprendre la tactique. Dimanche, je dois aller à Windsor, mais je serai de retour pour dîner et, lundi, vous serez installée dans une maison de Park Lane ; j'en ai une entièrement meublée, pour certaines occasions. Si nous nous entendons, je vous trouverai quelque chose de plus grand. Tom m'a dit que vous avez deux ou trois enfants et vous voudrez peut-être les garder près de vous. Alors, montez-vous ou faut-il vous porter ?

Elle poussa un long soupir et s'abîma dans une révérence. Si elle ne s'en relevait, le geste, en tout cas, aurait été fait. Les Stuarts pouvaient bien pourrir dans leurs tombes... Cet homme était un ange.

– Votre Altesse Royale me comble, dit-elle.

Elle ne pouvait y croire. Elle avait envie de rire, envie de pleurer, elle aurait voulu agiter des drapeaux et crier : « Vive Brunswick ! »

– Vous avez vos deux boutons ? lui demanda-t-il.

Elle lui en montra la cachette et il l'aida à se relever.

– Bonne nuit, donc. Je vous verrai demain matin à sept heures, et peut-être avant. Je suis au sommet de mes forces, le matin. Donc, hâtez-vous de dormir quand vous le pouvez.

– Bonne nuit, monseigneur. Et merci.

A sept heures... à l'aube s'il voulait ! Une telle façon de vous traiter méritait tous les services. Ses impertinences oubliées, une maison dans Park Lane, quelque chose de plus grand ensuite... Juste Ciel ! Quel avenir !

Étendue dans le lit à courtines, elle pensa à Charley. On ferait monter les boutons dans un cadre d'argent aux armes royales, et, en bas, dans un cercle, 1803.

Ogilvie avait dit vrai. Ceci serait l'adieu à Burton, l'adieu à Pied-Bot, l'adieu à Bill. Chacun son tour, avec équité ? Non, pas quand on a un prince pour amant. Elle lui serait loyale et fidèle, il n'aurait pas sujet de s'inquiéter. « Je suis arrivée, se dit-elle. J'ai atteint le sommet. Je viendrai tout de suite après Mrs Fitz, désormais. La question est de savoir combien de temps je pourrai garder l'emploi. Il ne faut pas que je me relâche, il ne faut pas que je me laisse aller un seul instant... J'aurai recours à tous les tours que je connais pour le garder bien accroché. »

Une leçon à ne pas oublier en cas de danger ; face à une décision difficile : avant tout, de l'audace.

CHAPITRE III

– Martha ?

– Me voici, madame.

– Martha, apporte l'ardoise et occupons-nous des menus.
Apporte-moi aussi ma liste de rendez-vous. Je l'ai laissée au salon.

Elle couvrit ses épaules d'une écharpe et remonta les oreillers
derrière elle ; sur un autre oreiller, à sa gauche, était une écritoire et
du papier à lettres. Elle cala le plateau du petit déjeuner sur ses
genoux ; c'était son second petit déjeuner, moins rapide et moins
agité que le premier. Au premier, servi à sept heures et demie, il
avalait son thé et ses petits pains avant de quitter la maison, allant
et venant par la chambre, en sortant, y rentrant, demi vêtu, lui parlant, criant à son valet Ludovic de lui apporter ses bottes, son ceinturon, un objet de son équipement soudain égaré, tandis qu'elle lui
remplissait sa tasse et l'interrogeait sur ses projets.

– A quelle heure, ce soir ?

– Je ne pourrai pas avant six heures, et même six heures et demie.
Ne compte pas dîner plus tôt. Je serai peut-être en retard. Encore
une journée comme hier, des papiers jusqu'au plafond sur ma table,
sans compter tout ce que Clinton m'apporte à signer. Cette affaire
de recrutement les met tous sur les dents ; tous les dépôts du
royaume réclament, et Dieu seul sait combien de colonels en demi-
solde rêvent de lever des régiments.

– Mais c'est bien ainsi, n'est-ce pas ? Nous avons besoin
d'hommes.

– Bien sûr, nous avons besoin d'hommes. Si j'avais les mains libres, j'arracherais une page au registre de la Marine et je verserais tous ces matelots dans l'Armée. Non, ce recrutement, c'est le diable. Il nous faut au moins trois mois pour fixer les termes, puis six pour trouver des recrues et, en attendant, Boney nous regarde de Calais en éclatant de rire. Ludovic !

Il appela par la porte ouverte du cabinet de toilette.

– Votre Altesse ?

– Mon autre paire de bottes, pas celles-ci. J'ai un cor. Encore une tasse de thé, chérie, avec du sucre.

Elle tendit le bras pour lui prendre sa tasse tandis que, assis au pied du lit, il se débattait avec ses bretelles.

– Il faudra peut-être que j'aille passer trois jours à Hythe. Ils se cassent la tête sur les défenses des Étangs de Romney ; pourtant, ils ont mes plans en triple exemplaire. Je n'ai pas le temps, avec tout ce qu'il y a à faire à Londres, et des complications politiques par-dessus le marché. Il faudra qu'Addison s'en aille et que Pitt prenne sa place. Ça ne peut pas continuer comme cela, dans cette sacrée confusion.

Les mains derrière la nuque, elle le regardait s'habiller. C'était le moment qu'elle appréciait le plus, l'heure où les paroles s'écoulaient sans méfiance de ses lèvres, aussi vite oubliées que le thé qu'il buvait, tandis qu'elle les retenait.

– Comment va Sa Majesté ?

– Très mal, entre nous. Le chirurgien Dundas est venu à Windsor hier, et il a eu une consultation avec Symonds, son médecin. Ils voudraient qu'il rentre au plus tôt à Buck, demain ou après-demain, mais la reine est contre. Elle dit que toute cette agitation politique ne fait qu'empirer son état et que, une fois à Londres, il voudra absolument s'en mêler. Ludovic, ma tunique !

– La voici, Votre Altesse.

Il la boutonna, debout devant la glace. On entendait, par la fenêtre entrouverte, le sabot des chevaux auxquels les grooms faisaient faire les cent pas, en l'attendant, autour de Gloucester Place.

– J'ai tout juste le temps d'avaler une dernière tasse, mon cœur. Je prendrai mon petit déjeuner. Portman Square, puis, vivement aux Gardes. Si je suis en retard ce soir, c'est que je serai passé à la Chambre des Lords, j'ai envie d'entendre ce que Saint-Vincent a à dire. Je ne serai pas fâché que l'Amirauté soit sur la sellette pour une fois, et qu'on oublie un peu le War Office. C'est généralement le contraire : aux marins tous les honneurs et les reproches pour nous. Mets-toi à genoux sur le lit pour m'embrasser, je ne peux pas me pencher.

Elle rit et, se redressant, lui caressa des deux mains le menton.

– Vous travaillez trop, dit-elle. Laissez-moi vous aider.

– Tu ne fourres que déjà trop ton nez dans mes affaires. Vois-tu la tête de Clinton si je t'amenais aux Gardes, déguisée en aide de camp ? Mais il est vrai que nous irions peut-être un peu plus vite à nous deux. Quelle heure est-il ?

– Huit heures juste.

– Rendors-toi et rêve qu'il est onze heures du soir. M'aimes-tu un petit peu ?

– Monseigneur… comment avez-vous le front… ?

– Je ne l'ai pas, c'est une simple habitude. Histoire de quitter la maison de belle humeur. Fais de doux rêves, ma belle.

La dégringolade de l'escalier, le claquement de la porte d'entrée, le trot des chevaux se dirigeant vers Portman Square. Elle s'étendait et fermait les yeux. Encore une heure de sommeil avant que sa journée commençât. Cette vie disloquée était devenue une seconde nature. Les nuits étaient à lui, douze heures, de sept heures à sept heures, mais le reste du temps était à elle ; elle en usait à sa guise, et chaque minute en était occupée.

Dans un demi-sommeil, elle méditait sur la façon dont toute sa vie avait tendu vers ce moment, à travers les années et presque depuis les jours de l'impasse. Son enfance faubourienne lui avait aiguisé l'esprit et fait saisir sa chance ; l'éducation reçue à Ham lui avait donné une espèce de vernis ; son mariage avec Joseph l'avait dressée tôt, à tel point qu'à l'avenir rien de ce que pouvait faire un homme ne parviendrait à lui briser le cœur. Quant au reste… chacun de ses amants lui avait enseigné quelque chose. Elle y avait trouvé son avantage, reconnaissante de la science acquise. Ce qu'elle avait appris des hommes, amants et autres, était utile dans un monde fait par des hommes. Il fallait devenir leur égale, jouer leur jeu, et y ajouter son intuition.

Les six mois de Park Lane, bien que capiteux et assez grisants

pour lui tourner la tête et lui faire jeter toute prudence au diable,
n'avaient été qu'une période d'essai pour éprouver sa valeur. Il ne
suffisait pas de rire et de faire la petite folle. Des douzaines d'autres,
dans Bond Street, attendaient leur tour, prêtes à prendre sa place à
la seconde s'il ne fallait au duc qu'une compagne de lit. Mais que se
passait-il dans cette pensée, dans ce cœur, dans ce ventre royaux ?
Telles étaient les choses qu'elle s'efforça de découvrir. Jamais en
l'interrogeant directement, jamais en insistant, mais en tâtant, en
regardant, en écoutant, en absorbant.

   La duchesse, sa femme ? Une sotte sans cervelle, laide et stérile,
entourée de petits chiens. Ainsi, contrairement à James Burton et à
d'autres hommes de sa connaissance, le duc avait une vie conjugale
vide, ennuyeuse et solitaire. Il aspirait à un foyer, à l'odeur, à la vie
du foyer. Une maison où les enfants gambadaient à l'étage supérieur, sans étiquette, sans cérémonie, sans une foule de flatteurs.
Une maison où il pouvait se reposer, bâiller, s'étaler. Il avait besoin
d'une femme avec qui parler, rire, manger, faire l'amour quand le
cœur lui en disait, une femme avec qui il pouvait être assommant,
auprès de qui il pouvait dormir. Une femme qui ne lui cassait pas la
tête de verbiages féminins, qui ne lui parlait pas fanfreluches, dentelles, robes et coiffures. Une femme qui s'adaptait à ses humeurs.
Une femme dont l'esprit était aussi large que celui d'un loustic de
caserne. Une femme capable de le frapper, dans un moment de
colère. Une femme capable de le mordre aux moments de passion.
Voilà ce qu'il lui fallait et qu'il avait enfin découvert. Les six mois
d'épreuve écoulés, elle passa, avec honneur.

   – Je te donnerai une maison en ville, dit-il, et une propriété à la
campagne. Mille livres par an pour les mener, payées par mensualités. Si ça ne suffit pas, accommode-t-en comme tu pourras. Aucun
fournisseur n'exigera le paiement de ses factures, quand on saura,
et je ferai en sorte qu'on sache partout, aussi bien chez les marchands, que tu es désormais sous ma protection. Avec cette étiquette à ton nom, tu auras tout le crédit du monde. Joue de tout
cela comme tu voudras, et ne m'importune plus. Je suis un ignorant
en matière d'argent, je n'y ai jamais rien compris.

   Il lui avait dit cela à Park Lane, vers la fin de l'été. Elle avait
songé : « Mille livres par an, ce n'est guère. Surtout s'il compte bien

vivre. » Mais en protestant que la somme était trop petite, ne ris-
quait-elle pas de le perdre ?

— Certes, répondit-elle. Je m'en accommoderai. Où habiterons-
nous ?

— J'ai une maison dans Portman Square, ajouta-t-il. Il y en a une
autre, à cinq minutes de là, à Gloucester Place ; ce sera la tienne. Je
viendrai t'y voir tous les soirs, j'y dînerai, j'y coucherai et retournerai chez moi au matin. Domestiques, mobilier, je m'en remets à toi
pour tout.

Mille livres par an, c'était à peu près ce que coûteraient les gages
et la livrée… Elle écarta cette pensée et commença de dresser des
plans. Étrange, comme les hommes de sa vie étaient toujours insuf-
fisants en matière d'argent, mais, cette fois, pas question de lésiner.
Le crédit ne manquerait pas.

Les marchands se bousculaient pour prendre ses commandes.
Elle avait le pouvoir de leur obtenir une clientèle royale. L'orfèvre
Birkett, le joaillier Parker assiégeaient sa porte, proposant l'un
l'argenterie du duc de Berry sortie clandestinement de France,
l'autre des diamants : « En présent au duc, madame. »

Les cartes des candidats fournisseurs pleuvaient. « Nous considére-
rions, madame, comme une faveur… », etc., etc. Mortlock, d'Oxford
Street, lui offrait porcelaine et cristaux ; Summer et Rose, de Bond
Street, des chenets ; Oakley, de Bond Street, des rideaux et ses services
de tapissier. « C'est Mr Taylor, notre voisin du numéro 9, madame, qui
nous a conseillé de venir vous voir. »

Tom Taylor, lui, procura les domestiques.

— Laissez-moi faire, ma chère, je sais ce qu'il vous faut. Des gens
qui aient servi longtemps dans la même maison. Ils viennent tous
chez moi quand ils cherchent un emploi.

— Pourquoi ? Recevez-vous une commission sur leurs gages ?

Il écarta la supposition, et ne répondit pas.

L'intendant, Pierson, avait passé dix ans chez Lord Chesterfield ;
le valet de pied, Dowell, cinq à Burlington House ; le cocher,
Parker, sept chez Mrs Fitzherbert, il avait envie de changement et
lui fut chaudement recommandé. Femmes de chambre, lingères,
cuisinières, filles de cuisine… Tom lui procura tout en un tourne-
main.

– Je prendrai ma servante personnelle comme gouvernante, décida-t-elle.

– Pensez-vous qu'elle soit tout à fait à la hauteur de la tâche, mon petit ? objecta-t-il.

– Martha sait tout. Elle est loyale et fidèle. En outre, les enfants l'adorent.

Affaire réglée.

Deux voitures. Six chevaux, et parfois huit. Des grooms, un postillon (Sam Carter conviendrait parfaitement), une fillette, le matin, pour les travaux d'aiguille, une femme pour les nettoyages au moins deux fois par semaine.

Du linge, il fallait du linge. Tom Taylor lui en fournit, du plus fin. Des amis, à lui, en Irlande…

– Mais, oncle Tom, il faudra les payer ?

– Rien ne presse, ma chère. Ce qu'ils veulent, c'est votre clientèle.

S'il en était ainsi, au diable les scrupules, commandons ce qu'il y a de mieux sans nous soucier des conséquences. Personne n'oserait poursuivre un prince du sang. Le mot se répandait : « Sous la protection du duc », et faisait miracle dans le monde du commerce. Quant aux relations, aux amis, et même aux amants, ils l'inondèrent de leurs félicitations.

James Burton, qui aurait pu se sentir évincé, l'assurait que sa mère pourrait demeurer Tavistock Place tant que la maison conviendrait à ses arrangements familiaux. « J'ai appris que vous aviez gagné les faveurs du duc d'York. C'est merveilleux. De tous les Brunswick, c'est lui qui vaut le mieux, et de beaucoup. C'est le seul, aussi, qui n'ait pas l'air d'un Allemand. A propos, dites-lui un mot pour moi et mon régiment d'artisans. Avec son approbation et son appui, mon projet pourra se réaliser. »

Pied-Bot lui écrivit d'Irlande : « Qu'ai-je appris ? On dit que vous batifolez avec Frédéric-Auguste. Taïaut ! Allez-y, mais gardez la haute main sur lui et n'oubliez pas vos vieux amis lorsqu'ils vous demanderont un service. Tâchez d'apprendre par York ce que j'obtiendrai si je lève quelques recrues. »

Bill Dowler fit entendre la seule note discordante. La lèvre pincée, il vint lui rendre visite.

– Est-il vrai que vous soyez la maîtresse du duc d'York ?

– Oh! Bill, ne sois pas si collet monté, et pourquoi ce mot?
J'aime à me dire sous sa protection, cela vous a un petit air paternel
que je n'avais jamais connu. Je t'avais dit que je visais haut, n'est-
il pas vrai? Et je crois que j'ai mis dans le mille. Mais j'aurai toujours besoin de toi dans la coulisse…

Elle l'emmena visiter la maison de Gloucester Place. James
Burton avait vérifié la tuyauterie et tous les joints. Un ancien amant
constructeur pouvait être bien utile. Mais Bill l'aiderait à choisir
tapis et tentures.

– Avez-vous un engagement en forme du duc?

– Un engagement? Que voulez-vous dire? J'ai cette maison.

– La maison, cela est bel et bien; mais je parle de l'argent pour
la tenir. Elle vous reviendra, au bas mot, à trois ou quatre mille
livres par an.

Elle reconnaissait bien là Bill, prudent, passant de salle en salle
en hochant la tête, élevant des doutes, jetant de l'eau froide sur son
enthousiasme.

– Il a promis de me verser de l'argent chaque mois.

– Ah!… eh bien, faites en sorte d'avoir cette promesse par écrit
avant qu'il soit longtemps. Ou mieux encore, un engagement de sa
banque.

– Je ne peux pas faire cela. J'aurais l'air trop avide.

– Mieux vaut régler les choses avec lui dès le début.

Les raisins sont trop verts, se dit-elle. Pauvre Bill, il était jaloux
et malheureux… Il rêvait toujours de la maisonnette de Chalfont
Saint Peter. Qu'il y avait loin de là à Gloucester Place. Entretenue
par le duc, non par Mr Dowler…

Will Ogilvie lui donna des conseils d'un autre genre, des conseils
qu'elle n'osa pas répéter à Bill.

– Allez doucement, dit-il. Ne précipitez rien. Apprenez le métier.
Je vous laisse le temps de vous installer, après, seulement, je vous
montrerai la marche au jeu. Maintenant que mon bureau de Saville
Road est fermé – l'on m'a mis en faillite – personne n'associera plus
mon nom aux choses de l'Armée. Je travaillerai à mon compte, je
serai votre agent et prendrai un pourcentage. Je vous passe le nom
des militaires en quête d'avancement, vous les passez au duc, et le
tour est joué. Nous touchons lorsqu'il voient leurs noms dans la

Gazette. Le principal pour vous, le pourcentage pour moi. Son Altesse Royale ne vous posera pas de questions. Essayez d'abord sur des cas où il ne s'agira que de rendre service, sans que l'argent y soit mêlé.

La première requête était facile : il s'agissait de Charley. Charley, dont les yeux brillaient de ce changement de fortune, qui se voyait maréchal dans trois ans.

– Crois-tu que Son Altesse… Pourrais-tu lui demander ?

Cette affaire de famille fut rapidement menée.

– Monseigneur, mon frère brûle d'entrer dans l'Armée. Il joue aux soldats depuis l'âge de six ans. Puis-je vous le présenter un de ces soirs ? Il est jeune et timide, mais si ardent !…

La nomination de Charley Farquhar Thompson, cornette au 13e Dragons Légers, fut dûment consignée dans la Gazette du 25 février 1804.

Sam Carter, valet de pied, était jaloux de Charley. Si Mr Thompson entrait dans l'Armée, pourquoi pas lui ? Le capitaine Sutton lui avait toujours dit que l'habit rouge lui irait bien.

– Madame, j'ai été heureux à votre service et vous m'avez témoigné de grandes bontés. Mais je me sens seul maintenant que Mr Thompson est parti ; et puis, cette guerre, tout cela, tout le monde est si occupé… Je ne voudrais pas importuner Son Altesse royale, mais si un mot de vous…

– Certes, mon cher Sam, puisque vous le désirez, mais je serai fâchée de vous perdre.

Que c'était amusant de combler les vœux de ses amis ! Sam Carter n'était pas un ami à proprement parler, mais il l'avait bien servie et il avait si gentille figure lorsqu'il nettoyait les couteaux à l'office.

– Monseigneur, vous connaissez mon Sammy qui nous sert à table ?

– Le jouvenceau à la taille ployante comme une jonquille ?

– Oui. Vous ne le croirez pas : il rêve d'être officier. Je l'ai envoyé à l'école, vous savez, il a de l'instruction. Un très aimable garçon, mais il perd son temps dans cet emploi de valet.

– Donnez-moi tous les détails, je verrai.

Samuel Carter fut nommé enseigne au 16e de ligne, nomination consignée dans la Gazette, vers avril 1804.

Ces affaires étaient des plus aisées. Elles ne sortaient pas pour ainsi dire de la famille, et il n'y était point question d'argent. L'épreuve viendrait quand elle commencerait à se mêler d'avancements. Elle trouverait chaque jour de nouveaux atermoiements, mais Ogilvie attendait.

La pendule sonna neuf heures et Martha entra, portant le plateau du petit déjeuner, puis elle alla chercher l'ardoise et la liste des rendez-vous.

– Madame, ce Few est de nouveau là.

– Qui est-ce ?

– Il tenait boutique dans Bernard Street. Vous lui avez acheté une lampe pour Tavistock Place, il y aura bientôt un an, à ce qu'il dit.

– Cet objet de style grec que Lord Barrymore mit en miettes ? Je me rappelle. Eh bien, que veut-il à présent ? Me vendre d'autres reliques ?

– Non, madame, il dit que la lampe n'a jamais été payée. Il lui en a coûté vingt livres pour la monture.

– Sornettes ! Il l'a faite lui-même dans son arrière-boutique. Renvoie-le.

Quelle absurdité de venir l'importuner en ce moment avec une vieille facture de Bloomsbury ! Cette époque était retombée dans le néant. Ses dettes aussi.

– Comment va le rhume de Master George ?

– Il dit qu'il va mieux, mais qu'il ne veut pas aller à l'école aujourd'hui. Il veut regarder les gardes du corps dans la cour de la caserne.

– Dieu le bénisse, qu'il le fasse. Tu l'y mèneras, Martha.

– Et Miss Mary et Miss Ellen ?

– Elles n'ont point de rhume. Elles prendront leurs leçons.

Elle aussi avait une leçon. Corri, son maître de musique, venait à dix heures et demie. Il était, comme Sam, un ancien protégé de Sutton, mais il ressemblait plus à un lis qu'à une jonquille, un lis légèrement fané d'ailleurs.

– Martha, j'ai Mr Corri ce matin. Aie soin de préparer le salon et de débarrasser ma harpe de sa housse. Mr Ogilvie vient à midi. Miss Taylor a dit qu'elle me rendrait peut-être visite cet après-midi. Dans ce cas, si je suis occupée avec une autre personne, qu'elle aille

voir les enfants ; ils seront rentrés alors. Dis à Parker que je n'aurai
pas besoin de la voiture avant quatre heures. Dis à Pierson que nous
ne dînerons sans doute pas avant sept heures mais que le cuisinier
tienne tout prêt pour six heures et demie, au cas où Son Altesse
Royale viendrait plus tôt. Nous savons qu'il ne peut pas supporter
d'attendre son dîner. Qu'y a-t-il sur l'ardoise ? canard rôti ? Nous
en avons eu dimanche.

– J'ai entendu Ludovic dire que le cuisinier de Portman Square
avait un saumon. Si Son Altesse n'y dîne pas, il sera gâté.

– Que non pas ! Envoie Pierson le chercher. Mais il faut le faire
dresser par le marchand d'huile, au coin de George Street, le cuisinier ne peut pas faire cela ici, il ne saurait pas s'y prendre. Où sont
mes pantoufles ?

– Ici, madame, sous le lit.

– Qu'as-tu là, dans cette boîte ?

– Des capes de chez la faiseuse, madame. Elle vous en envoie
plusieurs à essayer, pour que vous les portiez à leur tour.

– Je n'aime pas les capes. Les mauvaises langues diront que je
suis enceinte. Que Pierson les lui rapporte en allant chercher le saumon.

Un déshabillé du matin suffirait pour le maître de musique, les
cheveux tordus en boucles et noués d'un ruban. Un soupçon de bleu
sur les paupières, rien de plus…

– Maman… Maman…

– George, mon ange, mon cœur.

Un mouchoir pour le petit nez enrhumé. « Et maintenant, cours
vite chez Martha. »

Les filles vexées et rancunières :

– Pourquoi George n'a-t-il pas de leçons ?

– Parce qu'il n'a que six ans, nigaudes chéries. Si vous êtes sages,
je vous emmènerai en voiture. Maintenant, disparaissez et laissez-
moi m'habiller.

En bas, dans le salon, Mr Corri l'attendait, il portait sur son cou
flexible une tache ronde et blafarde auréolée d'une chevelure de
soie. Il posait, accoudé à la harpe, devant la porte ouverte du salon,
au cas improbable où Son Altesse Royale n'aurait pas encore quitté
la maison.

Vain effort. L'espoir était voué à la déception. Mrs Clarke descendit seule l'escalier, en courant et en agitant la main.

– Bonjour, Corri. Vous ai-je fait attendre ? Je suis toujours en retard. Je n'arrive pas à être prête.

– Chère madame, dans cette maison, le temps n'existe pas. Respirer l'air que vous respirez, c'est être au paradis. J'ai croisé vos merveilleux enfants dans l'escalier.

– J'espère que George ne vous a pas donné de coups de pied.

– Mais non, chère madame. Il a froncé sa petite bouche et m'a fait la grimace la plus drôle du monde.

– Je suis bien aise que vous l'ayez trouvée drôle. Quand il me fait cela, à moi, je lui donne généralement une fessée. Que chanterons-nous aujourd'hui ?

– Un peu de Mozart ?

– Oui, pour nous délier la voix, mais seulement à titre d'exercice. Son Altesse Royale n'aime point Mozart. Il aime, dit-il, à entendre des musiques qui ont un air.

– Un air… très chère madame…

– Allons, Corri, vous savez ce que je veux dire. Pas un tra-la-la tout en soupirs, mais un refrain à la mode, et plus il sera grivois mieux cela vaudra.

Elle feuilleta l'album de musique pendant qu'il gardait un silence peiné.

– Je ne veux pas chanter cela, dit-elle. J'aurais l'air d'une vache en train d'accoucher. Son Altesse Royale aime qu'on la fasse rire et non qu'on lui casse les oreilles.

Elle jeta par terre l'album du maître de musique et alla en chercher un autre.

– Tenez, essayons ceci. Nous l'avons entendu jeudi dernier. *A Londres la grand-ville.* Voilà une chanson dont il pourra battre la mesure sur le plancher. Et cela : *Quand Sandy lui dit son amour.* La troisième strophe est d'un osé…

– Si vous y tenez, chère madame, si vous y tenez…

Elle frôla les cordes de la harpe. Les deux voix s'élevèrent. La sienne juste et claire, celle du maître gutturale et passionnée. Un coup frappé à la porte interrompit la studieuse leçon.

– Mr Ogilvie demande à voir Madame.

– Priez-le d'attendre.

Encore une chanson, qu'Ogilvie entendrait à travers la porte à deux battants du salon, et dont il saisirait tout le sens : *Le jeune William voudrait toucher mon cœur...* Elle entendit son applaudissement discret saluer l'accord final.

– Mr Corri, cela sera tout pour aujourd'hui. A demain, à la même heure.

Il rassembla ses albums.

– Pardonnez-moi, madame, si j'y reviens, mais ces messieurs qui désirent tant faire votre connaissance : le colonel French et le capitaine Sandon, vous serait-il possible de recevoir l'un d'eux cet après-midi ?

– Que veulent-ils ?

– Je ne saurais le dire exactement. Ce sont des amis d'un de mes amis... J'ai accepté de servir d'intermédiaire.

Toujours la même chose, sans doute. Quelque faveur à solliciter, et Corri toucherait un pot-de-vin.

– Il s'agit d'une affaire militaire ? demanda-t-elle.

– Je le crois, très chère madame. On connaît votre pouvoir. Un mot de vous dit à propos... Vous me comprenez.

Elle le comprenait. Cela arrivait chaque jour. Des lettres, des billets d'inconnus ou d'amis : « Chère Mrs Clarke, si vous pouviez trouver l'occasion de mentionner mon nom... Un mot de vous à son Altesse Royale aurait plus de poids que toutes les requêtes au War Office... et il va sans dire que je serai trop heureux de vous prouver ma reconnaissance, au prix que vous fixerez. »

Elle haussa les épaules, et tendit à Mr Corri un cahier de musique.

– Je ne puis rien promettre, Corri, ces choses sont très délicates, très difficiles. Vos amis peuvent toujours venir, mais je ne suis pas sûre qu'ils me trouvent chez moi.

– A eux d'en prendre le risque, c'est trop naturel, chère madame. Il me semble qu'il avait été question de deux mille guinées.

Elle se détourna et feignit d'arranger un vase de fleurs. Comme il se dirigeait vers la porte, elle demanda négligemment :

– Deux mille guinées, pour qui cela ?

Il soupira d'un air peiné, ses épaules tombantes exprimant qu'il n'avait, pour sa part, rien à faire là-dedans.

– Chère madame, c'est vous qui approchez Son Altesse Royale. Dois-je en dire plus ? Vous agirez à votre guise.

Il lui fit un profond salut et s'en alla. Deux mille guinées, le double de l'annuité promise par le duc et qui lui parvenait chaque mois goutte à goutte. Elle avait de quoi payer les domestiques et c'était tout. Elle ouvrit la porte à deux battants et appela Ogilvie.

– Eh bien, m'avez-vous entendue chanter ?

Il entra, souriant et lui baisa la main. Chez lui, pas de flatteries, pas d'admiration. Il était le seul homme de ses relations qui ne lui eût jamais fait la moindre avance, qui gardât ses distances.

– *Le jeune William voudrait toucher mon cœur ?* Ces paroles m'intriguent. Je ne cherche pas à toucher votre cœur. Votre tête seulement.

– … Qui préfère penser toute seule, sans votre assistance.

Elle lui offrit un rafraîchissement. Il refusa. Elle lui indiqua un siège puis s'assit elle-même, le dos à la fenêtre, observant son visiteur.

– Vous êtes comme une ombre dangereuse dans le fond de la scène. Ne pouvez-vous me laisser en repos ? Je suis parfaitement heureuse.

– Vraiment ? fit-il. J'en doute. Aucune femme n'est heureuse tant qu'elle ne tient pas son homme sous clef. Or ce n'est pas le cas entre vous et votre prince.

– Je laisse la cage ouverte. Libre à lui de s'envoler. Mais il revient toujours dormir au nid comme un oiseau fidèle.

– Je suis bien aise de l'entendre. Le bonheur domestique est une chose touchante. A condition de durer, bien entendu.

Toujours l'aiguillon, la pointe, le sous-entendu que rien n'était éternel.

– L'avez-vous interrogé au sujet des défenses au sud de Londres ?

– Non, et du diable si j'ai envie de le faire. Je ne suis pas une espionne.

– Une espionne, quel mot ridicule dans la bouche d'une femme d'esprit telle que vous ! Il se trouve que l'information pourrait être utile, sinon maintenant, plus tard.

– Utile à qui ?

– A vous, à moi, à nous deux. Nous sommes associés, n'est-il pas vrai, dans ce petit jeu ? Nous l'étions, du moins, au départ.

L'allusion, la menace voilée. Elle n'observait pas le pacte conclu.

– Vous ne comprenez pas, dit-elle. Il est franc, sincère. Ce qu'il me dit, il le dit en confiance. Si je le répétais, ce serait trahison.

– Que vos sentiments ont donc acquis de noblesse depuis six mois ! Ce doit être l'effet de Gloucester Place. Vous vous voyez établie définitivement ici. Peut-être devrais-je vous rappeler le discours de Wolsey : « Ne mettez point votre confiance dans les princes » ou suis-je un cynique ?

– Vous êtes un cynique et un traître par-dessus le marché. Je ne serais pas surprise si, en quittant cette maison, vous alliez répéter à des agents français tout ce que je viens de dire. Bon, parfait. Allez-y. Dites-leur ce que nous mangeons et ce que nous buvons, à quelle heure nous nous couchons et à quelle heure nous nous levons. Que la presse de Paris nous traîne dans la boue, si cela lui fait plaisir, mais vous ne leur communiquerez rien de secret.

Elle lui fit la même grimace que George à Corri dans l'escalier, puis le regarda d'un air de défi. Il soupira et haussa les épaules.

– Ne me dites pas que vous êtes tombée dans la seule faute impardonnable, fatale aux affaires et fatale à la paix de l'esprit – je l'eusse redouté d'une autre femme mais pas de vous – ne me dites pas que vous êtes amoureuse de votre royal protecteur.

– Assurément non. Vous êtes ridicule.

Elle se leva et se mit à aller et venir à travers la pièce. Il la suivait d'un regard pensif.

– Je n'en suis pas si sûr. C'est insidieux… Cela doit faire impression, tout de même, de se voir attachée à un homme qui n'est pas laid et qui occupe une situation auguste. J'imagine que c'est un excitant remarquable.

On pouvait toujours compter sur Ogilvie pour salir la confiance, la reconnaissance, et découvrir les faiblesses inavouées. Elle en avait fini de l'amour. L'amour était une chose du passé, pas tout à fait morte, cependant, lorsqu'elle avait dans son lit le fils préféré du roi.

– Je voudrais bien que vous vous en alliez, dit-elle. Vous venez ici chaque jour. Je n'ai rien pour vous.

– Je ne vous demande qu'un tout petit peu d'assistance.

– Je ne veux pas devenir une espionne. C'est mon dernier mot.

– Il n'y a pas de dernier mot dans ce monde changeant. Rappelez-vous bien cela, qui pourra vous servir un jour. Pour le moment, voyons au plus pressé. J'ai fermé boutique pour devenir votre agent. Quand entrerai-je en fonctions ?

– Je vous l'ai dit : je n'ai rien pour vous.

Il sortit un portefeuille de sa poche, l'ouvrit, en sortit un morceau de papier qu'il lui tendit.

– Voici une liste de noms, dit-il, une liste d'officiers dans divers régiments, qui, tous, sollicitent des faveurs. Les uns demandent de l'avancement, d'autres désirent permuter. Par la voie ordinaire, cela prendra trois mois.

– Eh bien ? Ne peuvent-ils attendre ?

– Sans doute, ils peuvent attendre, mais il n'est pas de notre intérêt qu'ils le fassent. Donnez cette liste au duc et l'on verra bien ce qu'il adviendra. Vous saurez choisir le moment, l'humeur favorable.

– Il refusera probablement.

– Tant pis. Nous aviserons. Mais permettez-moi de vous donner un conseil. Avant de lui remettre cette liste, demandez-lui de l'argent. Dites-lui que la maison coûte beaucoup plus que vous n'aviez prévu ; que vous ne savez que faire ; que vous avez de gros soucis. Puis, laissez passer une heure et donnez-lui cela.

– Pourquoi une heure ?

– La digestion est une affaire délicate et les organes princiers lents à absorber la médecine. D'ailleurs, votre histoire est vraie, vous ne mentez aucunement : cette maison vous coûte cher et vous avez de gros soucis.

Inutile de protester. Il en savait trop, il savait son inquiétude et la source de ses tourments : « Si j'échoue, que deviendront les enfants ? » Cette menace, cet épouvantail tapi au fond de sa pensée.

Elle parcourut des yeux la liste de noms.

– Will !

– Mary Anne ?

– J'ai reçu une offre de deux mille guinées. Je ne sais pas encore de la part de qui, ni de quoi il s'agit. Des gens doivent venir me voir cet après-midi.

– Recevez-les, faites-vous confirmer la somme, et apportez-moi

tout. Ne prenez pas l'air si grave, ma chère. Tout cela est fort simple.
Vous n'avez rien à perdre et vous avez tout à gagner. Ce jeu est le
plus facile du monde, une fois qu'on a appris à y jouer. Deux mille
guinées dans votre bourse, si vous jouez bien.

— Vous me jurez que c'est sans danger ?

— Je ne saisis pas. Danger pour qui ?

— Pour le duc... pour moi... pour nous tous... pour le pays ?

La soudaine terreur d'une enfant des faubourgs... Attention, le
sergent t'a vue, cache-toi sous la brouette, vite, ou bien file au fond
de l'impasse... Ne dis pas à ta mère ce que tu as fait... Il répondit :

— Ce pays vit de corruption depuis l'invasion des Normands. Du
plus noble évêque au dernier des commis, nous sommes tous dans
le même commerce. Ne vous tourmentez donc point. Rappelez-vous
votre première besogne pour l'imprimeur de votre père. Vous avez
blousé le sort, ce jour-là, vous recommencerez aujourd'hui.

— Ceci est autre chose.

— Non pas. Le jeu est tout à fait semblable. Si vous ne l'aviez pas
joué alors, vous seriez tombée dans le ruisseau ; mais vous avez
tenté la chance et sauvé votre famille. Si vous manquez de courage
aujourd'hui...

Il se tut. La porte d'entrée claqua. Un petit garçon cria, puis on
l'entendit monter l'escalier.

— ...Si vous manquez de courage aujourd'hui, qu'adviendra-t-il
de lui ?

— George doit entrer à l'école de Chelsea à l'automne, puis à
Marlow dans un an ou deux. Son avenir est assuré, le duc me l'a
promis.

Will Ogilvie sourit et fit un geste des deux mains.

— Un parrain qui possède une baguette magique ? C'est magnifique. Mais les baguettes magiques s'envolent parfois et les promesses de même. Si j'étais George, je compterais plutôt sur ma
mère.

L'enfant fit irruption dans la chambre, excité et bruyant.

— Martha m'a mené voir les gardes du corps à l'exercice. Tu voudras bien que je sois soldat, dis ? et que je coure à cheval après
Boney, et que je le coupe en morceaux ? Bonjour, oncle Will. Dites à
maman qu'elle me fasse soldat.

– D'après ce qu'elle m'a dit, la chose est en bonne voie. Adieu, horrible enfant. Ne touche pas ma culotte. Eh bien, Mary Anne, m'enverrez-vous un rapport demain matin ?

– Je ne sais pas... Je ne puis rien promettre.

Il la laissa avec son fils et elle le regarda par la fenêtre remonter Gloucester Place. Ami et confident ou mauvais conseiller ? Elle ne parvenait pas à le démêler.

– Que lis-tu, maman ? Puis-je voir ?

– Non, rien, chéri. Une liste de noms.

Ses fillettes rentrèrent de classe. May Taylor vint lui rendre visite. Elles firent le tour du parc en voiture, avec les enfants. Si elle se confiait à May et lui demandait conseil ? Mais il faudrait avouer qu'elle lui avait menti, détruire la fable inventée pour sa famille et pour ses amis, sur la façon dont elle avait fait la connaissance du duc. « Je vais vous dire comment cela s'est passé. J'étais en soirée chez des amis. Quelqu'un vint à moi et me dit : "Son Altesse Royale désire vous être présentée", et, à partir de ce moment... »

Personne n'avait mis en doute cette version de l'événement. Comment pouvait-elle, à présent, se tourner vers May, assise en voiture à son côté, lâcher toute la vérité, lui expliquer : « Ton oncle est un entremetteur et Will Ogilvie aussi. Ils ont manigancé entre eux cette affaire ; je suis pour eux un placement et ils attendent impatiemment leurs dividendes. »

Comment le pouvait-elle ? Impossible. N'y pensons plus. L'amitié était une chose qui se brisait trop facilement. Une querelle de famille, les Taylor scandalisés, l'idylle naissante entre Isobel et un des frères Taylor tuée dans l'œuf : tout cela pour rien.

– Mary Anne, je ne t'ai jamais vue si préoccupée. As-tu un souci en tête ?

– Oui. Je suis à court d'argent.

– Tu plaisantes assurément ! Toi, dans ta situation ? Voyons, mais tu n'as qu'à en demander à Son Altesse Royale.

– Vraiment ? Je n'en suis pas si sûre. Enfin, n'en parlons plus. Parker, arrêtez-vous chez l'orfèvre Birkett avant de rentrer. J'ai commandé des candélabres qui devraient être prêts.

Ils devaient l'être et ils l'étaient. On venait de les livrer chez elle, lui dit Mr Birkett en personne, avec un grand salut.

– Vous laisserez-vous tenter par ces amours que je viens tout juste de recevoir ?

– Je ne veux me laisser tenter par rien. Pas même par une saucière gravée aux armes.

– Madame aime à plaisanter. Vous êtes-vous déjà servie du grand couvert ?

– Une fois. Son Altesse dit qu'il sent la pâte à reluire.

– Impossible, madame ! Le duc de Berry ne faisait jamais astiquer son argenterie. Je le tiens d'un émigré qui connaissait ses domestiques.

– Dans ce cas, c'était la crasse qu'il sentait et non la pâte à reluire. La prochaine fois que je donnerai à dîner, je laverai chaque pièce moi-même avec de l'eau et du savon.

– Comme Madame est gaie ! Vous n'avez pas besoin d'un plat d'entrée ? J'en ai un ici qui a appartenu au marquis de Saint-Clair. Il a perdu la tête, hélas ! comme tant d'autres nobles.

– Ce plat aurait été de taille à la contenir. Mais je ne suis pas Salomé dansant devant Hérode. Que vous dois-je, Birkett ?

Le visage exprima l'horreur, les mains battirent l'air. L'on ne parlait pas de ces choses-là, l'on avait tout le temps.

– Dites-le moi. Je désire le savoir.

– Puisque Madame y tient... Un millier de livres. Cinq cents en acompte seront toujours les bienvenues. Mais, je vous en prie, ne pressez pas Son Altesse Royale.

Il la raccompagna sur le seuil de sa boutique avec force courbettes et jusqu'à sa voiture. Les enfants agitèrent la main. Le valet de pied ferma la portière et remonta s'asseoir, les bras croisés, à côté du cocher. Les candélabres l'attendaient chez elle, accompagnés de la facture portant écrit en travers : « Le règlement de la présente serait reçu avec reconnaissance. »

La clientèle, c'était bien, mais le paiement valait mieux. Tout le crédit du monde... pendant six mois. Curieux comme les demandes de paiement affluaient à présent. Cela signifiait-il que – de l'opinion des fournisseurs – un prince, au bout de six mois, commençait généralement à se lasser ? Elle chiffonna la note dans sa main et envoya les enfants à Martha.

– Qu'y a-t-il, Pierson ?

– Deux messieurs viennent d'arriver qui demandent à vous voir :
le capitaine Sandon et le colonel French.

– Vous ont-ils dit ce qui les amène ?

– Non, madame, mais ils viennent de la part de Mr Corri.

– Bien. Faites-les entrer dans le salon. Je vais les recevoir.

Un regard au miroir, une caresse à ses cheveux, elle était prête.
Mille livres pour l'argenterie de Birkett. Ces hommes lui avaient
promis deux mille guinées. « Le règlement de la présente serait reçu
avec reconnaissance, mais cinq cents livres d'acompte sont toujours
les bienvenues. »

Pourquoi ne pas reprendre la phrase à son compte et conclure le
marché ?

CHAPITRE IV

Le dîner était terminé. Les enfants avaient reçu le baiser du soir dans leur lit. Les lampes du salon étaient allumées, les rideaux tirés.

– Pierson !

– Monseigneur ?

– Dis à Ludovic que j'aurai besoin de lui à six heures demain matin. Je pars pour Hythe. Je serai absent jusqu'à samedi.

– Bien, monseigneur.

Il s'assit devant le feu, son verre sur le tabouret, à côté de lui. Il défit un bouton de son gilet, soupira, s'étira.

– Chante-moi quelque chose, ma belle.

– Que chanterai-je ?

– Un refrain de Vauxhall. Je ne suis pas connaisseur.

Elle chanta, les yeux fixés sur lui, la chanson qu'elle avait étudiée le matin. Il battait la mesure du pied et de la main, fredonnant faux pour l'accompagner. Elle vit sa tête se pencher sur sa poitrine puis se relever avec effort pour continuer à chantonner. *Londres la grand-ville* était vif et entraînant ; *Sandy*, une parodie des romances sentimentales avec des mots très crus. Elle passa de là aux airs qui avaient été ses favoris six mois auparavant. *Deux Cordes à votre arc*, une ballade modérément grivoise, et *Je ne le ferai plus*, apaisant, soporifique.

Quand le verre fut vide, les yeux bleus un peu vagues, le gilet entièrement déboutonné et l'auguste humeur attendrie, elle administra l'aphrodisiaque final :

L'amour est un leurre
Soyons heureux aujourd'hui.

puis, refermant le piano, vint s'asseoir à son côté.

– Pourquoi t'arrêtes-tu, ma chérie ? demanda-t-il.

– Parce que je ne vous ai pas vu de la journée. Et demain vous ne serez pas avec moi. Le déplorez-vous seulement ?

Il l'attira à lui et la prit dans ses bras, appuyant la tête bouclée sur son épaule.

– Si tu crois que cela m'amuse de courir la campagne et de coucher sur un lit de camp alors que je pourrais être près de toi… Qu'est ceci ?

– Un jupon de dessous, ne le dégrafez pas. Où allez-vous demain ?

– A Hythe, puis à Folkestone, Deal et Douvres. Avec de la chance, je pourrai être de retour samedi à midi.

Elle lui prit la main, joua avec ses doigts, en mordilla un à un les ongles, en caressa la paume.

– Êtes-vous obligé d'aller à Oatlands ?

– La duchesse sera piquée si je ne viens pas. Elle a toujours la maison pleine, le dimanche. En outre, les méchantes langues se mettent à jaser si je manque l'église, et le roi finit par l'apprendre. Il me tance alors comme un écolier.

– Il ne fait pas cela au prince de Galles.

– Assurément. Ils ne se parlent pas. Alors, c'est moi le bouc émissaire. Je vais te dire, ma jolie… continue, j'aime ça… il y a une maison de l'autre côté du parc d'Oatlands, vide. C'était celle de l'intendant, mais il ne l'habite pas. Pourquoi ne meublerais-tu pas cette maison ? Tu y installerais un personnel, et je pourrais ainsi y passer la nuit, après avoir quitté la duchesse.

– Rien ne me plairait davantage. Mais les méchantes langues ?

– Oh ! elles ne jaseront pas pour cela. J'habiterais Oatlands. Rien de plus facile que de se glisser dans le parc sans être vu.

– On ne *glisse* pas six pieds deux pouces de haut, sans parler de la circonférence, si facilement que cela… J'adorerais aller à Weybridge du samedi au lundi et respirer l'air des champs, mais la dépense ?

– La maison ne te coûtera pas grand-chose… elle est inoccupée.

– Il faudra l'installer, la peindre, la meubler. Le malheur, monseigneur, c'est que vous êtes un enfant, en ces matières. C'est que vous avez passé toute votre existence dans des palais. Vous n'avez pas la moindre idée de la façon dont vivent les simples mortels.

– J'apprends depuis quelque temps.

– Vous avez appris à monter dans un lit sans l'assistance d'un valet. Mais c'est à peu près tout. Un enfant à la mamelle saurait mieux s'y prendre que vous, le matin. Ludovic vous boutonne comme une nourrice emmaillote son poupon.

– C'est ta faute. Je ne suis plus aussi alerte au lever. Il fut un temps où je faisais le tour du parc à cheval avant le petit déjeuner.

– Vous n'êtes point inactif ici non plus, avant le petit déjeuner… le rythme est différent, voilà tout ; un de ces jours, vous allez confondre et vous m'apporterez un picotin d'avoine. Non, monseigneur, je parle sérieusement, je serais aux anges de me trouver près de vous à Weybridge, mais je n'en ai pas les moyens. Meubler une maison, engager un personnel pour l'entretenir, il n'est pas question de faire cela… avec mes mensualités.

Silence, un air maussade, un geste agacé. Elle changea de position, se fit moins pesante dans ses bras.

– Alors, je ne te donne pas assez ?

– Assez pour tenir une maisonnette.

– Bon Dieu, je n'y comprends rien ! J'ai des soucis à revendre. Greenwood et Cox s'occupent de mes finances. Eux, Coutts et je ne sais plus qui, règlent tout, et Adam, mon trésorier, donne son avis de temps en temps. Je suis constamment à court d'argent et ne puis tenir mon train officiel, sans parler du tien. Tu dis que je ne sais pas comment vous vivez, vous autres simples mortels. C'est vous qui n'avez pas idée de l'immensité de nos dépenses. Moi, et mes frères Clarence, Kent et les autres. Le prince de Galles a son duché, il peut vivre ; mais à part lui, nous sommes plongés jusqu'au cou dans les dettes. Tout cela est on ne peut plus mal administré, je l'ai dit et répété.

Attention, le sujet est épineux, n'insistons pas. La graine est semée, laissons-la germer quelque temps. Elle quitta son genou, ranima le feu qui baissait.

– Loin de moi le désir d'ajouter à vos dépenses. Peut-être avons-nous été mal avisés de nous installer Gloucester Place ? Pourtant, c'est si commode, à deux pas de Portman Square. Je raffole de cette maison, et vous aussi… mais, monseigneur, si c'est votre ruine, renonçons à tout cela. Je prendrai un logement, j'enverrai les enfants chez ma mère et je congédierai les domestiques.

– Par Dieu, non !

Il l'attira de nouveau à lui. Elle s'agenouilla entre ses jambes et l'entoura de ses bras.

– Je ne t'ai pas dit que j'étais ruiné. J'ai des embarras d'argent, c'est tout.

Il y avait de l'irritation dans sa voix.

– S'il est un sujet de discussion au monde que je hais, que j'ai toujours haï, c'est la question d'argent. Je t'ai répété cent fois que l'on peut vivre à crédit.

– Vous peut-être, monseigneur. Mais pas votre bonne amie.

Elle posa la joue contre la sienne et lui caressa les cheveux.

– Qui t'importune de ses factures ? demanda-t-il.

– Birkett, et d'autres… nous n'aurions pas dû acheter ces plats d'argent, mais c'était si tentant d'imaginer une poitrine de volaille abandonnée sur les fleurs de lis ; bien qu'à vrai dire elle n'ait pas meilleur goût que sur un plat de faïence ébréché.

– Si Birkett ose se plaindre, je le ferai arrêter.

– Pauvre petit Birkett ! Vous êtes cruel et sans pitié. (Un massage derrière les oreilles, un baiser sur le sourcil.) Avez-vous vraiment le pouvoir d'envoyer un homme en prison ?

– Oui, s'il m'en donne sujet.

– Est-ce cela que signifie l'expression : Son Altesse usant de la prérogative royale… ?

– Pas les Altesses. Tu veux dire Sa Majesté.

– Les archevêques ont une prérogative, pourquoi pas vous ?

– Question de privilège. Tu tiens vraiment à parler de ces choses-là ?

– Monseigneur, j'adore m'instruire… C'est l'essence de la vie. Le parlement est « prorogé », c'est encore différent ?

– Complètement. Proroger signifie suspendre.

– Prerog… prorog… il doit y avoir un rapport. Pourrais-tu proroger un baiser si je t'en donnais un ?

L'expérience tentée se révéla impossible. Dans l'âtre, le feu n'était plus que braises. Le fauteuil pour deux ne leur donnait pas toutes leurs aises.

— Pourquoi restons-nous assis ici ?

— Vous êtes assis… Moi, je suis à genoux.

— Cela doit être diablement incommode.

— Cela l'est. Je n'attendais pour me relever que l'ordre royal.

Ils montèrent l'escalier en se donnant la main. Par la porte entrouverte de la chambre à coucher, elle entendit les vêtements tomber par terre dans le cabinet voisin. Elle se demanda comment s'accomplissait la digestion. Ogilvie avait-il raison ou non ? Et fallait-il une heure pour que la médecine fît son effet ? Elle prit la liste de noms et l'examina. Le plus grand nombre en étaient des capitaines qui désiraient un commandement. Impossible de retenir tous leurs noms. Elle épingla la liste à la tête du lit, au-dessus de l'oreiller où elle ne manquerait pas d'attirer l'attention de son compagnon.

— Monseigneur ? appela-t-elle.

— Je viens tout de suite.

— Monseigneur, connaissez-vous un certain colonel French ?

— Je ne vois pas, sur le moment. Quel régiment ?

— Je ne crois pas qu'il en ait un. En fait, il est à la retraite. Ou bien en demi-solde. Peu importe. Il paraît qu'il vous a écrit aux Gardes.

— Il n'est pas le seul. Nous recevons chaque jour des piles de lettres envoyées de tous les coins de ce sacré pays par des colonels en demi-solde.

— Il désire lever des recrues.

— Eh bien, qu'il les lève !

— Oui, mais il devra attendre très longtemps sa lettre de service. Je ne sais pas ce que cela veut dire, mais vous devez le savoir.

— Il finira par la recevoir si sa proposition est approuvée. Elle sera remise au secrétaire militaire Clinton ou à l'assistant secrétaire Lorraine, et l'un ou l'autre la transmettra à l'inspecteur général Hewitt.

— Et après ?

— Après, elle me sera soumise pour commentaires, et signature, si je suis d'accord. Ces gens sont d'une impatience ! Certes, tout cela prend du temps. Se figurent-ils que nous n'ayons rien d'autre à faire qu'à rester assis sur nos culs à lire leurs sacrées lettres ?

– Je crois bien que c'est ce qu'ils se figurent en effet. Ils n'ont aucune idée de ce qui se passe. Mais cet homme, le colonel French, est fort civil. Fâché d'importuner, etc. Il m'a dit que si j'acceptais simplement de vous dire son nom, il m'en saurait un gré infini, et même davantage.

– Qu'entendait-il par là ?

– Je ne sais pas au juste. Peut-être a-t-il voulu dire qu'il m'enverrait un bouquet de fleurs.

Silence dans le cabinet de toilette, puis le bruit d'une fenêtre ouverte et un pas lourd sur le tapis. En réalité, c'était le Capitaine Sandon qui en avait dit le plus long. Cinq cents guinées d'acompte et, la lettre de service acceptée, quinze cents de plus… Après quoi, French se rendrait en Irlande pour recruter des hommes, et, pour chaque recrue, elle recevrait une guinée, payable une fois atteint le chiffre de cinq cents hommes. « Et que recevrez-vous, vous-même ? » lui avait-elle demandé. La chose avait son intérêt.

Sandon, qui avait une tête de furet, avait essayé d'expliquer. « La subvention officielle, madame, versée par le gouvernement, est, pour chaque service de recrutement, de treize guinées par homme. Pour certains régiments de ligne, le prix est de dix-neuf guinées. Nous voudrions les toucher, et nous ferions plus de recrues, mais les lettres que nous avons adressées au War Office sont restées sans réponse. Un mot au commandant en chef, et la chose serait faite. Votre récompense serait calculée en raison du montant de la subvention. »

Cela paraissait trop simple. Un prix par tête. Pour chaque vaillante recrue d'Irlande, une guinée dans la bourse de Mary Anne.

Elle se coucha. Au-dessus de son oreiller, épinglée au rideau du lit, la liste frémissait légèrement. Un juron retentit dans le cabinet de toilette et un objet se brisa en tombant sur le sol. La digestion était lente, ou alors trop rapide. Il entra. Elle ferma les yeux, attendit. Elle sentit qu'il montait dans le lit.

– Savez-vous, dit-il, que si vous étiez vraiment maligne, vous n'auriez jamais besoin de me réclamer d'argent. Ce French…

– Le bouquet de fleurs ?

– Bouquet de sornettes…. Il vous prouverait sa reconnaissance. Dans votre position, vous pouvez tous les faire danser à votre guise. Et, s'ils n'y consentent point, mettez-les à la porte.

– Pouvez-vous indiquer quelle est précisément ma position ?

– Je n'en suis pas bien sûr. En bas, nous nous sommes trouvés un tantinet confondus.

Un interlude pour préciser le point en question. Les réponses au problème se révélèrent multiples.

– Que diable est-ce là ?

– Je me demandais quand vous le découvririez.

– C'est la première fois que j'ai l'occasion de lever la tête… Qui sont tous ces noms ?

– Des noms de gentilshommes.

– D'anciens admirateurs, à titre d'exemple ?

– Non, des soldats de la Couronne. C'est vous qu'ils servent. A vrai dire, je ne connais pas un seul d'entre eux.

– Quelle est l'intention ? Aurais-je soudain manqué d'ardeur ? Est-ce un avertissement discret que mes forces déclinent et que ces quinze braves feraient mieux ? Dans ce cas…

La conversation fut interrompue pour de nouveaux exercices afin d'assurer son grade.

– Je n'ai épinglé cela ici qu'à titre d'aide-mémoire.

– J'ai besoin d'aide-mémoire aux Gardes, pas à la maison.

– Ces pauvres gens sollicitent des grâces, des faveurs.

– Moi aussi… ne jette pas l'oreiller.

– Pensez à leur joie, s'ils recevaient de l'avancement. Un bouquet à chaque main. Ma maison ressemblera à une serre pleine de roses…

– Manques-tu de fleurs ?

– Je manque de beaucoup de choses.

Interlude, afin de tâter si elle disait vrai. Dans ce domaine, du moins, elle n'était pas dépourvue. Chacun son bien…

– Dormez-vous ?

– Je dormais. Tu m'as réveillé… Si tu connaissais un peu les choses militaires, tu saurais que je ne peux pas donner de l'avancement à n'importe qui. Il faut que j'examine chaque cas, afin de décider si l'avancement est mérité.

– Oh ! n'y pensons plus. Ils n'auront qu'à passer dans la Marine.

– J'examinerai l'affaire, mais il sera impossible de les satisfaire tous en même temps. En outre…

Les sucs digestifs opéraient apparemment au mieux, la médecine absorbée se répandait dans l'organisme. A administrer par petites doses répétées, selon l'ordonnance.

– Il faudra que tu passes les fins de semaine à Weybridge, dans cette maison dont je te parlais, de l'autre côté du parc. Sinon, j'en serai réduit à me couper la gorge ou à périr d'ennui dans cette grotte en compagnie de la duchesse.

– Les chiens vous distrairont.

– Ces odieux petits monstres ! Ils vous mordent quand on veut les caresser.

– Ne gaspillez pas votre talent, dans ce cas, réservez vos services à qui les apprécie. Est-ce une heure qui vient de sonner ?

– Je ne saurais dire. J'ai les oreilles obstruées.

– Vous avez cinq heures avant de partir pour Douvres.

– L'on dit que Boney se contente de beaucoup moins.

– Moins de quoi ?

– Moins de temps et moins d'heures de sommeil.

– Il ne mesure que cinq pieds quatre pouces, vous en avez plus à porter. La chair doit être soignée, et reposée.

– On croirait un quartier de porc prêt pour la saumure. Ma chérie, est-ce ton coude ou ton menton que je sens là ?

– Je crois que c'est mon talon, mais je ne jure de rien.

– Je suis sûr que Boney a moins d'endurance que moi. Si nous pouvions nous mesurer, lui et moi, d'homme à homme.

– Il perdrait assurément.

Le silence s'étendit sur Gloucester Place, le calme, l'oubli. La flamme des bougies vacilla et s'éteignit.

L'obscurité comme un manteau enveloppa la chambre. Le bruit d'une respiration légère s'éleva d'un des oreillers ; un son plus guttural de l'autre.

– Il est six heures, Votre Altesse Royale.

– C'est bien. Laisse-moi.

La lumière pâle du matin éclairait la fenêtre, annonciatrice maussade de maux pires : averses de printemps, routes boueuses, voiture cahotante. Au bout de la route, un camp; au mieux, une caserne. Odeurs lourdes de cuir et de cuivre, odeur d'hommes en masse, de fumée, de poudre à fusil.

– Es-tu réveillée ?

Elle ne l'était point. Il fallait la quitter avec un baiser dans les cheveux défaits et sur la joue. Elle se réveilla et, les bras levés, s'accrocha à ses épaules.

– Ne t'en va pas. Il ne fait pas encore jour.

– Que si. Et Ludovic est là.

– Renvoie-le.

Regrets et protestations étaient vains. La consigne avant tout, le plaisir passait après le devoir. Le clairon sonnait.

– Adieu, mon cœur. Je tâcherai de rentrer samedi.

– Ne va pas à Oatlands. Passe le dimanche avec moi.

Retombée sur l'oreiller et dans un rêve évanoui, vers quelles profondeurs de sommeil insoupçonnées ?... Elle poursuivait des inconnus dans l'impasse, Charley derrière elle et Eddie sur l'épaule. Bruits de la rue, cris de la rue, odeur d'oignons frits, de choux pourris, bruits d'eau.

A neuf heures, quand elle se réveilla, le soleil brillait. Elle tâta le rideau à la tête du lit. La liste n'y était plus.

CHAPITRE V

Will Ogilvie avait dit vrai. Tout était des plus simple. Et quand le bruit se répandit que l'on pouvait obtenir du galon par des canaux personnels, le nombre des demandes augmenta.

— Fixez un tarif régulier, dit Will. Pas trop élevé. Je dirai qu'avec votre influence, vous pouvez obtenir un commandement pour neuf cents, une compagnie pour sept cents guinées. Disons quatre cents pour faire un lieutenant ; à moins, ça ne vaudrait pas la peine que vous vous en occupiez. Deux cents pour un enseigne, c'est honnête. Précisez bien que vous ne mentionnerez le nom que verbalement, sans échange de lettres. Une fois les noms publiés dans la *Gazette*, vos clients vous paient en espèces. Pas de mandats de paiement, cela laisse des traces et peut être fatal. Exigez le paiement en espèces.

— Vous arrangerez tout cela pour moi, pria-t-elle.

— Je ferai ce que je pourrai, mais mon nom ne devra figurer en aucun cas. Je ne suis qu'un ami d'amis qui a eu vent de votre générosité.

En y réfléchissant, elle conclut que le jeu était humain. Il était patriotique aussi. Elle sauvait le pays en inondant l'armée d'officiers, tous impatients de le servir. Elle leur faisait octroyer ce qu'ils désiraient, moyennant un prix raisonnable. Ils pouvaient lui en être reconnaissants. Aucun d'eux, d'ailleurs, n'obtiendrait de commission s'il ne la méritait.

L'argent qu'ils lui versaient était une manne céleste. En route pour Weybridge, un jour de cet été-là, elle fit le compte de ses dépenses. La maison du bout du parc était une ancienne ferme ; impossible d'habiter une ferme à moins de la faire d'abord aménager. Il avait fallu abattre les étables, ajouter une aile pour les domestiques, mettre de nouvelles tuiles au toit, et faire de deux chambres une. Il y avait le personnel à nourrir, les grooms et le cocher à loger ; deux bonnes et un jeune garçon travaillaient au jardin. Elle n'aurait jamais pu payer tout cela sans l'auguste influence, son petit profit personnel.

La lettre de service arriva et French s'embarqua pour l'Irlande, mais son allié Sandon se révéla un bon associé : il venait souvent la voir. Il fallait prendre garde aux rencontres : Sandon lui apportait des listes tout comme Ogilvie, et, si Ogilvie devinait qu'il y en avait un autre dans l'affaire à toucher des commissions, cela pourrait devenir gênant. Il advint, une fois ou deux, qu'ils lui remirent des listes semblables, contenant les mêmes noms d'officiers en quête d'avancement. De sorte que lorsqu'elle eut transmis ces noms et qu'ils eurent été publiés dans la *Gazette*, elle fut obligée de verser double commission, à ses frais.

Tout, cependant, se passa sans encombre, et le duc ne posa pas de questions. Elle mentionnait un nom – le capitaine Untel sollicite un commandement – ou bien elle notait les détails sur un morceau de papier qu'elle laissait en évidence. Il se rappelait le nom ou mettait le petit bout de papier dans sa poche. L'on n'en parlait plus, la discrétion était mutuelle.

Bill était le seul élément dissonant, la mouche dans la crème. La malchance voulut qu'il lui rendît visite le matin même où le vieux French lui apportait les cinq cents guinées d'acompte pour hâter la réception de sa lettre de service. Elle était chez elle, en train de s'habiller. Martha monta l'avertir, envoyée par Pierson :

– Mr Dowler est ici ; il est entré directement au salon.

Le colonel French y était déjà depuis dix minutes, à l'attendre. Elle termina en hâte sa toilette et descendit l'escalier en courant, mais un regard au visage de Bill suffit à lui apprendre ce qui s'était passé. French, volubile et assez excité, avait fait allusion à l'affaire qui l'amenait. Bill s'était présenté comme un ami intime, et le pot aux roses ou une partie du pot aux roses avait été découvert.

– Il faut les secouer, disait le colonel comme elle entrait dans le salon. Comment diable espèrent-ils avoir des recrues s'ils traînent indéfiniment sur les lettres de service des gens qui veulent en lever ? J'ai exposé cela à maintes reprises dans des lettres officielles au colonel Lorraine, au secrétaire militaire et au War Office. On ignore mes lettres et la demande dort dans des dossiers. Mrs Clarke m'a dit qu'elle ferait ce qu'elle pourrait, et j'espère obtenir des résultats.

– Colonel French, je suis bien aise de vous voir. Bill, quel revenant !

Menus propos pour faire diversion, mais le gros petit colonel continuait à japper et ne se laissait pas mettre la muselière.

– Il y a tant d'obstructions en haut lieu ! C'est le général Hewitt le grand obstacle. Il est inspecteur général et arrête toutes les requêtes. Il est prévenu contre ceux qu'il appelle les officiers recruteurs en demi-solde comme moi, et dont l'unique désir, soyez-en sûr, est de servir le pays. Si Mrs Clarke consentait seulement à dire au commandant en chef combien Hewitt nous fait obstacle…

Et ainsi de suite, tandis que la mine de Bill s'allongeait. Enfin – suprême embarras – les billets de banque.

– Votre ami Mr Dowler voudra bien nous excuser ? Un petit compte à régler…

Et French l'attira dans un coin et se mit à chuchoter. C'était on ne peut plus contrariant. Elle était pâle de fureur. La seule façon de surmonter la situation était d'affecter la désinvolture et de feindre que l'affaire fût tout à fait naturelle. French finit par s'en aller, et Bill, avec un visage de pasteur montant en chaire, regarda le plafond. L'attaque était la meilleure forme de défense, elle attaqua donc.

– Grand Dieu, quelle figure ! Qu'y a-t-il ? Venez-vous d'un enterrement ? Je ne vous ai pas vu depuis des jours, vous voilà enfin, mais de quelle humeur !

– Ce n'est pas ma faute si cet ennuyeux petit homme est venu me rendre visite.

Silence. Puis Bill, sur un ton de maître d'école :

– Qu'il soit un ennuyeux petit bonhomme ne me regarde pas. Ce qui me regarde – parce qu'il se trouve que je vous aime – c'est que je vous vois jouer un jeu que vous ne comprenez pas, vous mêler de questions militaires.

– Oh ! ne soyez pas ridicule. Il faut toujours que vous désapprou-
viez ce que je fais. Certes, je suis assiégée d'importuns, il fallait s'y
attendre, dans ma situation. Le duc lui-même m'avait avertie que
cela se passerait ainsi. Je ne suis que trop contente de pouvoir prêter mon appui à ceux qui en ont besoin, quand ce sont d'honnêtes
gens, et qui le prouvent.

Elle jouait la légitime colère, l'indignation.

– Vous ne vivez pas dans ce monde, continua-t-elle, vous vous
enterrez à Uxbridge où vous menez une existence de rustre. Je veux
dire que je vois plus de gens en une matinée – et leur viens en
aide – que vous en une semaine. Non seulement des militaires
comme French, mais des hommes de tout métier. On me sollicite
pour toutes sortes de situations, vous ne sauriez le croire. Ce n'est
pas ma faute, cela se passe ainsi, et voilà tout. Si la duchesse montrait un peu plus de nerf et se conduisait comme une véritable
épouse, c'est elle qu'on assiégerait et j'aurais la paix. Mais ils savent
qu'elle n'est rien, qu'elle n'a pas plus d'influence qu'un de ses petits
chiens, aussi viennent-ils tous à moi ; c'est sur moi que tout repose.

Il la laissa s'indigner. Mais les éclats ne servaient pas à grand-chose
avec Bill. Il n'était pas dupe une seconde, elle le voyait à ses yeux.

– Je mène peut-être une existence de rustre, dit-il, mais je ne suis
pas niais. Assurément, vous devez user de votre influence pour
rendre service, mais ne vous faites pas payer. Cela vous attirera des
ennuis et à lui aussi.

– Je ne me fais pas payer.

– Qu'était-ce que cet argent qu'on vient de vous remettre ?

– Un simple cadeau pour me remercier de lui avoir parlé d'une
affaire. Vous avez entendu : il y a au War Office une obstruction qui
arrête tout. Je ne suis qu'un autre canal, plus direct.

– Iriez-vous dire cela dans ses bureaux ?

– Pourquoi pas ? Cela leur donnerait peut-être la secousse dont
ils ont besoin.

– Fanfaronnade, et vous le savez fort bien. Ce que vous faites est
parfaitement illégal et sent à plein nez la corruption. Pour l'amour
du Ciel, cessez et gardez les mains nettes. Cela ne vous suffit-il
point d'être sa maîtresse ? Vous pourriez vous contenter de ce
triomphe sans jouer avec de la boue.

– Comment osez-vous m'insulter ainsi ?…

– Je ne vous insulte pas. Je me désole de vous voir agir comme une sotte.

– Parfait ! Eh bien, sortez d'ici. Retournez à l'air pur d'Uxbridge. Vous y êtes à votre place. Je ne vous demande ni votre avis ni votre approbation. J'entends que mes amis acceptent ce que je fais et se taisent.

– Vous ne parliez pas ainsi à Hampstead.

– A Hampstead, c'était autre chose. Le monde entier a changé depuis lors.

– Pour vous, peut-être.

Il gagna la porte. Elle le laissa sortir du salon, mais il n'était pas encore dans l'escalier qu'elle lui criait :

– Bill… reviens !

Il revint et s'arrêta au seuil de la pièce. Elle lui tendit les bras.

– Pourquoi me traites-tu ainsi ? Qu'ai-je fait ?

A quoi bon discuter, supplier, conseiller ? Tout ce qu'elle réclamait, à présent, c'était de l'approbation, de la compréhension, une tendre parole, un baiser de réconciliation.

– Je suis obligée de faire cela, Bill. J'ai besoin d'argent.

– Il te donne une mensualité, n'est-il pas vrai ?

– Oui, mais insuffisante. Mes dépenses sont considérables. Cette maison seule coûte le triple de ce qu'il me donne ; et il faut maintenant y ajouter celle de Weybridge. Les chevaux, les voitures, la nourriture, les meubles, les vêtements… Ne me dis pas de « réduire », cela n'est pas possible. Je suis obligée de vivre sur ce pied à cause de lui ; c'est celui qu'il lui faut, celui auquel il est habitué. Il ne se contenterait jamais d'une chambre au fond d'un couloir, d'une aventure misérable. Ceci est son second foyer. C'est comme cela qu'il l'appelle. Son unique foyer, à vrai dire.

– Tu l'aimes beaucoup ?

– Peut-être… Ce n'est pas là l'important. L'important est que je ne peux ni ne veux lui demander d'argent. Il n'en a pas. Voilà où j'en suis. (Elle agita les billets que French lui avait donnés.) Corruption, si vous voulez, il en va de même dans tous les négoces et dans toutes les professions ; c'est la vie. Politiciens, pasteurs, militaires, marins, tous les mêmes. Avez-vous entendu les derniers

potins et lu les gazettes ? A quoi croyez-vous que Lord Melville ait
passé son temps à l'Amirauté ? On va nommer une commission
d'enquête pour examiner ses affaires.

– Raison de plus pour vous montrer prudente dans les vôtres.

– Oh ! la commission siégera un an à huis clos et, pour finir, l'on
ne prouvera rien, à ce que dit le duc.

– Je n'en suis pas si sûr. Les radicaux ne lâcheront sûrement pas,
croyez-m'en.

– Eh bien, qu'on nous condamne tous ! On verra bien. Je nagerai
aussi longtemps que je pourrai.

Il l'embrassa et partit. Elle sentait qu'il la condamnait. Son baiser était un baiser de reproche, de désapprobation, de blâme. Eh
bien, tant pis… si tel était son sentiment, il n'y avait rien à ajouter.
Il n'avait qu'à ne plus venir dans sa maison. Il s'en trouverait plus
puni qu'elle. Elle pouvait se passer de lui. Sa vie était assez pleine
sans que des amis, des anciens amants comme Bill, vinssent lui faire
la morale. De l'affection, bien ; mais pas de sermons, pas de
reproches. Ces façons de maître d'école étaient irritantes dans sa
situation. Il continuait à la traiter en enfant qui vient de s'enfuir de
chez son mari. Il ne semblait pas voir combien elle avait changé et
mûri.

Les hommes qu'elle fréquentait à présent étaient des hommes du
monde, des hommes à la mode ; auprès d'eux, Bill semblait bien
raide… séduisant certes, mais terne. James Fitzgerald, le député
d'Irlande, était de ses familiers. Avocat, beau parleur, la langue acérée, il vous chuchotait, en sirotant son brandy, de ces scandales
irlandais pleins de sombres secrets protestants. William Coxhead-
Marsh faisait également partie de son entourage ; ami du duc, il
venait souvent dîner avec eux. Il lui jurait qu'il l'adorait, qu'il était
à ses ordres. Si elle se lassait du Duc, il lui installerait un manoir en
Essex, le jour, la nuit, qui lui plairait, elle n'avait qu'un mot à dire.
Tout cela, *sotto voce*, genou contre genou sous la table. Will Boodle,
Russell Manners, d'autres, en laissaient entendre autant. Ils la flat-
taient, la caressaient… badinage sans doute que tout cela, accueilli
avec un sourire et cinq grains de sel, mais que c'était amusant !

Quel dommage que l'auguste amant ne fût pas plus sociable ! La
maison, richement meublée, se prêtait à merveille aux réceptions.

Dîners, bals, concerts, elle adorait donner des fêtes. Lui aimait à
recevoir quelques amis, de temps à autre, mais détestait la cohue, et
préférait rester tranquille après dîner tandis qu'elle lui chantait des
chansons, ou bien jouer aux cartes avec quelques compagnons ou
même May Taylor ! Il lui rappelait Bob Farquhar, ses goûts étaient
plats, presque bourgeois. Que c'était étrange ! Une plaisanterie, une
chanson risquée le faisaient éclater de rire. Un valet renversait-il la
soupe, il se tenait les côtes. Il aimait parler courses. Il pouvait rester toute une soirée à discuter chevaux avec des amis connaisseurs,
devant un verre de porto. Tandis que le prince et Mrs Fitzherbert…
N'y pensons plus. C'était un autre milieu. Le prince avait son
cercle : Charley Fox et d'autres, la crème de la haute société whig,
élégante, brillante et, assurément, plus drôle. Enfin, c'était ainsi ;
s'il lui plaisait à lui, en rentrant des Gardes, de jouer au cheval avec
les enfants, elle ne pouvait pas l'en empêcher. Plutôt une partie de
piquet avec May Taylor à Gloucester Place que d'autres jeux avec
Lady Hertford à Carlton House.

Ses cartes d'invitation la réjouissaient, bien qu'elle regrettât de
ne pas en envoyer plus souvent. « Mrs Clarke recevra… Voitures à
onze heures » et, en petits caractères, comme en passant : « Pour
rencontrer S.A.R. le duc d'York. » Il écartait généralement ces projets quand elle les lui présentait.

— Si tu étais assise sur ton cul de neuf heures à sept heures, à diriger l'armée de Sa Majesté, toi aussi tu aurais envie de te reposer et
non pas de te gorger de nourriture en bavardant avec des idiots.

— Le prince de Galles reçoit avec Mrs Fitzherbert…

— Il n'a rien d'autre à faire. Il faut bien qu'il tue le temps.

— Je suis sûre que vous apprendriez beaucoup de choses si nous
donnions une série de dîners, pour des politiciens et d'autres gens…
pas n'importe qui, des hommes intéressants.

— Les politiciens sont des bandits, je les laisse à mes frères. Et je
ne cherche pas à apprendre des choses, comme tu dis, l'intrigue
n'est pas mon fort. Qu'as-tu, mon ange ? T'ennuies-tu, es-tu lasse
de ma compagnie ?

— Certes non… mais…

— Reçois quand je n'y suis pas… J'y consens. Fais ce qu'il te plaît.

Ce n'est pas là ce qu'elle voulait. Elle aspirait à l'éclat, au triomphe de se tenir à son côté dans le salon, souriante, répondant aux saluts, au centre d'une maison remplie d'invités constellés de diamants et débordant de titres, et dont le moindre serait au moins comte, tous empressés à accourir à l'invitation de la petite fille de l'impasse qui avait pêché le gros poisson.

Parfois, pourtant, il consentait. Il donnait un dîner. Dix ou douze convives, pas davantage, et qui devaient partir de bonne heure. Alors, régnait une joyeuse agitation : deux chefs dans la cuisine, un homme pour aider Pierson, en plus du valet de pied habituel, et un dîner de quatre ou cinq plats servis dans une argenterie éclatante (et payée, Dieu merci, avec les billets du colonel French); après quoi, de la musique, elle-même assise à la harpe, et tout le monde de l'applaudir. Ça, c'était vivre, c'était le paradis, et plus rien n'avait d'importance. Les visages, les sourires, les rires, les bruits de conversations, lui dominant tout le monde, les mains derrière le dos, souriant, indulgent, cordial et ne lui ménageant pas ses louanges.

– Je vous dis, par Dieu, qu'elle les battrait tous à Vauxhall !

Il lui envoyait un baiser devant tous les invités et elle jouissait de leurs regards. Ce mélange de pouvoir et de plaisir était pour elle un nectar enivrant, et, lorsque, les invités partis, elle contemplait le désordre, les reliefs, un verre brisé sur une chaise, les taches du tapis, elle y lisait le symbole et le reflet de sa gloire.

– Oh ! Monseigneur… Je suis si heureuse. Cela m'amuse tellement !

– Quoi donc ? De jouer à l'hôtesse ?

– Quand vous êtes l'hôte. Sans vous, ce ne serait rien.

Enfin, couchée près de lui, les nerfs vibrants, trop tendue pour dormir, elle considérait l'avenir, s'abandonnait à des rêves insensés, imaginait des événements, des morts : le prince de Galles n'avait jamais été très robuste, la princesse Charlotte était maladive, le duc était chéri du roi, et le roi lui-même était malade, fou, il avait toujours quelque chose… Qui sait si le duc ne serait pas sur le trône dans vingt ans ? Alors… quelle victoire ! Quel avenir !

En attendant, ces petites bouffées de pouvoir étaient bien agréables et assez grisantes. C'était amusant de se mêler d'avancements et de permutations, de métamorphoser des commandants en colonels; menu fretin, sans doute, mais la pêche n'en était pas moins lucrative. C'était amusant d'envoyer à Sandon des billets griffonnés en prenant son petit déjeuner : « Ayez l'obligeance de regarder la *Gazette* demain soir, car je m'attends assez à y voir certains noms publiés ; d'autres suivront, je vous l'affirme sur mon honneur. Le cadeau pour ma peine, dans le cas du commandement, est de sept cents guinées donc, si vous en désirez d'autres, il en sera de même. Je serai en ville lundi, au cas où vous auriez une communication à me faire… »

Autre billet :

« Je suis absolument convaincue que la somme est insuffisante et j'en ai touché un mot à une personne qui connaît le prix de ces choses ; vous devrez donc dire à Bacon et Spedding qu'il leur faudra donner chacun deux cents de plus, et les capitaines cinquante. L'on m'offre à présent onze cents pour un officier supérieur. Je compte sur une réponse à ceci car je dois lui en parler. Je vous ai nommé comme me voulant du bien… Je vais ce soir au Petit Théâtre. »

Un peu plus tard, en post-scriptum :

« Mrs Clarke envoie ses compliments au capitaine Sandon et pense préférable qu'il ne vienne pas ce soir dans sa loge, car Greenwood accompagne les deux ducs et épiera assurément la direction de nos regards ; s'il voit et reconnaît le capitaine Sandon, il pourrait lire au sujet du recrutement quelque remarque préjudiciable aux intérêts dudit capitaine et de Mrs Clarke. »

Mais les événements ne se déroulaient pas toujours exactement comme prévu. L'on recommandait certains noms, et leurs porteurs compromettaient leur avancement par leur propre faute.

Encore à Sandon :

« Je suis vexée à mort, vous n'ignorez pas l'état de mes finances et je comptais sur Spedding mardi, lorsque – imagine-t-on cela – le régiment dans lequel il se trouve fait si mal l'exercice que le duc s'emporte et raye tous les avancements proposés ! Il en a tant dit au colonel Wemyss que, si celui-ci eût été un gentilhomme, il aurait renoncé. Toutefois il se propose de consulter aujourd'hui le Memorial, car Spedding n'est pas dans ce régiment depuis longtemps et, d'autre part, est un vieil officier. Ainsi, vous voyez, s'il obtient cet avancement, à quel point il le devra à mes bons offices.

Je fais des vœux pour lui. Le duc est très fâché contre vous, car, la dernière fois qu'il vous a vu, vous lui avez promis trois cents étrangers et n'en avez pas présenté un seul. Ah! certes, on peut se fier à maître Sandon!… Je vous ai dit que je pensais qu'il faut faire les choses petit à petit, ses commis sont très malins. Que Spedding écrive la liste de ses services et me l'envoie à titre privé pour que je la lui montre, sans adresse. Adieu. »

Elle ajoutait parfois : « Brûlez ceci » en tête de sa lettre; d'autres fois, elle oubliait. Quand tout allait bien, les précautions paraissaient superflues. A la fin de juillet, elle eut un moment d'affolement. Au colonel Clinton, secrétaire militaire au War Office, succédait le colonel Gordon, plus actif et soupçonneux. Les rumeurs abondaient : le nouveau secrétaire militaire était méticuleux, il se proposait de voir les choses de très près, il avait constaté des négligences dans son service. Un billet en hâte à Sandon.

« Je griffonne ces quelques lignes pour vous prier de prendre bien garde sur tous les points, mais particulièrement au sujet de mon nom. Ne le prononcez jamais désormais. Je suis convaincue que vous avez bon nombre d'ennemis car, hier, le duc a été assiégé par sept ou huit différentes personnes, toutes invectivant contre vous. Il est légèrement irrité mais ne veut pas me dire de quoi. »

Elle se demandait si cette irritation n'était pas causée par les questions que lui posait Gordon, par la façon dont celui-ci fourrait son nez dans ses affaires qui avaient échappé à Clinton. L'on avait réclamé à propos du recrutement, jasé sur cela et sur d'autres choses. Il y avait trop d'intermédiaires et trop d'indiscrets. Pas Ogilvie, certes, on pouvait avoir confiance en lui; mais French avait peut-être parlé en Irlande. Et Corri?

– Avez-vous parlé?

– Chère madame, je proteste que…

– Des bruits ont couru, et Son Altesse le sait. Si vous avez gardé des notes sur cette affaire de recrutement – vous savez de quoi je veux parler – pour l'amour du Ciel, brûlez-les.

Il vola chez lui, les lèvres couleur de cendre.

– Gardez tout votre calme, dit Will. Le vent tombera à la longue. Les nouveaux balais balayent toujours avec plus de zèle. Laissez Gordon se fatiguer.

– Vous juriez qu'il n'y avait pas de danger… commença-t-elle.

– Mais il n'y en a pas. Laissez-leur le temps de s'installer.

Gordon s'installa avec énergie et saisit les rênes d'une main ferme. Un des premiers résultats du nouveau régime fut une lettre circulaire adressée à tous les agents de l'armée, datée des Gardes, le 28 septembre 1804.

« Messieurs, son Altesse Royale le commandant en chef ayant les raisons les plus sérieuses de croire qu'une vaste correspondance se poursuit entre des personnes qui s'intitulent agents de l'armée, et des officiers, afin d'engager ceux-ci à souscrire avec ceux-là des accords particuliers dans le dessein d'obtenir des charges, contrairement aux règles établies, et le désir du commandant en chef étant de refréner autant qu'il se peut ces déplorables pratiques, j'ai reçu l'ordre d'attirer votre attention sur ce point important et de vous remontrer la nécessité d'une extrême vigilance afin de faire cesser autant qu'il est en votre pouvoir toute communication entre ces personnes et les officiers inscrits à vos agences. Que s'il se révélait jamais que des charges auraient été négociées de la sorte par votre agence, le commandant en chef considérerait de son devoir de recommander aux colonels des régiments en question de châtier de telles irrégularités en retirant leurs régiments de ladite agence et en les remettant en d'autres mains.

« J'ai en outre reçu l'ordre de vous prier d'avoir l'obligeance de transmettre, à tous les officiers commandant des régiments inscrits à votre agence, l'expression de l'extrême désapprobation de Son Altesse Royale au sujet de ce trafic inconvenant et clandestin, et de les assurer que si, à dater de la présente lettre, il se découvrait que quelque charge eût été obtenue de cette manière, ladite charge serait immédiatement annulée et l'officier dénoncé au roi comme ayant agi en désobéissance flagrante aux ordres du commandant en chef.

« signé : J. W. GORDON. »

Le moyen de prendre cela en riant ? songeait Mary Anne en regardant par la fenêtre de sa maison de Weybridge le feuillage automnal. Elle attendait que le duc revînt d'Oatlands et de chez sa duchesse. Une lettre de remerciement signée d'un capitaine brûlait dans la cheminée, quatre cents livres en billets étaient pliées dans son corsage.

CHAPITRE VI

Le jeu continua, mais lentement et en plus grand secret. Elle avait été trop loin pour reculer ; elle y était jusqu'au cou. Les sollicitations diminuèrent un temps, le poisson avait peur, mais, aux abords de la nouvelle année, il recommença de mordre. Elle ne voyait pas d'autre moyen de s'en tirer. Elle avait de pressants besoins d'argent. La dépense des deux maisons doublait, triplait, elle ne savait comment réduire son train, où économiser. Martha lui rapportait chaque jour de nouvelles réclamations.

– Madame, le boucher n'a pas été payé depuis trois mois. Il dit qu'il ne nous livrera plus si on ne lui verse pas au moins une partie de ce qu'on lui doit.

– Martha, ne m'importune pas, j'ai ma leçon de peinture.

Toujours des leçons de chant, de peinture, de danse, pour se tenir au courant de la dernière folie de la ville. C'était la mode à présent de peindre sur velours.

– Si je ne vous importune pas, madame, c'est à moi qu'ils s'en prennent. Le boucher dit que je garde l'argent au lieu de le lui remettre.

– Tiens, prends ça.

Il y avait quelques billets rangés dans un tiroir à l'intention du bijoutier. Il lui avait fallu ces boucles d'oreilles, elles faisaient un effet merveilleux avec une toilette blanche... mais une partie de l'argent destiné à les payer devrait aller apaiser le boucher.

– Le charbonnier aussi, madame, fait le méchant. Il maugréait, la semaine dernière, lors de la dernière livraison, et il nous en faudra une autre dans quelques jours, avec ces feux dans toutes les pièces.

Quelques billets retrouvés dans une boîte, pour faire taire le charbonnier. Les petits fournisseurs devaient passer les premiers, c'était justice. Le bijoutier n'avait qu'à attendre ou à reprendre ses boucles d'oreilles.

– C'est à la cuisine qu'on mange toute cette viande.

La cuisine servait, à cette époque, de bouc émissaire.

– Son Altesse Royale et moi avons de très petits appétits. Les grandes pièces de viande descendent au sous-sol. Je le sais bien, je les ai vues.

– Mais, madame, qu'y voulez-vous faire? Nous sommes dix à la cuisine. Les hommes ont de l'appétit et il faut les nourrir.

Dix à la cuisine… Son personnel avait-il atteint de telles proportions? Il y avait toujours quelqu'un de nouveau pour servir quelqu'un d'autre. Les cuisiniers refusaient de manger avec les filles de cuisine, et les femmes de chambre avec les valets. Celui qui faisait les lits ne pouvait laver la vaisselle.

– Oh! Martha, occupe-toi de tout cela. Je n'ai pas le temps.

Elle retournait à sa peinture sur velours. Le soir, elle devait aller au théâtre à Kensington; le lendemain, à Weybridge, où de nouvelles demandes d'argent l'attendaient de la part du personnel de sa maison des champs. Elle avait eu, durant l'été, la fantaisie de faire pousser des légumes, mais, au lieu d'un petit potager derrière la maison, l'on avait enclos trois champs. Quelqu'un avait fait une erreur, les ordres avaient été mal interprétés, si bien qu'elle avait à présent deux chevaux de labour à payer et nourrir. Cela nécessitait, naturellement, un homme uniquement à leur service. Ses palefreniers ne consentaient à s'occuper que des attelages des voitures.

– Mais où logera-t-on cet homme? Il lui faut une maison; il a une femme et quatre enfants.

Ce tourbillon insensé continuait. La toupie, une fois lancée, ne s'arrêtait plus. Il y avait aussi les demandes de la famille, outre celles des fournisseurs et des domestiques. James Burton, grâce au Ciel, ne lui réclamait jamais de loyer, mais il fallait tenir la maison de Tavistock Place pour sa mère et pour Isobel, à présent fiancée à un frère Taylor. Les affaires des Taylor n'allaient d'ailleurs pas trop bien. Le père de May perdait à la Bourse, et la pauvre May était en larmes. Obligées de quitter leur maison, elle et sa sœur songeaient à monter une école, mais il ne pouvait en être question si on ne les aidait.

Elle fouillait de nouveau dans ses tiroirs et parvenait à trouver cinq cents livres pour établir la pauvre May et sa sœur à Islington. Encore deux cents livres pour le mariage d'Isobel. L'argent filait… elle était incapable de le retenir.

Après cela, c'est Charley qui se mit à faire le difficile. Il ne se plaisait pas au 13ᵉ Dragons légers et voulait changer de régiment. Sa sœur pouvait-elle arranger cela ? Le moment était mal choisi, ce genre d'affaire était devenu périlleux. Elle réussit toutefois et le fit transférer au 7ᵉ Régiment à pied, dans les fusiliers. Six mois après, il recourait de nouveau à elle.

– Je déteste le 7ᵉ. Je veux changer.

– Mais, mon garçon chéri, tu as changé en septembre.

– Je sais, c'était une erreur. Je regrette d'avoir fait cela. Le 7ᵉ est un véritable enfer, je préfère la cavalerie. On me dit que je pourrais me faire verser au 14ᵉ dragons, mais, assurément, il faudra manœuvrer. Le peux-tu ?

– Je verrai… mais il faut que tu comprennes. Tu ne joues pas aux soldats.

– J'ai plus de chances de faire une brillante carrière dans les dragons.

Elle n'en était pas bien sûre, mais se tut. Sa liaison avec le duc avait tourné la tête de son frère, et il lui était revenu aux oreilles qu'il n'était pas aimé. « Dis à ton frère de se taire ou on le lui fera payer. Il est beaucoup trop gonflé de son importance ! »

Charley satisfait, c'est Sammy qui se lamentait. Pauvre Sammy Carter ! Elle le croyait outre-mer, ravi de son bel uniforme d'enseigne. Point ! Il se morfondait dans un transport de troupe oublié à Spithead.

« Madame, lui écrivait-il du transport *Clarendon*, poussé par la pénible situation où je me trouve et la connaissance que j'ai de votre infinie bonté, j'espère que vous voudrez bien pardonner la liberté que je prends de solliciter encore votre appui. Depuis ma dernière lettre, l'embarquement a eu lieu, et je suis à présent à bord, dans une situation impossible à décrire. Je n'ai pas de provisions de voyage, ni d'argent pour acheter les menus objets d'absolue nécessité. Je suis de quart durant quatre heures chaque nuit, et n'ai rien d'autre à manger que de la viande salée trois fois par semaine et rien à boire que de l'eau, le rhum étant si mauvais qu'il est imbuvable.

« Votre grande bonté pour moi me convainc que vous ne voudrez pas que je meure de faim dans la situation où vous-même avez eu l'obligeance de me mettre, ce dont je vous serai à jamais reconnaissant. Que si vous consentiez, Madame, à prendre en considération l'état misérable où je suis et, par une petite aide pécuniaire, m'en épargner les pires horreurs, j'y verrais une action bien digne de vous et la garderais à jamais gravée dans mon cœur.

« Je suis, Madame, votre humble et reconnaissant serviteur.

« Sam CARTER »

Pauvre cher petit Sammy, réduit à une affreuse pitance de viande salée ! Elle lui envoya sur-le-champ cinquante livres afin de l'empêcher de dépérir. Quelle erreur il avait commise en quittant son service ! Il n'était pas fait pour être soldat, elle l'avait toujours su. Il la remercia chaleureusement et joignit à sa lettre la facture de son équipement. Épées et baudriers, ceinturons et plumets, tunique et galons, gants et bas, et même une montre mise en gages pour deux livres dix, le tout se montant à quarante livres. Que faire ? Il fallait bien sauver le pauvre Sam. Elle espérait qu'il s'habituerait à son sort et ne demanderait pas à changer de corps.

– Madame ?

– Qu'est-ce encore, Martha ?

– Le docteur Thynne désire vous voir.

Le docteur Thynne au moins ne réclamait pas d'argent. Il avait, Dieu merci, reçu ses honoraires pour les rhumes de ses enfants, les rhumatismes de sa mère, un moment délicat et décevant pour elle-même (quarante-huit heures de soins discrets qui avaient mis fin aux espoirs du duc), un cataplasme à Martha, et des ventouses à Parker, le cocher.

– Mon cher docteur Thynne, que puis-je pour vous ?

– Pour moi rien, Mrs Clarke, un mot seulement pour un ami…

Toujours la même histoire… mais c'était la première fois que Thynne s'y essayait. Effaçons la mine languide, le sourire de

malade (« Merci docteur, je me sens mieux aujourd'hui »), il s'agit
d'affaires.

– Donnez-moi les détails.

– Une de mes malades a un mari. Ce mari a un frère : le colonel
Knight.

– En trois mots, c'est Knight le solliciteur ?

– Oui, Mrs Clarke. Le colonel Knight espère permuter avec un
autre officier de même grade, un certain colonel Brook. La
demande a été faite par la voie officielle. Mais c'est très lent…

– Je sais, je sais.

Toujours la même histoire. Elle la connaissait par cœur.

– Je ferai de mon mieux. Ont-ils mentionné le cadeau ?

– Il me semble que ma malade a parlé de deux cents livres.

Elle en avait déjà reçu trois cent cinquante pour une permutation, mais c'était autrefois, avant l'entrée en fonctions de Gordon.
Tout bien considéré, deux cents n'étaient pas à dédaigner.

– Deux cents, ce n'est guère, mais vous êtes un ami, je ferai une
exception pour vous. En billets, il va sans dire.

– Comme vous voudrez, Mrs Clarke. Mes amis vous seront très
reconnaissants.

– Les billets remis ici, une fois les noms publiés dans la *Gazette*.
Je vais tâcher d'obtenir cela pour la fin du mois.

Dieu, que ce mois de juillet était chaud ! On étouffait à Londres.
D'ailleurs, même à Weybridge, c'est à peine s'il y avait un souffle
d'air. Elle aurait eu besoin d'un séjour à la mer, d'un repos complet.
Si elle ne dételait pas quelque temps, elle deviendrait folle, aussi
folle que le roi. On l'avait expédié à Weymouth prendre des bains
d'eau salée. Les bains d'eau salée étaient la toute dernière façon de
traiter les araignées au plafond. Elle aurait été volontiers à
Weymouth, elle aussi, si elle avait eu assez d'argent. Les deux cents
livres de Knight viendraient à point. Son esprit tournait en cercle
jusqu'à la nausée.

Le pays était repris par la fièvre guerrière et l'on ne parlait que
d'invasion. Boney oserait-il ? Il aurait les hommes, il n'avait pas les
bateaux, le temps n'était pas propice, il y avait des brouillards sur
la Manche. N'importe qui pouvait battre dix Français, mais, s'ils
débarquaient, quel était le plan de défense de Londres ?

« Dans votre situation, vous devez entendre beaucoup de choses. Dites-nous, je vous en prie, ce que le duc compte faire ? Et est-il vrai, comme le dit Lord Stanhope, que les Français ont un procédé secret pour couler nos bateaux ? »

Comme si elle le savait, ou si, le sachant, l'eût dit... Il n'y avait que trop de mauvaises langues prêtes à salir et discréditer le duc. Des lettres paraissaient dans le *Morning Post*, signées « Belisarius » ; elle avait essayé en vain de percer ce pseudonyme. Sutton jurait que c'était un nommé Donovan, un vétéran en demi-solde qui agissait par dépit, mais Donovan lui rendit visite et lui prouva son innocence. Il entreprit même de lui envoyer des clients (moyennant la ristourne habituelle).

La grande surprise du printemps avait été la collaboration de Bill. Depuis la discussion qu'ils avaient eue dans le salon, l'année précédente, c'est à peine si elle l'avait vu, car il s'était tenu à l'écart. Puis la peur de l'invasion s'était emparée de lui aussi. Il la lui confia au mariage d'Isobel, avec une emphase patriotique.

– Je ne puis rester inactif quand mon pays est en danger. J'ai l'intention de faire quelque chose au plus tôt.

– Quel genre de chose ?

– C'est difficile à dire. Ce qui pourra être le plus utile. Je suis disposé à offrir mes services à l'administration qui en aura l'emploi.

Elle songea à la réception de mariage encore impayée...

– Il n'est pas facile d'obtenir un poste. Toutes les bonnes places sont prises.

– Je le sais parfaitement, dit-il. Je ne cherche pas une bonne place. Je désire uniquement servir mon pays.

– Vous serez peut-être obligé de payer pour le faire.

– Je sais cela aussi.

– Dans ce cas, je vous trouverai un poste et c'est à moi que vous paierez.

Elle accompagna ces paroles d'un sourire. Il se détourna. Mais, quand les mariés eurent disparu sous une averse de pétales de roses et que tous les invités furent partis, elle le rejoignit, cette fois sans sourire et même les larmes aux yeux.

– Qu'y a-t-il ?

– Isobel semblait si heureuse, cela me fait pleurer. Mon mariage à moi, il y a treize ans, fut bien différent. Pas d'invités pour moi, ni de pétales de roses. Il va falloir payer cela. Dieu sait comment.

– Toujours des embarras pécuniaires ?

– Pires que jamais, mais je ne veux pas vous ennuyer… J'espère que vous réussirez à trouver un poste.

Il comprit ce qu'elle voulait dire. Il la regarda, déchiré. Ses habitudes, ses principes, tout ce à quoi il était attaché, chargeait un plateau de la balance, en face des besoins de cette femme.

– Combien au juste vous faut-il ? se risqua-t-il à demander.

– Si vous voulez que je vous réponde carrément : mille livres. Cinq cents à payer pour cette réception de mariage. Quoi encore ? Fermer la bouche au bijoutier qui devient pressant. En échange de quoi, je vous trouverai un poste et personne d'autre que nous n'aura besoin de le savoir.

– Il faudra que j'en parle à mon père. Je n'ai pas cet argent.

– Bon, parlez-en à votre père. Il connaît le monde. Les postes intéressants ne courent pas les rues et ne vous tombent pas tout rôtis dans le bec. Il faudra s'entremettre. Pourquoi ne pas recourir à votre plus intime et plus chère amie ? Ne la suis-je pas ? Est-ce fini ?

Il n'y avait plus rien à répondre à cela, plus d'espoir de recul. Elle le tenait, sans défense, dans son filet, et trois mois n'étaient pas passés qu'il avait un poste d'auxiliaire de l'intendance des Armées de Sa Majesté, à Colchester. Les frais de noces étaient réglés, le bijoutier apaisé.

– Monseigneur…

– Qu'y a-t-il, ma chérie ?

– Puis-je venir à Weymouth ?

– Impossible, mon ange. Le roi y sera.

– Le roi ne sera pas dans une chambre garnie à deux heures du matin.

– Ni moi. Ma visite est officielle. Et il y a un baptême dimanche, le fils de Chesterfield. Je suis parrain, tout un tralala. Si tu venais à Weymouth, je ne te verrais même pas.

Toujours cette ligne rigide entre la vie officielle et la vie privée et jamais le moindre geste pour jeter un pont par-dessus, alors que le prince de Galles et Mrs Fitzherbert, le duc de Clarence et

Mrs Jordon, même Kent et sa vieille maîtresse française… Elle y voyait un sentiment de déférence vis-à-vis de la duchesse.

– Vous n'avez pas honte de moi, j'espère ?

Il la regarda, de l'autre côté de la table du dîner.

– Qu'est-ce qui te prend, ma chère, tu es souffrante ?

– Non. Il y a de l'orage dans l'air. Je suis énervée.

Il ne comprenait pas le désir soudain qui parfois s'emparait d'elle d'exercer plus de pouvoir, de prendre des décisions, de partager sa vie, non comme elle le faisait à présent, mais en égale. Elle songeait à l'erreur fatale qu'elle avait commise un dimanche à Weybridge. Insouciante et sans penser à mal, elle s'était installée sur un banc à l'église et lui avait souri lorsqu'il y était entré en compagnie de la duchesse. Le front sombre comme les nuées, il avait regardé de l'autre côté, mais ce soir-là sa colère avait éclaté.

– Que diable cherchais-tu en allant te pavaner à l'église devant les gens de ma maison ? Si jamais tu recommences, je te ferai fouetter.

C'est qu'il le pensait !… Elle n'avait pas oublié l'incident. Cependant sa présence à Weybridge était connue de tous, les visites nocturnes qu'il lui rendait admises avec un sourire indulgent. Toujours la ligne de partage. L'on faisait ce qu'on voulait en particulier, mais chanter Gloire au Seigneur avec la duchesse était interdit. Toutefois, ce n'était pas à la duchesse que les demandes de faveurs étaient adressées.

– Connaissez-vous un certain docteur O'Meara, Monseigneur ?

– Je n'en ai jamais entendu parler.

– Il est doyen en Irlande, ou quelque chose de ce genre, et souhaite devenir évêque. Il m'a priée plusieurs fois d'intervenir pour lui auprès de vous.

– Ce n'est pas mon service. Je ne m'occupe pas de l'Église. Et, quand bien même je m'en occuperais, je n'aime pas l'O de son nom.

– Il est protestant… loyal au trône autant que vous.

– Aucun Irlandais n'est loyal, sinon à lui-même. Dis à Maître O'Meara de rester dans ses tourbières.

Bah !… s'il en était ainsi, pas d'avancement pour le doyen, et pas de billet doux de reconnaissance parfumé à l'encens. Quel prix pouvait-on demander pour un évêché ? Le même que pour des galons de colonel ? Will Ogilvie ne saurait pas, Donovan peut-être…

– Si vous ne voulez pas de moi à Weymouth, j'irai à Worthing.

– Pourquoi Worthing, ma chère ? Pourquoi ne veux-tu pas rester à Londres ?

– Londres, fin juillet ? C'est à périr d'ennui.

Coxhead-Marsh était à Worthing, de même que Willy Fitzgerald, le fils du député irlandais, et il était assez amusant. L'endroit était des plus à la mode et rivalisait avec Brighton. Worthing serait une petite vengeance. Ses enfants resteraient à Weybridge avec sa mère. Elle avait l'argent nécessaire : deux cents livres reçues le matin même de Mr Robert Knight, frère du colonel qui avait obtenu sa permutation (grâce au docteur Thynne) et payait sur l'heure.

– C'est bon, va à Worthing. Fais comme il te plaira. Comment te trouves-tu, du point de vue de l'argent ? Parviens-tu à t'arranger ?

Question surprenante. L'on ne parlait pour ainsi dire jamais de cela. Sa conscience le tourmentait-il ? Il y avait de quoi, il faut le dire, car la mensualité n'avait pas été payée depuis le 1er mai.

– Cela peut aller pour l'instant, grâce au docteur.

– Quel docteur ?

– Le docteur Thynne, pas le doyen irlandais. Une petite affaire, une permutation, vous rappelez-vous ? Les noms ont paru ce matin dans la *Gazette*. Cela ne mérite pas votre attention. Le seul ennui, c'est qu'il m'a envoyé deux billets de cent livres, et je ne tiens pas à les agiter au nez d'une logeuse.

– Pierson ira vous les changer.

– A cette heure ?

– Assurément. Il n'aura qu'à dire qui l'envoie, et n'importe quel marchand vous les changera.

En fait, elle songeait qu'elle n'aurait pas besoin de beaucoup d'argent. Coxhead-Marsh et Fitzgerald à eux deux subviendraient à ses dépenses et régleraient sa note d'auberge (un appartement sur la mer). Tous deux l'escorteraient au bal.

– Pierson, allez me changez ceci en dix et vingt.

– Bien, madame.

Le duc se leva de table et lui prit la main.

– Ma chérie va-t-elle s'ennuyer de moi ?

– Vous le savez bien.

– Je tâcherai de ne pas rester plus de dix jours absent.

– Cela sera neuf de trop… Pensez à moi, toute seule à Worthing.

– Demande à la petite May de t'accompagner.

– Je le ferai peut-être. Cela dépend.

De quoi cela dépendait-il ? De la mesure où Coxhead saurait être amusant et où Willy Fitzgerald tiendrait les promesses de ses yeux irlandais.

Un baiser prolongé.

– Soignez bien votre royale personne.

Une caresse dans les cheveux qui s'attarde aux oreilles.

– Sacredieu, je t'emmènerais bien à Weymouth, si je le pouvais. Maudit soit Chesterfield et son marmot.

– Je sais… je sais…

Deux heures pour le rassurer, puis les chevaux. Il voulait voyager de nuit et ne pouvait s'attarder. Un tendre adieu par la fenêtre, mouchoir au vent.

– Madame, Pierson vous a rapporté votre argent.

– Merci, Martha.

– Et puis, madame, un docteur O'Meara demande à vous voir. Il espérait trouver encore Son Altesse ici. Il a l'intention de se rendre dimanche à Weymouth.

– Grand bien lui fasse et bon voyage. S'il change le O de son nom en Mac, cela ira peut-être mieux.

– Il m'a chargée, madame, de vous dire qu'il vous a apporté un cadeau.

Un cadeau ! C'était un tantinet prématuré. D'ailleurs, elle ne pouvait recevoir un doyen, en déshabillé, après minuit.

– Dis au docteur O'Meara que je griffonne immédiatement un billet pour son Altesse à qui il pourra l'apporter puisqu'il va à Weymouth. Dis-lui aussi que je lui suis bien obligée de son cadeau, et monte-le-moi.

De l'argent avancé sans garantie était une chose inusitée. Les doyens avaient plus de foi que les soldats de l'armée.

« Le doyen est venu, écrivit-elle, et m'apporte un compliment. Pour le reste je m'en remets à la grâce et à la faveur royales. Votre oreiller a un air abandonné. Je me sens très seule. »

Signé M.A., daté du 31.

Martha reparut à la porte de la chambre à coucher portant un paquet enveloppé de papier.

– Développe-le, Martha, mais commence par remettre cette lettre au doyen.

Elle essaya de dénouer la ficelle en s'y cassant les ongles, jusqu'à ce que Martha vînt à son secours avec une paire de ciseaux. Cela pouvait être une nappe d'autel renfermant de l'argent, mais non, l'objet était dur, ce devait être un goupillon. Elle déchira le papier. Martha dit :

– Des battes de cricket pour Master George.

Le doyen avait écrit en travers du paquet : « Ceci pour votre gentil garçon. Des poupées suivront pour vos filles. Mes humbles hommages. » Il était trop tard pour reprendre la lettre. Le doyen s'en était allé.

– Je n'ai plus besoin de toi, Martha. Enlève cela, tu l'emporteras demain matin à Weybridge.

– C'est bien aimable à ce pasteur, n'est-il pas vrai, madame ?

– Très gentil.

Elle renonçait à s'occuper des affaires de l'Église. Le doyen resterait doyen. Comment avait-il pu même parvenir aussi loin ? Voilà le surprenant. Avait-il envoyé une raquette de tennis à la reine, ou bien un jeu de croquet ? Vraiment, les protestants ! Rien d'étonnant si les catholiques réclamaient leur émancipation.

Des battes de cricket pour George… Le cadeau pouvait-il cacher un double sens ? Une façon de dire qu'il fallait encourager les sports ? Une allusion irlandaise, un jeu de mots ? Willie Fitzgerald le saurait, elle le lui demanderait à Worthing.

Bâillant, ensommeillée, elle se recoucha. C'était agréable d'avoir tout le lit à soi seule, de temps à autre, et de dormir jusqu'à dix heures du matin sans être dérangée. Demain, le voyage en voiture vers la mer dissiperait les soucis, l'ennui, rafraîchirait sa mémoire au sujet du cricket… Willie pourrait lui en enseigner les règles, il venait de quitter Oxford… Le duc était toujours pressé, toujours préoccupé, Willie était amusant, les jeunes étudiants ont un effet tonique. Il était temps de se dérouiller un peu les jambes. Elle avait besoin de changement.

Pour un temps, la crainte de l'invasion s'évanouit. Nelson y avait veillé, et perdu la vie. La gloire de Trafalgar fouetta le pays, et l'ardeur patriotique monta jusqu'à la fièvre, pour retomber après Austerlitz. L'ennemi était invincible sur terre. Du moins, il le semblait.

Le commandant en chef avait peu de temps pour le plaisir. Il travaillait aux Gardes de neuf heures à sept heures, et sa vie était une lutte perpétuelle pour faire exécuter ses ordres. D'une part, son armée réclamait à cor et à cri de l'équipement, des armes, des vêtements, des canons, et le corps expéditionnaire insuffisamment entraîné était loin d'être prêt. D'autre part, les politiciens criaient qu'il fallait envoyer des troupes sur le continent sans plus attendre et expédier Lord Cathcart à l'île d'Elbe auprès du général Don. Tant pis si tout devait échouer, il fallait envoyer des hommes outre mer.

Le duc ne se laissait pas entamer. Ses lettres au premier ministre étaient fermes et concises. « Le corps expéditionnaire n'est pas encore en état de partir pour la guerre. » Bel et bon pour Pitt de s'agiter, il serait le premier à s'indigner si les hommes se faisaient massacrer, et le pays serait de son avis. « Encore une défaite », et l'on en accuserait le commandant en chef et sa mauvaise organisation. Pourquoi le ministère ne s'installait-il pas aux Gardes pour diriger l'armée ? Il supplierait bientôt qu'on lui retirât ce fardeau.

L'état de santé du premier ministre n'était pas fait pour arranger les choses. Le jugement d'un malade est rarement sain. S'il devait partir, personne n'était capable de prendre sa place et d'obtenir la confiance du pays. Il faudrait apaiser les animosités de parti, donner un ministère à Fox, aplanir, tempérer, et si le roi s'y opposait, ce serait au roi de céder. Rien n'était jamais sûr avec lui, un jour malin comme un singe, le lendemain complètement gâteux.

– Si quelqu'un veut prendre mon poste, je ne demande pas mieux, déclara le duc, un soir d'automne où il était rentré en retard pour dîner, son appétit gâché et son humeur aussi.

Il avait eu avec Pitt une conversation qui n'avait mené à rien, passé une demi-heure auprès du roi qui refusait de signer un document, traînait en robe de chambre et jouait au whist. Des rapports malveillants dans les journaux réclamaient de « l'action » ; un éditorial du *Times*, sans queue ni tête, contenait des allusions gênantes à l'affaire de Melville ; les scandales du printemps précédent n'étaient pas oubliés : si le premier lord de l'Amirauté avait été forcé de démissionner, pourquoi ne pas examiner à présent les méthodes en vigueur dans l'Armée ? Pour couronner le tout, une infâme lettre anonyme l'attendait dans le vestibule de Gloucester Place. Il la sortit de sa poche après dîner et, le dos au feu du salon, la lut à haute voix :

« Altesse Royale et adultère. Vous connaissez sans doute la loi, mais, au cas contraire, il y en a d'autres qui la connaissent et dont c'est le métier. La loi considère comme un crime l'action de voler une femme à son mari et de détourner de leur père l'affection des enfants. Vous avez fait les deux. Attendez-vous aux conséquences. »

Le duc jeta la lettre sur les genoux de Mary Anne en riant. Mais le rire n'était pas insouciant, il avait quelque chose de forcé.

– Quelque fou, j'imagine, émergeant de votre lointain passé ?

Elle reconnut l'écriture sur-le-champ, et son cœur se glaça. Joseph... Les mots étaient mal tracés, les lignes confuses, mais elle ne pouvait s'y méprendre. La lettre était de Joseph, qui, aux dernières nouvelles, était à la campagne près de Northampton, confié aux soins de cousins éloignés, impotent, malade, ne posant aucune question, ne mentionnant jamais son nom.

– Fou ou ivre, répondit-elle, probablement les deux, et elle déchira la lettre en menus morceaux.

– Que veut-il dire en parlant du vol d'une femme ? Une veuve ne peut confiner son amour dans une tombe.

– C'est probablement ce que cet homme eût souhaité que je fisse et il aura entendu accoupler nos noms. Aucune importance. Jetez ces bouts de papier au feu, c'est tout ce qu'ils méritent.

Il les jeta au feu, avec un air perplexe et assez sombre. La lettre avait touché quelque corde dans sa mémoire. Il n'avait jamais prêté grande attention aux récits qu'elle lui débitait : un mari bon à rien, mort de *delirium tremens*, elle-même seule au monde avec quatre petits enfants, et finalement aidée par Burton, le constructeur.

– Vous ne voyez jamais aucun parent de votre mari ?

– Non, jamais, ils habitent la campagne… La famille est dispersée.

Il bâilla et parla d'autre chose. L'incident était clos. Elle regarda les bouts de papier noircis se consumer. Avait-elle laissé passer là une occasion ? Devrait-elle dire : « En vérité, je ne suis pas veuve. Mon mari vit toujours, je ne sais où. Je l'ai quitté, il était incapable de nous nourrir, les enfants et moi. » La confession n'eût pas été bien pénible, et elle eût différé assez peu de la version qu'elle lui avait donnée des événements. Toutefois, quelque chose la retint, elle ne savait pourquoi. Était-ce la peur de paraître sotte ou menteuse et de s'attirer cette question : « Mais pourquoi l'avoir caché ? » Il était encore temps de dire : « Cette écriture est celle de mon mari. »

Il somnola auprès du feu pendant qu'elle jouait du piano. A neuf heures et demie, elle se dit : « Je vais entamer ce sujet… Je vais lui dire que je me croyais veuve puis ai appris que je me trompais, que Joseph était toujours vivant, dans un asile de fous. » La pendule continuait à tourner, elle marqua dix heures moins le quart, sonna dix heures. Il s'étira et parla d'aller se coucher. Trop tard pour parler ce soir, demain peut-être, ou après-demain…

Une semaine passa, puis vint une seconde lettre, cette fois adressée aux Gardes et non à la maison : « Je veux ma femme et mes enfants. Rendez-les-moi. Si vous ne me les rendez pas, j'agirai. Un procès en justice pour flagrant délit d'adultère fera fort bon effet tandis que la patrie est en danger. » Signée en toutes lettres : Joseph Clarke.

Il la lui remit le soir même.

– Que signifie ?

Une seconde d'hésitation : les larmes ou le rire ? Les larmes seraient un aveu de culpabilité, le rire valait mieux. Il convenait de traiter tout cela avec insouciance et légèreté.

– Il est donc vivant ? Je me le suis demandé, la semaine dernière. L'écriture est tellement changée, mais, maintenant, il n'y a plus de doute. Tout le monde m'avait juré qu'il était mort et je l'avais cru.

– Mais tu m'as dit que tu l'avais veillé sur son lit de mort !

– J'ai dit cela ? Je ne me rappelle pas, j'ai dû confondre. J'étais à moitié folle, mon petit garçon était malade. (Impossible de se rappeler les contes qu'elle lui avait faits.) Son frère le curé nous a suppliés de partir, les enfants et moi, sinon Dieu sait ce qui serait arrivé ! Il fallait deux infirmiers pour le tenir. Puis l'on m'a écrit à Hampstead que j'étais libre.

Il était debout près du lit, en chemise de nuit. Le moment était inopportun. Assise à sa coiffeuse, elle nouait ses cheveux d'un ruban.

Il dit :

– Eh bien, que vas-tu faire ? Retourner chez cet homme ?

– Oh ! Ciel, quelle question ! Assurément non ! Dix livres le feront tenir tranquille. Je lui écrirai demain matin.

Une sorte de contrainte pesait sur eux. Le silence enveloppait les deux oreillers.

– Comme si je n'avais pas assez de souci sans cet imbécile ! s'écria-t-il enfin.

– Chéri ! Ne t'inquiète pas. Je m'en charge, je te le promets.

– Je vais montrer cette lettre à Adam.

– Pourquoi, au nom du Ciel ?

– Il est mon conseiller particulier et saura que faire. Il lit cinquante lettres de menaces par jour. A eux deux, Greenwood et lui, ils remettront ce chenapan à sa place.

Son cœur se serra. Greenwood... Adam... Les hommes qui s'occupaient de toutes ses affaires officielles, et qui la considéraient avec une méfiance hostile. Elle ne le savait que trop, tous ses amis le lui répétaient. « Attention, lui avait dit James Fitzgerald, ces gens vous en veulent, Adam surtout. »

Elle tendit la main, le toucha. Il y demeura insensible.

– Laisse-moi faire, je t'en prie. Je connais mon Joseph. Dix ou vingt livres le feront tenir tranquille.

– Je me le demande… Je n'aime pas son langage. Crime d'adultère. Je sais l'effet de ces mots dans une salle de tribunal. Je préfère qu'Adam s'en occupe.

L'hiver commençait mal… La chance avait tourné. Chaque jour amenait un agacement, une difficulté. De ridicules querelles domestiques désorganisaient le ménage. Le personnel tout entier se plaignait de Martha et lui reprochait de prendre des airs supérieurs.

– Nous n'avons pas d'ordres à recevoir d'elle. Que Madame nous les donne elle-même.

– Mrs Favoury est ma gouvernante depuis treize ans. Elle continuera de vous donner des ordres, ou vous vous en irez.

Martha boudait, pleurait.

– J'aime mieux m'en aller que d'entendre ces histoires du matin au soir. D'ailleurs je veux me marier.

– Grand Dieu, et avec qui ?

– Avec Walmsley, le charbonnier. Voilà six mois qu'il me fait la cour.

– Mais, Martha, je ne peux pas me passer de toi !

– Ne dites pas ça. Maintenant que ces demoiselles sont en pension chez Miss Taylor, et Master George à Chelsea, je ne suis plus utile à personne ici, et les domestiques sont tellement méchants, ils s'allient tous contre moi.

– Oh ! Assez !… Laisse-moi en paix, épargne-moi ces plaintes continuelles ! Il faut que j'avise.

Encore des notes, d'innombrables notes, de Weybridge pour la plupart. Les poutres de l'écurie étaient pourries, il fallait refaire les écuries et bâtir au-dessus un logement pour le cocher. Des notes de pommes de terre, de quoi nourrir un régiment. Un troupeau de vaches de Jersey qui ne donnaient pas de lait, étaient tombées malades, étaient mortes ; il fallait en acheter d'autres. Son petit homme d'affaires particulier fut convoqué, c'était un avoué capable et actif, nommé Comrie.

– Mr Comrie, la catastrophe menace !

– A ce que je vois.

Il chaussa ses besicles et se mit en devoir de trier les papiers que sa cliente avait éparpillés sur le tapis du salon. Il y avait dix, vingt, trente factures, de diverses provenances, toutes impayées.

– Son Altesse ne vous verse-t-elle pas de mensualités ?

– Quatre-vingts par mois. Que faire de cela ?

Elle ne pouvait lui parler des profits qu'elle tirait des avancements et qui, depuis que Gordon était en place, allaient chaque mois s'amenuisant.

– Invoquez la responsabilité maritale. C'est votre seule sauvegarde. Apprenez à tous vos fournisseurs que vous n'êtes pas veuve.

Comrie était au courant de la situation, il en avait déjà joué pour la tirer d'un procès.

– Que se passera-t-il alors ?

– La loi ne peut pas vous obliger à payer.

Elle avait déjà entendu cela, un siècle auparavant. C'était le conseil qu'on avait donné à sa mère abandonnée par Bob Farquhar. La vieille histoire recommençait.

– Enverront-ils leurs notes à mon mari ?

– S'ils peuvent le trouver. Savez-vous où il habite ?

– Non... pas exactement.

Cent factures à Joseph, insolvable, qui les enverrait au duc avec une lettre de menace, et que le duc lui rendrait... Il n'y avait pas de solution. « J'ai encore reçu une lettre de votre ivrogne de mari », lui dirait le duc. Elle redoutait ces paroles qu'elle entendait, à présent, chaque semaine.

– J'espère que vous l'avez jetée dans votre corbeille à papier.

– Au contraire, je les remets toutes à Adam. Il a entrepris des recherches.

Des recherches... que voulait-il dire ? Quelle espèce de recherches ? Elle n'osait le demander. Il était bizarre, préoccupé, évasif ; l'on aurait dit que c'était lui le coupable. L'on sentait ses nerfs tendus comme des cordes de violon prêtes à éclater. Il se passait quelque chose qu'il ne lui disait pas. Il lui envoyait son valet porteur d'un billet : « Ne m'attendez pas pour dîner. Je ne suis pas sûr de venir ce soir. » C'était étrange et ne lui ressemblait pas. Il avait toujours été bien aise de secouer la poussière des Gardes et de se reposer près d'elle.

Rien dans la maison pour la distraire de ces pensées. Le silence régnait maintenant que les enfants n'étaient plus là. Mary et Ellen étaient pensionnaires à l'école Taylor (en grande partie financée par Mary Anne) et George, qui avait à présent huit ans, faisait le grand

seigneur à Chelsea, l'école de Cadets en miniature, avant d'entrer
au collège de Marlow.

Elle continuait à recevoir mais seule, sans hôte ou maître de maison, les Fitzgerald, père et fils, Russell Manners, Coxhead-Marsh et
la foule habituelle de ses admirateurs… Cela ne l'amusait plus. Elle
se forçait, elle jouait la comédie. Son rire était un masque, son sourire une façade, sa conversation était automatique, et une nouvelle
terreur occupait constamment sa pensée : « Mon pouvoir diminue…
il va cesser. »

Un matin, Mr Adam vint lui rendre visite. Il déclara que le duc
d'York lui avait donné l'ordre de lui poser quelques questions au
sujet de la date de son mariage, du quartier qu'elle habitait avant
ledit mariage, en fait, de son passé. Elle lui répondit avec une politesse glaciale.

– Mon passé ne regarde que moi. Ni vous ni Son Altesse n'avez le
droit de vous en mêler.

– Je présume, madame, que vous aviez parfaitement connaissance, ces dernières années, du fait que Joseph Clarke, votre époux,
était vivant, et j'en conclus que votre déclaration à Son Altesse
Royale selon laquelle vous vous seriez crue veuve, était inexacte ?

– Nullement.

– Comme vous voudrez. Mais comment se fait-il alors, qu'une
action vous ait été intentée en 1804, action que vous avez tue à Son
Altesse Royale, et qui se termina par un non-lieu, votre avoué ayant
plaidé en votre faveur l'irresponsabilité de la femme mariée ?

Bien joué. Elle haussa les épaules.

– Mon avoué et moi avons pensé que c'était la meilleure
manœuvre. Je n'avais pas la preuve formelle de la mort de mon
mari.

Il demeura impassible et visiblement incrédule.

– Avez-vous les certificats de naissance de chacun de vos enfants ?
demanda-t-il.

– Je ne crois pas. Pour quoi faire ?

– Il m'a été dit, par des personnes que je ne vous nommerai pas,
que vous avez donné naissance à des enfants avant votre mariage.

Grand Dieu ! Quelle impudence ! Elle comprenait tout. Il avait
envoyé des espions à Hoxton, fureté aux environs de Charles

Square, confondu Joseph avec son frère John et attribué à elle la nichée de John, des enfants presque adultes à présent et dispersés Dieu sait où.

– L'initiale J vous aura induit en erreur, dit-elle. Retournez à Hoxton et assurez-vous mieux des faits. Mon mari avait deux frères (l'un d'eux est pasteur) dont le nom commence également par la lettre J. Si cela peut vous faire plaisir, je veux bien dire que j'ai épousé les trois frères.

– L'impertinence ne vous servira guère, madame, je le regrette. Veuillez m'indiquer, s'il vous plaît, le lieu et la date de votre mariage.

Que non, par exemple ! Il n'avait qu'à les découvrir lui-même. Elle se rappela le mariage de sa mère avec Bob Farquhar. Envoyons-le sur cette piste, puisque ça l'amuse, et que le passé l'intéresse à tel point.

– Vous pourriez aller à Berkhamstead consulter les archives, vous y trouveriez des renseignements sur ma famille. Mais si vous désirez remonter plus haut, il vous faudra vous rendre en Écosse. Fouillez la bruyère pour y retrouver le clan Mackenzie ou bien ouvrez le ventre de la morue d'Aberdeen.

Livide de rage, elle oublia ce soir-là sa prudence. Le duc vint dîner et elle s'emporta.

– Comment avez-vous osé envoyer cet homme pour m'interroger, pour fourrer son ignoble nez dans mes affaires ?

L'attaque le surprit. Il parut gêné.

– Si c'est d'Adam que vous parlez, je n'y suis pour rien. Je lui ai simplement demandé de retrouver votre mari et de lui faire savoir qu'il ait à se tenir en paix.

– Eh bien, dites-lui que la prochaine fois il trouvera ma porte fermée. Je n'ai jamais été aussi offensée de ma vie, et Dieu sait pourtant…

Elle aspirait à une scène violente pour purifier l'atmosphère. Elle avait envie de lui jeter une bouteille à la tête. Mais il refusait d'entrer dans son jeu. Il gardait l'air morne qu'elle lui voyait depuis plusieurs semaines, il boudait comme un gamin vexé.

– Je n'ai pas le temps de m'occuper de cela. J'ai beaucoup trop à faire toute la journée. J'ai du travail aux Gardes par-dessus la tête, sans compter Greenwood et Adam qui ne me laissent pas de repos.

– Pourtant, dit-elle, vous trouvez le loisir d'aller au théâtre. Je l'ai lu hier dans le journal. C'était le soir où vous m'avez fait dire que vous étiez retenu par Sa Majesté.

– Je l'étais en effet. Et quand j'ai pu quitter Buck, il était beaucoup trop tard pour revenir dîner ici.

– Le Théâtre royal, c'est là que danse Mrs Carey… Danse-t-elle bien ?

– Pas mal. Je n'ai pas fait très attention.

– Peut-être avez-vous été plus attentif au souper qui a suivi ?

Il rougit, avala son porto et ne répondit pas. Will Ogilvie avait donc raison, il y avait là quelque chose. Elle serra ses mains l'une contre l'autre pour maîtriser ses nerfs.

– Il paraît qu'elle est grande. C'est un avantage. D'ailleurs pour se hausser jusqu'à vous, elle n'a qu'à se mettre sur les pointes.

Avant qu'il pût répondre, un bruit de querelle monta de la cuisine. Les domestiques se battaient à présent ? Martha n'était plus là pour faire régner l'ordre, elle s'était mariée et avait quitté la maison.

– Pierson, pour l'amour du Ciel !

L'on entendit des chuchotements dans le vestibule, des conciliabules. Le duc était rouge comme un coq de bruyère. L'incident lui servit de prétexte pour esquiver une explication.

– Seigneur ! Que voilà une maison agréable où rentrer le soir ! Les domestiques hurlent et se disputent. Je serais plus tranquille dans une caserne.

– Ou dans une loge de théâtre.

Pierson revint en s'excusant.

– Je demande bien pardon à Madame, mais il y a ici une femme qui se dit l'épouse légitime du charbonnier, celui que Mrs Favoury a épousé le mois dernier. Elle crie et demande justice.

– Faites-la sortir, dit le duc, glacial.

– On essaie en ce moment, Votre Altesse Royale. Elle dit de ces choses qu'on n'ose pas répéter…

– Que dit-elle ?

– Elle dit, madame, que vous avez encouragé son mari à la quitter, qu'on l'a attiré Gloucester Place pour voir Mrs Favoury, et qu'il se passe ici au sous-sol de ces choses qui scandaliseraient le monde, sans parler de ce qu'on fait en haut. Elle dit que cette maison est un…

Il se tut et toussa, la discrétion dominant le goût du scandale.

– Faites sortir cette femme, répéta le duc, faites-la enfermer. Que le valet de pied vous aide.

– Bien, Votre Altesse Royale.

Le vacarme recommença au-dessous d'eux. Les planchers étaient bien minces et, avant le silence final, ils entendirent la femme qui criait :

– Tout ça, c'est la faute de votre maîtresse, cette sale putain ! Elle couche avec un homme marié, et un duc royal encore. Si ce n'est pas malheureux…

Il fut un temps où ils en auraient ri, où elle se serait amusée à parodier la commère pour le divertir : pas ce soir. Ils ne se parlaient pas plus que deux étrangers, et la scène ne leur inspirait pas la moindre pensée bouffonne. La dignité d'abord.

– Passons-nous au salon ?

Le piano resta muet, les deux personnages de même, chacun tenant un livre qu'il ne lisait pas. La pendule se traîna jusqu'à onze heures. Puis, pour couronner le tout, comme onze heures sonnaient, un carillon, des coups à la porte d'entrée, un bruit de dispute sur le seuil. Le duc jeta son livre par terre.

– Si c'est de nouveau cette femme, j'appelle la garde.

Un pas montait l'escalier. Pierson entra.

– Je demande pardon à Son Altesse Royale… C'est quelqu'un qui demande Madame, il insiste beaucoup. Il dit que son nom est Joseph Clarke.

Joseph n'aurait pu mieux choisir son moment, quand même il aurait possédé toute la malice du diable. Échec et mat. Jetez l'éponge dans le ring…

– Merci Pierson. Je vais le recevoir. Faites-le entrer dans la petite pièce du rez-de-chaussée. Et restez à portée, il est possible que j'aie besoin de vous.

Elle se leva et fit la révérence. Le duc ne la regarda pas. L'intention narquoise passa inaperçue, ou peut-être considéra-t-il le geste comme simplement conforme à l'étiquette. Elle descendit et entra dans l'antichambre où l'on faisait attendre les visiteurs. Joseph y était debout, Joseph ou plutôt son ombre et même, pis encore, sa caricature : la mine négligée, mal vêtu, des cheveux gris jusqu'aux épaules, le dos voûté, le corps épaissi, les yeux presque enfouis dans les bouffissures du visage, le menton mal rasé, les lèvres épaisses et gercées.

Voilà l'homme qu'elle avait épousé, aimé, chéri, le père de ses enfants, le père de George. Elle dit :

– Que voulez-vous ? Soyez bref. J'ai des invités là-haut.

Il ne répondit pas tout de suite. Il la regardait. Il regarda la robe décolletée, les bijoux, la coiffure en boucles. Puis il rit d'un rire idiot d'ivrogne.

– Tu es ravissante – il parlait d'une lèvre molle, déformant les mots –, le rose te sied toujours. Ne t'es-tu pas mariée en rose ? Il me semble me rappeler la robe au pied du lit. Tu la portais ensuite le dimanche à Golden Lane. Sans ces colifichets, toutefois. Les diamants te vont bien. Je ne pouvais pas t'acheter de diamants, je n'avais pas d'argent. Je faisais ce que je pouvais pour économiser, mais tu dépensais tout.

Voix vague d'un homme dont l'esprit bat la campagne, dont les sens imprégnés d'alcool n'éprouvent plus de sensation, et qui déforme les événements du passé pour les accorder à ses songes.

– Si c'est pour me dire cela que vous êtes venu, vous perdez votre temps.

Elle ne sentait rien dans son cœur que de la colère. Il n'était qu'une coquille vide sans vie, sans substance. Elle ne pouvait même pas le plaindre. Il était mort.

– Je veux que tu reviennes. Je veux Mary et Ellen. Je veux mon fils.

– Autrement dit, vous voulez de l'argent. Parfait, combien ? J'ai vingt livres dans la maison. Je peux vous les donner. Vous en aurez bien pour une semaine, jusqu'à ce que les bouteilles soient vides.

Il fit un pas vers elle. Elle s'approcha de la porte.

– La maison est pleine de domestiques. Je n'ai qu'à appeler et l'on vous jettera dehors, je vous conseille donc de ne pas me toucher.

– Est-il ici ?

– Qui ?

– Ton Altesse…

Il prononça une épithète ordurière et mit sa main devant sa bouche, réprimant un sourire niais, puis baissant la voix et avec un mouvement du menton vers la porte :

– Je lui ai fait peur, tout de même. J'ai vu son avocat. Pas de procès, voilà ce qu'il dit.

– Vous avez vu Adam ?

Il sourit encore, puis, agitant le doigt avec une solennité
d'ivrogne et choisissant soigneusement ses expressions :

– J'ai vu quelqu'un qui se disait Trésorier. Je ne me rappelle pas
son nom mais je lui ai tout dégoisé. Oh ! oui, et en détail, comment
on s'embrassait et se pelotait dans l'impasse, et que tu avais commencé d'abord avec l'imprimeur, et avec ton beau-père, par-dessus
le marché. Je lui ai dit que tu avais acculé mon frère au suicide, gas-
pillé sa fortune et la mienne, puis décampé en emportant ce qu'il en
restait, pendant que j'étais mourant. Cet homme s'est montré très
reconnaissant, très poli. Il m'a dit qu'il compatissait profondément
avec moi et qu'il mettrait Ton Altesse en garde afin qu'elle ne se
laisse pas gruger davantage.

Elle appela Pierson.

– Reconduisez cet homme à la porte.

– Pas si vite, dit Joseph. J'ai autre chose encore à te raconter.

– J'en ai assez entendu.

– Des incidents me sont revenus. Comment, par exemple, tu
avais pris pour cuisinière ta propre sœur, la fille de Bob Farquhar,
et l'avais affublée d'un tablier à fanfreluches. Je lui ai raconté que
ta mère tenait pension, pension… l'étiquette couvre la marchandise. Oh ! oui, il était enchanté, il a tout noté, en détail, dans un
petit calepin… Merci, Mr Clarke, ceci va nous être très utile…

Pierson était là ainsi que le valet de pied. Ils avaient tout
entendu. Ils la regardaient, les yeux ronds, attendant ses ordres.

– Sortez-le.

Il n'opposa pas de résistance, ne fit pas de tapage, on ne le porta
pas dehors comme la femme du charbonnier. Il traversa le vestibule
d'un pas traînant et mal assuré, saluant, souriant d'un air humble,
son chapeau chiffonné à la main.

– Je t'attendrai samedi avec les enfants. Notre anniversaire de
mariage approche. Nous le fêterons en famille comme d'habitude.
Comme à Golden Lane, te rappelles-tu ?

Les domestiques l'aidèrent à descendre les marches du seuil. La
porte se referma sur lui. Pierson regagna l'office avec les deux

valets, en détournant les yeux. Elle se retourna et vit le duc au haut
de l'escalier.

– Je l'ai renvoyé.

– Je le vois.

– Il n'est pas seulement ivre, il est fou.

– Il m'a paru assez lucide.

– Il vous a plu de l'écouter… Où allez-vous?

– J'ai demandé ma voiture. Je ne couche pas ici ce soir.

– Et pourquoi cela?

– Il faut que je parte très tôt demain matin. Je dois être à Windsor
à dix heures et demie.

– Vous ne m'en aviez rien dit.

– J'aurai donc oublié.

Il n'y avait point de contact entre eux, rien qu'une politesse vide
et conventionnelle. Il effleura sa main des lèvres avant de partir en
murmurant quelque chose à propos du dîner du vendredi. Elle
entendit la voiture s'éloigner, puis, avec un cœur de plomb, monta
à sa chambre. Elle regarda son visage au miroir. Les yeux étaient
inquiets, fixes et sans éclat. Deux rides révélatrices reliaient le nez à
la bouche. Dans une semaine, elle aurait trente ans. Elle s'assit
devant son miroir, et massa les deux rides. Personne à qui parler,
pas même Martha.

Le onze au matin, on lui remit un billet. Il était de la main du duc
et disait : « Adam viendra vous voir à six heures. » Rien de plus. Pas
d'allusion à ce qu'Adam viendrait faire chez elle. Elle ne sortit pas de
la journée. Elle resta d'abord assise à attendre. Puis, comme les
heures passaient, elle visita sa maison. D'abord les chambres des
enfants, bien rangées, du fait de leur absence. Celle de Mary (elle
aurait bientôt treize ans), austère, pieuse, des bibles sur l'étagère et
des images de saints aux murs… Cela lui passerait. Celle d'Ellen (dix
ans), plus enfantine, contenait une corde à sauter, deux volumes de
poésie (romantique) et, au-dessus du lit, un grand portrait en couleurs du duc arraché d'un journal. Dans la chambre de George, l'on
voyait des boîtes de peinture, des boîtes de billes, des soldats sans tête
ou sans bras ; le duc encore, à cheval cette fois ; un portrait de George
lui-même en uniforme de cadet ; une gravure représentant l'école
militaire de Chelsea et des petits garçons en train de faire l'exercice.

La sonnette de la porte retentit à toute volée. Elle descendit en courant l'escalier. Ce n'était pas Adam mais Will Ogilvie. Ils bavardèrent de choses et d'autres. Elle ne dit rien de ce qui s'était passé, ou allait probablement se passer. Elle eut l'impression qu'il l'observait, qu'il attendait quelque chose mais elle fit comme si de rien n'était. Elle n'avait pas de nouvelles à lui donner de leurs affaires militaires, fort ralenties d'ailleurs depuis plusieurs semaines. Il s'aventura à mentionner une promotion. Elle haussa les épaules : rien n'avait passé ces derniers temps. Il ne la pressa point, puis, au moment où il prenait congé en lui baisant la main, il lui dit d'un air négligent, et comme en passant :

– Il paraît que Mrs Carey, la danseuse, est à Fulham.

– Vraiment ? Je ne sais pas grand-chose d'elle. Elle danse au Théâtre royal, n'est-ce pas ? Je n'y suis pas allée.

– Vous êtes bien une des seules. Tout le monde raffole d'elle. Je sais que Son Altesse la connaît et a donné une soirée pour elle à Fulham Lodge…

Sur cette flèche du Parthe, Ogilvie la laissa.

Adam arriva à six heures tapant. Elle l'attendait dans le salon, habillée pour le dîner, le cou ceint des diamants que le duc lui avait donnés.

– Ma mission n'est pas très agréable, commença-t-il.

– Continuez, je vous prie.

– J'ai reçu ordre de son Altesse Royale le duc d'York de vous informer, madame, que vos relations avec lui sont aujourd'hui terminées. Il ne souhaite point de vous revoir ni de communiquer avec vous. C'est définitif.

Elle sentit le sang déserter son visage. Elle ne bougea pas, serrant seulement plus fort ses mains croisées derrière son dos.

– Son Altesse a-t-elle donné les raisons de cette décision ?

– Non, madame, sinon que des faits sont venus au jour qui prouvent que vous lui avez constamment menti, sur votre passé, votre famille, et sur d'autres sujets que Son Altesse Royale n'a pas précisés. Son Altesse Royale vous croyait veuve, et votre mari a essayé de lui intenter un procès en adultère. C'est là un détail, entre beaucoup d'autres. Votre prodigalité, également, et vos fréquentes demandes d'argent, ont exaspéré le duc à tel point qu'il se refuse à les subir davantage.

– Tout ce que j'ai dépensé, je l'ai dépensé pour lui. Cette maison, la maison de Weybridge, c'est lui qui les a voulues.

Adam l'interrompit d'un geste de la main.

– Excusez-moi, madame. Point de discussion, je vous prie. Le duc m'ordonne également de vous dire que, si vous vous conduisez comme il faut, il est disposé à vous allouer quatre cents livres par an, payables par quartiers. Mais il ne se considère nullement obligé de le faire ; c'est, de sa part, un acte de pure générosité, et sur lequel il reviendra immédiatement s'il le juge à propos.

Elle le regarda, abasourdie. Quatre cents livres ? Ses dettes se montaient à près de quatre mille. Rien qu'à Weybridge, les embellissements suggérés par lui, réclamés par lui, atteignaient au moins deux mille livres. La ferme, les jardins…

– Vous avez dû mal comprendre vos ordres, dit-elle. Le duc connaît mes difficultés financières. Il ne me proposerait pas quatre cents livres par an, le quart de ce que je paie en gages et en livrées.

– Quatre cents, tel est le chiffre fixé, dit Adam. Quant à vos dettes, Son Altesse entend les ignorer. Il vous faudra les régler du mieux que vous pourrez, en vendant le contenu de cette maison.

Elle essayait de penser, de prévoir, de se représenter l'avenir. Où habiterait-elle, qu'allait-il arriver ? Et George ? qu'adviendrait-il de George ?

– Mon fils, dit-elle, que va-t-il advenir de mon fils ? Son Altesse a promis de pourvoir à son éducation. Il est à l'école de Chelsea et doit entrer au collège de Marlow dans un an ou deux. Il est inscrit, j'ai vu le commandant.

– Je regrette, madame, mais je n'ai pas reçu d'instructions au sujet de votre fils.

Elle mesurait peu à peu sa véritable situation. Il faudrait mettre les domestiques au courant, leur payer leurs gages et les congédier tous. Il faudrait régler les fournisseurs, décrocher les rideaux, rouler les tapis, vendre les chevaux et les voitures, et au milieu de cette confusion, annoncer à la famille et aux amis que tout était fini… Regards apitoyés, expression de regrets hypocrites, sourires narquois…

– Il faut que je voie le duc, dit-elle. Il ne peut pas me quitter ainsi, sans un mot.

Une espèce d'affolement s'emparait d'elle. Tout était chaos. Le monde s'écroulait.

– Son Altesse Royale, madame, refuse de vous voir.

Il salua et partit. Elle n'essaya pas de le retenir. Elle s'assit près de la fenêtre. Elle tremblait. Elle songea : « Ce n'est pas vrai. C'est un cauchemar. Ou alors, Adam a menti. Il va venir ce soir et m'expliquera tout, il va arriver d'un moment à l'autre. Il m'a dit : vendredi à dîner ; il tient toujours parole. La dernière chose qu'il m'a dite c'est : vendredi à dîner. » Elle resta assise dans le salon à l'attendre. Sept heures, huit heures sonnèrent sans amener le bruit des chevaux. Elle appela Pierson.

– Pierson, il doit y avoir une méprise. Envoyez quelqu'un à Portman Square savoir si Son Altesse rentre pour dîner.

Pauvre prétexte pour essayer de sauver la face. Il y avait quelque chose dans l'air et ils le savaient bien. Les domestiques sont toujours les premiers à flairer les menaces et les catastrophes.

Pierson revint.

– Excusez-moi, madame, mais personne ne sait rien. Les domestiques de Portman Square croyaient son Altesse Royale ici. Son Altesse n'a donné aucun ordre là-bas pour le dîner ; elle doit être en chemin. Peut-être Son Altesse a-t-elle été retenue aux Gardes.

Aux Gardes ? Que non pas ! Au théâtre plutôt ou à Fulham Lodge pour s'assurer que la chambre à coucher était prête, les pantoufles devant le lit, le parfum sur la coiffeuse, les oreillers côte à côte, derrière les courtines.

– Pierson, envoyez quelqu'un voir, un peu avant neuf heures. Vous avez peut-être raison, il aura été retenu.

A neuf heures et demie, Pierson revenait lui rendre compte de sa mission.

– Son Altesse Royale est de retour à Portman Square. Mr Greenwood est avec lui, de même que Mr Adam. Ils sont en train de dîner. Le valet de Son Altesse Royale m'a remis ceci pour Madame.

Il lui tendit une lettre qu'elle ouvrit aussitôt. L'écriture était du duc mais non le style : guindée, conventionnelle, c'était une lettre d'homme de loi rédigée en termes juridiques :

« Vous n'êtes pas sans vous rappeler l'incident qui m'obligea à recourir aux services de mon homme de loi à propos d'un procès dont j'étais menacé à cause de vous. Les recherches qui furent entreprises à cette occasion me donnèrent des raisons de concevoir une opinion défavorable de votre conduite : vous ne seriez donc point fondée à m'accuser d'en avoir agi envers vous hâtivement ou sans réflexion ; mais, après les preuves qui m'ont enfin été apportées et qu'il vous serait impossible de nier, je dois à la dignité de mon caractère et de mon état de m'en tenir à la décision que j'ai prise et sur laquelle je ne saurais revenir. Une entrevue entre nous serait pénible pour tous deux, et ne vous servirait de rien. Je dois donc m'y refuser. »

Ses craintes, son affolement s'évanouirent sur-le-champ, remplacés par une espèce de fureur. Elle monta l'escalier en courant, prit une mante qu'elle jeta sur ses épaules, et ouvrit la porte. C'était une tiède soirée de mai, le couchant resplendissait d'or. Elle courut de Gloucester Place à Portman Square. Peu lui importait qu'on la regardât, qu'on tournât la tête. Elle n'avait qu'une pensée : le voir, l'affronter. Rien à faire avant que Greenwood et Adam fussent partis. Elle se posta au coin de la place, face au portail flanqué de colonnes, les yeux fixés sur l'imposte éclairée. Une heure passa. Peu lui importait, elle attendait. Les passants pouvaient imaginer ce qu'ils voulaient.

Enfin des silhouettes vagues parurent sur le seuil, quittant la maison. La nuit était tombée à présent, la place entière plongée dans l'ombre. Un instant plus tard, sa voiture vint se ranger devant le portail. C'était la preuve. Pas de lit solitaire à Portman Square ce soir mais dix pieds carrés de duvet à Fulham. Elle traversa la place et, comme la porte de la maison s'ouvrait devant le valet et les bagages, elle monta le perron et pénétra dans le vestibule.

– Bonsoir, Ludovic.

Le domestique la regarda, bouche bée :

– Bonsoir, madame, balbutia-t-il.

– Où est Son Altesse ?

– Je ne sais pas au juste, madame.

Pâle et tremblant, il jeta un regard dans la direction de l'escalier. Elle retroussa sa jupe et monta en lançant d'une voix haute et claire :

– Tout est prêt pour la culbute en voiture, sur la route de Fulham ?

Un valet qu'elle n'avait jamais vu sortit d'une chambre.

– Laissez-moi passer !

Elle le repoussa et l'homme surpris la laissa faire.

– Voici donc la chambre de garçon ? Je suis bien aise de la voir.

Elle s'arrêta sur le seuil, souriante, enveloppée dans sa mante. Le duc, penché en avant, était en train de changer de culotte, la jambe levée, le pied sur une chaise.

– Surpris par l'ennemi… Je vous demande pardon. Mais ce n'est pas la première fois, après tout. N'est-ce pas ainsi que les Français vous sont tombés dessus en Hollande ? En Flandre également, si j'ai bonne mémoire.

Il saisit une robe de chambre, le visage cramoisi. Elle claqua la porte derrière elle et s'y adossa. Elle riait.

– Grand Dieu, ne rougissez donc pas pour moi. J'ai l'habitude des caleçons. J'ai vu celui-ci cinquante fois Gloucester Place entre les mains de la laveuse, ou séchant sur une corde. Eh bien, à votre nuit !

Elle fit le geste de vider un verre. Il enfila sa robe de chambre et recouvra sa dignité.

– Je vous en conjure, dit-il d'une voix basse et précipitée. Quittez cette maison sur-le-champ avant que mes valets ne vous fassent sortir. Au nom du passé, de tout ce que nous avons été l'un pour l'autre…

– Au nom du passé, répéta-t-elle en le contrefaisant. Jolie formule ! A moi de m'en souvenir et à vous de filer en oubliant tout. Mais la mémoire va vous revenir. Au moins, vous avez dîné, à ce qu'ont dit vos domestiques, vous ne vous jetterez donc pas sur le repas qui vous attend à Fulham. De la soupe froide, s'il m'en souvient bien, suivie par du mouton. Mrs Carey aime-t-elle l'agneau aux épinards ? Préfère-t-elle la tourte ou les beignets ? Mais ose-t-elle en manger ? Il est heureux qu'elle ait à se mesurer à votre poids, cela lui servira d'exercice. Si elle pirouette au lit, elle déchirera les draps.

– Sortez-la, dit-il aux valets.

Elle avait employé le même mot, quelques jours auparavant.

« Sortez-le », avait-elle dit dans l'antichambre de Gloucester Place. L'intrus alors était Joseph. Ses domestiques avaient obéi. Cette fois, elle gagna seule le palier. Personne ne la toucha. Elle s'inclina en souriant devant le duc et, pour la dernière fois, lui fit la révérence.

– Je m'en vais. Mais j'ai d'abord une chose à vous dire. Si vous retirez votre protection à George, aux enfants – ne vous occupez pas de moi, je saurai me débattre, je suis une femme –, vous en pâtirez et le regretterez jusqu'à votre dernier jour. Je ferai en sorte que votre nom parvienne à la postérité… dans la boue. Rappelez-vous bien cela… Et maintenant, je vous souhaite bonne chance.

Elle descendit l'escalier en saluant de la main les domestiques, et traversa la place. Elle trouva sa maison obscure, toutes lumières éteintes. Elle frappa et sonna trois fois, personne ne répondait. Les rats avaient-ils déjà quitté le navire naufragé ? Elle haussa les épaules. Un moment plus tard, elle entendit le pas des chevaux. La voiture quittait Portman Square. La nuit était chaude et silencieuse. Les étoiles brillaient.

La réaction fut rapide, soudaine. Rien ne s'était passé. Cinq heures d'un sommeil agité et elle eut l'impression d'avoir rêvé tout cela. Adam était un traître qui s'était immiscé entre eux. Tout pouvait s'expliquer. Une nouvelle entrevue – oublions la soirée de la veille – aplanirait tous les malentendus. Il ne pensait pas ce qu'il avait dit, elle saurait le reconquérir. Des lettres furent expédiées à Portman Square, à Fulham, à Oatlands le vendredi, et même à Windsor. Deux billets laconiques arrivèrent en réponse.

« Si cela pouvait être le moins du monde utile à l'un ou l'autre d'entre nous, je n'hésiterais pas à complaire à votre désir de me voir ; mais comme dans la circonstance une rencontre ne pourrait être que pénible pour nous deux, je me vois dans l'obligation de m'y refuser. »

Ce n'était pas là son style, mais, une fois de plus, celui de Greenwood. De Greenwood et d'Adam, tous deux plantés derrière sa chaise.

« Je comprends parfaitement vos sentiments à l'égard de vos enfants, mais ne puis entreprendre ce que je ne suis pas sûr de mener à bien. Pour ce qui est de Weybridge, je pense que le mieux serait que vous en fassiez enlever vos meubles. »

Afin de laisser la maison vide à l'intention de Mrs Carey, sans doute ? Y avait-il trop loin d'Oatlands à Fulham Lodge ?

Elle restait assise, immobile, les deux billets à la main. L'illusion s'était enfuie. Ce n'était pas un cauchemar. Elle était tout simplement rejetée dans la foule de ses maîtresses abandonnées, de ces femmes qui avaient fait leur temps. Il n'avait pas eu le courage de le lui dire en face. Le lamentable prétexte d'une enquête sur sa conduite, et les accusations fabriquées par Adam lui épargnaient tout scrupule. Une femme qui avait cessé de plaire devenait encombrante. Dehors, donc, et plus vite que ça ! Place à la suivante ! Si vous voulez des dommages et intérêts, adressez-vous à un homme de loi. Mais avertissez-le de prendre bien garde avant d'attaquer. Un prince du sang ne cède pas au chantage. Le robin et sa cliente risquent la prison. Donc… acceptez votre congé avec le sourire ou faites-vous jeter à New Gate… Vous avez le choix.

Elle rangea les lettres parmi des centaines d'autres, lettres d'amour toutes, nouées de ruban cramoisi, puis fit chercher Mr Comrie, son avoué. Elle lui dit toute la vérité (elle le connaissait trop bien pour redouter sa pitié) puis lui demanda :

— Y a-t-il quelque réparation, quelque dommage-intérêt que je puisse lui réclamer ?

— Aucun. Vous n'avez pas d'engagement écrit.

— Ses promesses ? Ses assurances répétées que jamais rien ni personne ne nous séparerait, que si quelque chose m'arrivait il s'occuperait des enfants ?

— Promesses verbales uniquement. Pas une signature.

— J'ai conservé toutes ses lettres. Je les ai là, vous pouvez les voir.

Il secoua la tête, fronça les lèvres, refusa.

— Des lettres intimes d'un homme à sa maîtresse sans aucune promesse de dépôt, rente ou pension, n'auraient aucune valeur devant un tribunal. Je suis désolé, Mrs Clarke, mais il n'y a pas matière à plaider. La seule chose que je puisse faire est d'aller voir Mr Adam et de prendre des dispositions avec lui au sujet du paiement de votre annuité. Quatre cents livres, ce n'est guère après tant de splendeurs, mais qu'y faire ? Il vous faudra vivre sur ce pied-là.

— Et mes dettes ? Qui les paiera ? Je dois au moins mille livres.

— Son Altesse vous autorisera peut-être à vendre cette maison. Je l'estime environ à quatre mille livres. Cette somme couvrirait en partie les dettes les plus criardes.

— Et ces lettres ?

— Quelles lettres, Mrs Clarke ?

Elle désigna le paquet noué de ruban cramoisi :

– Ces lettres d'amour. Combien valent-elles pour le monde ? Elles ne parlent pas que de sa flamme, vous savez, Mr Comrie. Son Altesse était souvent fort indiscrète. Il y est question de Sa Majesté et de la reine, du prince de Galles, de la princesse, du duc de Kent. J'incline à penser que si la famille royale les voyait...

Mr Comrie prit un air très grave. Il leva la main :

– Dans ce cas, je vous conseille de les brûler sur-le-champ. Toute tentative de menace envers Son Altesse ou tout autre membre de la famille royale serait désastreuse pour vous et vos enfants. Je puis vous l'assurer.

Cervelle de robin... Parfait, elle n'en dirait pas davantage. Passons, mais conservons les lettres.

– Merci, Mr Comrie. Je m'en remets à vous. Vous verrez donc Mr Adam sans tarder ?

– Je le verrai aujourd'hui même. En attendant, quels sont vos projets ? Avez-vous l'intention de rester ici ?

Ses projets ? Elle n'avait pas de projets. Son monde était en cendres. Mais Mr Comrie n'avait pas à le savoir. Les finances étaient son affaire, mais non le cœur blessé, l'orgueil humilié, le sentiment de l'injustice.

– Je pense passer quelque temps à la campagne chez des amis.

Ce qui est encore à voir, se dit-elle. Combien de flatteurs lui demeureraient fidèles ? Étaient-ils déjà tous de service à Fulham ? L'on saurait cela dans moins d'une semaine, quand la nouvelle se répandrait. Bla... bla... Avez-vous appris ?... C'est vrai... Son Altesse l'a plantée là... Cette catin n'a que ce qu'elle mérite. Il était temps...

Roulons les tapis, affichons les pancartes « A VENDRE ». Mais que personne ne sache combien cela fait mal, ce que signifie pour elle l'écroulement de la brillante façade, de la situation, de la faveur, sans compter la perte d'un homme, d'un prince. Quand l'oreiller est royal, les étreintes vous élèvent sur un piédestal, mais toute aventure partagée, que le partenaire soit prince ou non, éveille des émotions. Superficielles, passagères ou durables, qu'importe ? Toute chair éprouve les mêmes sensations, que ce soit pendant trois heures ou pendant trois ans, mais au bout de trois ans les pigments mêmes sont impressionnés. Les mains, les épaules, les cuisses

deviennent terres connues, de même que les humeurs, la façon
d'être au petit déjeuner, le rire sans raison après minuit, le plaisir de
l'intimité, l'orgueil de la possession, l'éclat réchauffant le cœur,
l'assurance : « Cet homme est à moi ! » Tout était fini. Elle avait été
jetée au bas du lit, comme une souillon de cuisine. Il fallait jouer la
comédie, porter beau, hausser l'épaule avec insouciance, faire les
pires mensonges si les pires mensonges allégeaient la honte.

« Son Altesse est endettée jusqu'au cou (parsemer un mensonge de
quelques grains de vérité, est une bonne méthode). Je n'ai pas
le cœur de peser sur lui davantage, aussi ai-je l'intention de quitter
la maison de Gloucester Place, de vendre la plus grande partie des
meubles et de mettre le reste en garde. Je ferai de même pour
Weybridge, il n'a pas les moyens de tenir de tels établissements. C'est
désolant pour tous deux, mais cela vaut mieux ainsi. J'irai à la campagne avec les enfants et, si les choses s'arrangent, je reviendrai à
Londres. Le pauvre chéri est tellement pris par cette maudite guerre,
qu'il couche pratiquement aux Gardes. Je ne le vois plus jamais. »

En répétant cela souvent, elle finirait par le croire et ses amis de
même, ou ceux qui lui importaient le plus : sa famille et, surtout, sa
mère et Charley. Bill, également, au cas où Bill lui dirait : « Je vous
avais prévenue. Combien de fois vous avais-je mise en garde ? Je
savais que cela arriverait », puis, une fois de plus, lui offrirait la
maisonnette d'Uxbridge, d'un air timide et hésitant, mais avec un
espoir nouveau. « C'est tout ce que je puis faire pour l'instant, mais,
plus tard… »

– Bill devrait être le dernier à savoir. Plus proche l'ami, plus
amère la honte. Elle apprit avec soulagement qu'il devait faire partie de l'expédition de Buenos Aires et s'embarquer au début de juin.
Il serait temps de le mettre au courant à son retour.

Et les enfants ? Quelle conduite tenir vis-à-vis des enfants ? Mary,
à treize ans, avait de l'intuition et Ellen, à dix, était d'une curiosité
aiguë. Le petit pensionnat de May Taylor leur suffisait, mais il fallait penser aux vacances, prendre des dispositions, avoir réponse à
toutes les questions. A « Mais pourquoi quitter Gloucester Place ? »
il faudrait répliquer : « Londres est tellement cher ; mes enfants !
Nous mettre au vert nous fera le plus grand bien. » Le moment
venu, elle emprunterait la maison de quelqu'un.

L'Irlande... Pourquoi ne pas aller en Irlande auprès des Fitzgerald ? Père et fils lui avaient tous deux juré, à mainte reprise, leur dévouement. « Si vous avez jamais besoin d'aide, faites appel à nous. » Elle envoya un mot pour reconnaître le terrain et s'aperçut que le canal Saint George constituait une division très nette, en temps de crise. Des protestations de tendresse lui arrivèrent de tous deux, en même temps que des excuses : le climat en Irlande était tellement humide... ils étaient sûrs qu'elle s'y déplairait... en outre, la femme de Jamie Fitzgerald était un peu méfiante, Willie travaillait énormément, et la vie était difficile, etc., etc. Peut-être pourraient-ils se rencontrer en automne ?

Autrement dit, Mrs Clarke, rien à faire. Pas pour l'instant, en tout cas. Les membres du parlement sont tenus à la prudence, même les membres irlandais et d'opinions radicales, mais le temps montrerait peut-être de quel côté soufflait le vent. Elle songea aux lettres que Jamie Fitzgerald lui écrivait après trois verres de porto à Gloucester Place, et à ce qu'il lui chuchotait à l'oreille pendant un dîner. Rien d'étonnant que sa femme fût méfiante, elle l'eût été encore davantage si elle avait lu les lettres que renfermait certain petit coffre noué d'un ruban.

Qui d'autre lui avait juré amitié et fidélité ? Will Ogilvie, mais sans mettre sa main sur son cœur. D'homme à homme, en associé dans une affaire. L'affaire avait sauté, elle attendait son congé. Elle pouvait en imposer à d'autres, elle ne comptait pas en imposer à Will.

Il vint la voir, poli et nonchalant comme à son habitude, le matin où elle essayait de décider quels meubles vendre et quels mettre en garde.

– Ne perdez pas la tête, dit-il tranquillement, gardez ce qu'il y a de mieux. Ces objets sont un capital et vous en aurez besoin. Bazardez la pacotille, le bric-à-brac, le clinquant. Cela provoquera un certain intérêt d'actualité et se vendra bien.

Elle le regarda avec plus d'attention. Ses manières n'avaient pas changé. Elle lui dit :

– Je ne pensais pas vous voir. Je vous imaginais à présent à Fulham...

– Rien à faire là, répondit-il. Ce n'est pas une femme d'affaires. D'ailleurs, elle ne durera pas longtemps. Je lui donne six mois.

– Et après ?

Il haussa les épaules.

– A vrai dire, je continue de miser sur vous. Je considère comme des plus vraisemblables que vous le repreniez.

Le vent tournait. Elle sentit une vague d'espérance lui gonfler le cœur.

– Qu'est-ce qui vous le donne à penser ? Avez-vous entendu des rumeurs ?

– Non, sinon que ce sont Adam et Greenwood qui, à eux deux, ont manigancé votre perte. Ils savaient, assurément, ce que nous avions fait. Notre affaire gâtait leur marché particulier, il fallait donc vous supprimer. Cela se préparait depuis des mois, en fait, depuis que Gordon a succédé à Clinton comme secrétaire militaire. A propos, c'est Adam qui a présenté le duc à Mrs Carey. Elle n'a pas de cervelle, elle n'est donc pas dangereuse.

– Mais le duc est-il amoureux d'elle, Will ?

– Un feu de paille. Une friandise pour son palais blasé. Il travaille trop. Et il est terriblement sensible à la critique. De ce côté-là, il n'en a pas fini, vous verrez. Vous verrez le parlement, pendant la prochaine session. Les whigs veulent absolument perdre quelqu'un, et personne ne conviendrait mieux à leurs desseins que le commandant en chef d'une armée en déroute.

Le tumulte de ses esprits s'apaisa soudain. Les vues de Will étaient réalistes, terre à terre, ses outils étaient des bêches acérées comme des rasoirs. On était loin des scrupules paralysants de Bill. De Will, pas de paroles de condoléances, pas de maisonnette à Uxbridge, mais un coup de pied au derrière pour vous redresser l'échine.

– Eh bien, fit-elle, c'est vous qui m'avez menée là, vous et Tom Taylor. Que dois-je faire à présent ?

Il tendit une main de professionnel et toucha son visage, remonta les contours où les lignes révélatrices creusées encore par le manque de sommeil se dessinaient avec netteté.

– Je parle franchement ?

– Oui, pour l'amour du Ciel. Je suis dégoûtée des flatteurs.

– Disparaissez pendant un an et reposez-vous. Le tourment peut démolir la beauté d'une femme, surtout lorsque, comme chez vous,

c'est une beauté faite de charme et de gaieté. Vous n'avez pas un
seul trait vraiment beau dans tout votre visage. L'expression de vos
yeux fait tout.

– Que me conseillez-vous ? Un couvent ?

– Non. Six mois d'ennui, et un lit pour vous toute seule, à moins
que vous n'ayez un garçon en réserve que vous puissiez siffler de
temps à autre quand vous avez envie de vous distraire. Ne vous
tourmentez pas pour la dépense. Le jeu continue.

Elle le regarda et sourit.

– Vous avez manqué votre vocation. Vous auriez dû être un apo-
thicaire et mélanger des drogues. Pas de pilules pour une femme,
passé la trentaine, rien que du champagne. Comment le jeu conti-
nue-t-il ? Où cela, et quand ?

– La rupture n'est encore qu'un potin qui ne s'est pas répandu
bien loin. Le menu fretin continue à croire à votre influence.
L'affaire des avancements militaires est terminée, mais il reste
beaucoup de services de l'État où je sais manœuvrer, et votre appui
royal continuera d'éblouir les clients. L'argent continuera de rouler
vers vous, ne vous y trompez pas. Puis, quand Mrs Carey aura terminé sa carrière et que vous aurez retrouvé votre teint, nous verrons
où nous en sommes. A propos, avez-vous gardé ses lettres ?

– Toutes.

– Bravo ! elles pourront être utiles. Enfermez-les à clef. En attendant, si vous comptez des whigs parmi vos amis, accrochez-vous à
eux et lâchez les tories. Cette coalition ne durera pas un an.

– Vous voulez dire que les whigs viendraient au pouvoir ? Le roi
n'en voudra pas.

– Ils ne viendront pas au pouvoir, comme vous dites, mais ils
peuvent, en constituant une forte opposition, devenir très gênants,
et ils rechercheront tous les scandales propres à servir leur cause.
Auquel cas, vous et moi les trouverons peut-être utiles. Mais n'y
pensez pas pour l'instant. Chaque chose en son temps. Je suppose
que Comrie, votre avoué, vous représente officiellement et a tiré
tout ce qu'il pouvait d'Adam, Greenwood et compagnie ?

– Quatre cents livres par an et le bail de la maison. Rien de plus.

– Le cadeau d'adieu le plus minable qu'on puisse imaginer, et
bien digne, si j'ose dire, de la largesse royale. A propos, vous n'êtes

pas la seule qu'on ait plantée là. Le prince de Galles vit avec lady Hertford. Et Maria Fitz a maigri d'une livre.

– Il lui reviendra. Il lui revient toujours. Elle l'a pris jeune. Je crois que c'est la seule méthode.

– Sornettes ! Plus juteux le fruit, plus lourde la chute. Si vous ne reprenez pas York, je vous trouverai un remplaçant. Il a cinq frères, comme vous le savez, et tous très ardents.

– Merci. Chatte échaudée… Je me contenterais de la pairie. Je garde en mémoire ce que vous m'avez dit des whigs. Connaissez-vous Lord Folkestone ?

– William Pleydell-Bouverie, Mylord-Égalité ? Celui qui a passé sa jeunesse en France et parle révolution ? Je l'ai vu deux ou trois fois. Sévère, mais séduisant.

– Il est venu dans ma loge au théâtre, il y a quelques semaines, avant tous ces événements. Je n'avais pas pensé à lui depuis, mais je ne lui ai pas fait mauvaise impression. Il a du goût pour moi.

– S'il en est ainsi, tâchez de le garder accroché ; il pourra devenir un allié de valeur. Quels autres admirateurs avez-vous prêts à bondir à votre aide ? Le digne Dowler ne doit pas être loin.

– Bill part pour Buenos Aires, il est hors de jeu. Il y a bien Coxhead-Marsh, en Essex, mais encombré, comme tous ces messieurs, d'une épouse. Toutefois, il est rempli de vertu et servira peut-être. Je pourrais bien moisir six mois avec lui. Mon contingent irlandais m'abandonne, sans quoi Dublin aurait été assez amusant. A part cela, j'ai l'embarras du choix. Russell Manners, le fils du général, encore un membre du parlement, se meurt d'amour pour moi. Sa maison d'Old Burlington Street est à ma disposition.

– Prenez-la, ma chère, si elle est vide.

– Elle ne l'est pas. Voilà le malheur. Il se mettra à mon service et escomptera sa récompense.

– Vous pourrez toujours vous dire souffrante.

– Pendant trois nuits, oui, pas pendant une quinzaine. Je préférerais encore subir toute la comédie, ses reniflements compris, que d'inventer de nouvelles excuses pendant quatorze jours… Oui, Burlington Street pourrait être mon pied-à-terre. Et il a un beau-frère fort riche appelé Rowland Maltby qui paie toutes ses notes et est marchand dans la City, à Fishmonger's Hall. Nous pourrions gagner de l'argent par eux, ils connaissent des foules de gens qui tous ont leur nez dans le fromage.

– De mieux en mieux. Poursuivez.

– Mon Dieu, j'allais oublier Lord Moira ! De la cire vierge entre mes mains, la dernière fois que je l'ai vu, du moins, en avril, mais bien des choses changent en deux mois. Fort réservé et des plus délicats ; pas question pour lui de trousser une femme et de la culbuter en voiture. Il s'est beaucoup intéressé à George et a joué aux soldats avec lui. Le style larmoyant, la détresse d'une femme... il y sera pris, j'imagine.

– Gardez-le en réserve, Mary Anne, comme la dernière carte de votre jeu.

– Quand tout le reste aura échoué ?

– Quand le dernier citron aura été pressé. Maintenant, suivez mon conseil et reposez-vous, quittez Londres. Oubliez Son Altesse pendant six mois. C'est tout ce que je vous demande. »

Cette visite releva ses esprits jusqu'aux cieux. Elle se sentait, auparavant, inerte, engourdie, sans réaction, et elle n'avait plus l'ombre d'un espoir. A présent, grâce à ses propos, elle recommençait à chanter. L'abattement l'avait quittée, la tristesse s'envolait par la fenêtre. La malchance était un méchant lutin, il fallait lui cracher à la figure, le combattre, l'écraser ; la fortune était une proie à saisir et à ne plus lâcher ; la vie, une aventure, une alliée et non une ennemie. Elle allait et venait, triant meubles et bibelots, calme, l'esprit clair, sans la moindre sentimentalité.

« Ceci peut disparaître, et ceci, et ceci de même. » Les candélabres, les lampes, les rideaux... La maison rapporterait davantage si l'on y laissait ces quelques accessoires par-dessus le marché. « Mais cela, je le garde, cela et les douze chaises. » On se serait presque cru revenu six ans en arrière à Golden Lane, entre les huissiers et Joseph abruti. Six ans seulement ? Un siècle. Une éternité. Mais Joseph était cause de tout ici comme à Golden Lane. Joseph et Adam, à eux deux, avec les mensonges et la ruse. « Oui, vendez le lit à baldaquin. Il fera un bon prix, surtout quand on saura qui y a dormi. Le matelas aussi, un peu usagé. Mais pas les draps. Je tiens à garder les draps à monogramme. »

Sentiment ? Non.... Sens commercial. Ils pourraient servir à la duchesse à Oatlands. Une offre de vente amènerait forcément une réponse. « S'il plaisait à Votre Altesse, je possède des draps. Légèrement usés en partie mais, dans l'ensemble, en bon état et ornés de monogrammes brodés. Si Votre Altesse refuse de les acheter, ils seront mis en vente publique chez Christie avec tous les détails concernant les personnes qui les ont utilisés. Le motif qui me pousse à les proposer à Votre Altesse avant tout autre acheteur possible est de pure délicatesse et à seule fin d'éviter une offense au bon goût. » Valaient-ils cent guinées ? La duchesse pourrait trouver cette somme. Elle achèterait alors les draps et les ferait raccourcir pour y coucher ses chiens.

« Quel prix cette commode ventrue ? » Non, pas aux enchères. Une transaction privée avec le colonel Gordon. « Connaissant l'insuffisance des aménagements aux Gardes, la pénurie d'objets de première nécessité due à la guerre, Mrs Clarke se fait un plaisir de proposer une grande commode, solidité garantie, à l'intention du colonel Gordon, secrétaire militaire. Ladite commode faisait partie, en dernier lieu, de l'ameublement du 18, Gloucester Place et a servi au commandant en chef lui-même. Si la présente proposition de vente privée était refusée, ladite commode serait offerte chez Christie ou au Royal Exchange pour le double du prix demandé ici. »

Gordon n'oserait pas refuser. Il serait forcé de trouver l'argent pour étouffer l'affaire. Quels autres souvenirs seraient encore monnayables, ouvriraient les mains pieuses et feraient baisser les yeux ? Une chemise de nuit d'homme, rentrant déchirée du blanchissage ? A envoyer à Mrs Carey avec un peloton de fil à repriser.

Une paire de caleçons. A la reine peut-être ? « N'ignorant point la profonde affection que porte Votre Majesté au prince Frédéric-Auguste, duc d'York et d'Albany, moi, Mary Anne Clarke, votre très humble et dévouée servante, prends la liberté de vous envoyer ce gage touchant qui habilla les membres inférieurs de votre second fils, retrouvé, à ma grande surprise, sur le divan du salon. » Voilà qui ferait sensation à Windsor et donnerait le frisson aux dames de la chambre.

Will Ogilvie avait dit vrai. Le jeu continuait. Il y avait encore des nigauds prêts à payer places et honneurs et qui croyaient qu'elle tirait toujours les ficelles qu'il fallait. L'ami d'un ami d'un ami, et l'argent changeait de mains. Burlington devint le centre des opérations, une fois Gloucester Place vendu et les meubles mis en garde. Russell Manners, député, et mari d'une douce jeune femme qui vivait à la campagne, était son hôte en dépit de ses narines renâclantes. Quand le parlement se mit en vacances pour l'été et que les épouses réclamèrent leurs maris, elle changea de résidence. L'argent diminuait et le repos s'imposait. L'on avait subi les reniflements mais l'on avait les nerfs à fleur de peau. Dans un moment de folie, elle écrivit une lettre au duc : « Il me faut cent livres pour quitter la ville. Mes dettes sont toujours impayées, et mes créanciers me harcèlent. Tout ce que j'ai tiré de la maison est allé payer mes fournisseurs les plus pauvres. Si vous ne répondez pas à ceci, je viendrai camper devant votre porte. »

Il répondit par retour du courrier, en envoyant deux cents livres en billets. La lettre fut apportée par un domestique de Portman Square qui déclara que Son Altesse était seule et que ni Mr Adam ni Mr Greenwood ne se trouvaient auprès de lui. Ainsi… quand les espions étaient absents, la conscience se réveillait. Il disait dans la lettre qu'il espérait qu'elle allait bien et que ses enfants étaient auprès d'elle. Qu'elle ne s'inquiétât point au sujet de George : son éducation était décidée, sa carrière assurée, il lui en avait fait promesse. Quant à elle et à son avenir immédiat, une maison était à sa disposition, inoccupée pour l'heure, en attendant un locataire convenable, et où elle pourrait habiter jusqu'à l'apparition dudit. La maison était assez éloignée de Londres, sise à Exmouth, mais nul doute que l'air de la mer dût lui faire grand bien ainsi qu'aux enfants ; et il espérait que son séjour pourrait s'y prolonger jusqu'avant dans l'hiver. Il était bien sincèrement à elle, Frédéric, P.

Fallait-il croire que Fulham commençait à pâlir ? Pas encore, décida-t-elle. S'il en était ainsi, il ne l'expédierait pas dans le Devon. Elle, à cent lieues de la ville, il respirait plus à l'aise. Quel contraste avec ses lettres de l'année précédente ! Elle en sortit une du paquet, écrite à Weymouth. « Comment pourrai-je assez dire à mon plus doux, mon plus cher amour, le délice que sa chère et charmante lettre m'a causé, et combien je ressens toutes les bonnes choses qu'elle m'y dit ? Des millions et des millions de fois merci, mon ange, et sois sûre que mon cœur est pleinement sensible à ta

tendresse et que d'elle seule dépend tout son bonheur. » *Et cœtera,
et cœtera...* et, pour finir : « Dieu te bénisse mon cher, cher amour.
Je manquerais la poste si j'en écrivais davantage. Oh ! crois-moi
toujours, et jusqu'à ma dernière heure, à toi et à toi seule... »

Elle remit la lettre dans sa pile enrubannée, la pile dans la cassette noire et la cassette au fond d'un coffre, pour plus de sécurité.
Et va pour Exmouth, les pieds dans le sable, et les taches de rous-
seur, avec ses enfants, sa mère, Isobel, le mari d'Isobel ; avec
Charley en congé de maladie d'un nouveau régiment ; car il avait
changé encore une fois et quitté les dragons pour le 59ᵉ à pied ; May
Taylor et sa sœur, qui ne savaient où aller, l'année scolaire finie ; le
pauvre Mr Corri auquel le docteur ordonnait l'air de la mer et qui
n'avait plus d'élèves à Londres l'été ; et – Dieu soit loué – Martha,
Martha, lasse du charbonnier et de la bigamie dans une chambre de
Woolwich, et qui ne demandait qu'à tenir le ménage, une fois de
plus, pour une douzaine de gens. Manchester House, vaste
demeure, était la maison du Bon Dieu ; tout le monde y trouverait
place ; quant aux notes de nourriture, on les enverrait à la duchesse
à Oatlands... Repos, donc détente, sans penser au passé ni à l'avenir. *Farniente* au soleil tout le jour, jeux avec les enfants...

Et l'hiver, quand chacun cherche un abri, quand la pluie et le
brouillard de la côte abattent les esprits, retournerait-elle à Old
Burlington Street ou bien en Essex dans cette maison du Loughton
mise à sa disposition par Coxhead-Marsh ?

Un de ces hommes pouvait bien retourner ses poches à son intention, quand on songeait à ce qu'elle avait fait naguère pour eux
tous ; aux places, aux promotions, aux faveurs qu'elle leur avait
procurées. Autrement dit, choisissons un logis et continuons de faire
rouler la balle.

CHAPITRE IX

– Je te dis que c'est la vérité.

– Mais, gamin chéri, c'est tout à fait incroyable.

– C'est peut-être incroyable, mais tu ne connais pas Fane. Il m'a tout de suite détesté, et les autres comme lui. Dès que j'ai rejoint le régiment, j'ai compris que j'avais commis une sottise ; ils m'ont rendu la vie aussi désagréable qu'il se peut. Leurs ordres venaient de haut, cela ne fait aucun doute. Je l'ai bien compris à ce qu'on disait au mess. « Prends garde, Thompson, le capitaine a dit qu'il te briserait ! » Pourquoi cela ? ai-je demandé. D'abord, ils ne voulaient pas répondre, puis comme j'insistais ils me l'ont dit : « C'est dommage que tout soit rompu entre le commandant en chef et ta sœur. Le Grand Quartier général la traîne dans la boue, et chacun le sait. Tout ce qui se rattache à elle est condamné. C'est inscrit dans les Instructions générales. Il y en a un qui l'a vu, je ne peux pas te dire qui. » Là-dessus, je tombe malade, tu sais combien gravement... trois docteurs m'ont dit que je n'étais pas en état de faire mon service. J'ai sollicité un congé de maladie. Mon colonel, le colonel Fane, m'a répondu qu'il n'était pas en son pouvoir de me l'accorder, que je devais m'adresser à l'officier inspecteur en envoyant un certificat de médecin. L'officier inspecteur était à Newark, moi à Leeds. Je souffrais le martyre, je ne pouvais plus attendre, il fallait que j'aille à Londres consulter un meilleur médecin. Je partis donc et, une fois en ville, envoyai le certificat. Puis, pendant que tu me soignais à Loughton de cette double mastoïdite qui m'a rendu littéralement fou, ils ont comploté ça.

Il jeta la *Gazette* aux pieds de sa sœur.

« Capitaine Charles Farquhar Thompson, 59e Régiment à pied, suspendu. »

Elle vit ses yeux étincelants, ses mains tremblantes. Ce n'était plus un homme mais le petit garçon de l'impasse qui disait : « Ce n'est pas juste. Le grand m'a battu. Il est plus fort que moi, il m'a jeté dans le ruisseau. » Alors elle essuyait ses larmes, le mouchait, lui disait : « Je te protégerai, n'ait pas peur » mais lui, bouillonnant de rage, saisissait la première arme qui lui tombait sous la main, casserole cassée, tisonnier, manche à balai, et courait après le brutal. Elle prit la *Gazette* et relut le communiqué.

— Ne te tourmente pas, Charley. Je te ferai réintégrer.

— Comment pourras-tu ? Tu n'as plus d'influence. Tu as perdu ta place, tout comme moi. Nous sommes finis.

Il se jeta dans un fauteuil, décoiffé, sa tunique tachée, ses boutons ternis.

— Je te dis que je n'ai pas une chance. Je le savais depuis des mois. Toi aussi, tu le savais, mais tu as voulu t'illusionner. Ces semaines à Exmouth où tu prétendais que tout allait bien, que le duc t'avait prêté la maison pour l'été et mourait d'impatience de te revoir à l'automne. Qu'est-il arrivé, l'automne venu ? Tu as filé à Loughton en disant que tu avais pris l'habitude du grand air, que le duc avait chargé Coxhead-Marsh de veiller sur toi, et que Rowland Maltby et Manners payaient les notes. As-tu vu Son Altesse ? Pas une fois. Tu n'as même pas reçu de lettre de lui. Il a rompu avec toi pour de bon, et tout le monde le sait. Non content de cela, il a lancé ses espions sur moi, et l'on doit me briser, me jeter hors de l'armée. Quant à George, lui aussi son compte est bon. Pas de nouveaux cadets à Marlow, la liste est définitivement close. Je le tiens d'un instructeur de là-bas.

Il rit et tout le passé était dans ce rire : la chaleur de l'impasse, l'odeur des égouts, les cris d'enfants, le goût des aliments environnés de mouches, la voix basse de leur mère les appelant de la cuisine, le cruchon de bière de Bob Farquhar renversé sur la table.

— Pour l'amour du Ciel, tais-toi…

— Pourquoi me taire ? C'est toi qui m'as élevé. Toute ma vie, je t'ai suivie. C'est toi qui m'as dit ce que je devais faire, ce que je devais rechercher. Vise haut, me disais-tu, et si tu ne décroches pas ce que tu veux, moi je te l'obtiendrai. Tu m'as toujours dit cela. Ma première charge, mon premier avancement, tout a été facile, je ne pouvais pas ne pas réussir. Et voilà qu'à cause d'une querelle idiote, tu gâches ta situation auprès du duc et démolis ma vie. Je suis la victime de ton imbécillité. Et pas moi seul, mais George aussi, tes filles, nous tous.

Il éclata en sanglots comme un enfant, retournant à l'époque où les pleurs provoquaient des baisers, des paroles de consolation, un soufflet sur la joue et un biscuit, les contes du bouton d'argent et du clan Mackenzie. A présent, ils provoquaient le silence, la mélancolie dans un regard, une main touchant ses cheveux en une caresse familière, et, enfin, une voix lointaine et étrangement effrayée.

– Je ne savais pas que tu attachais tant d'importance à ma liaison, à Gloucester Place. Je croyais que tu considérais cela comme une affaire, une maison où tu pouvais venir en permission.

– Une affaire ? Quelle espèce d'affaire ? C'était mon monde. Le monde que tu m'avais promis quand j'étais petit. Tu te rappelles ma passion pour le prince Charlie ? Eh bien, tu avais fait revivre sa légende, pour de vrai, du moins je le croyais. Le duc me souriait, bavardait avec moi après souper – tu ne te rappelles sans doute pas – et je retournais à mon régiment, fier comme un roi. Il me semblait que je venais de parler au bon Dieu... Tu ne comprends pas. Tu n'étais qu'une femme, sa maîtresse, mais lui et moi, nous étions entre hommes, nous parlions la même langue ; il m'interrogeait sur le régiment. Je le vénérais plus que n'importe qui au monde. Il représentait une chose que je ne peux pas expliquer, un rêve du fond de ma pensée qui avait pris vie. Et maintenant, tout cela est fini. Il ne reste plus rien.

Elle le regarda déchirer la *Gazette* en petits morceaux et les jeter au feu où ils noircirent et tombèrent en cendres.

– Crois-tu, lui demanda-t-elle, que George éprouve la même chose que toi ?

Il haussa les épaules.

– Comment le saurais-je ? C'est un enfant. A neuf ans, il peut s'imaginer n'importe quoi. Je sais qu'il croit que le duc est son père.

Elle se retourna et le regarda, stupéfaite.

– Qui t'a dit cela ?

– George lui-même. Ellen aussi le croit. Des contes de Martha…
Mary sait la vérité, elle se souvient de Joseph, mais de façon vague
et elle l'oubliera bientôt. Ils n'oublieront pas Son Altesse. Il est en
eux pour la vie. Et les appartements de Gloucester Place, les splendeurs. Rien n'égalera jamais cela pour eux. Tu leur as gâché leur
avenir, il vaut mieux que tu le saches.

Chaque mot qu'il prononçait touchait en elle un sentiment caché.
Les dix-huit mois qui venaient de s'écouler dans la platitude et
l'ennui, entre Exmouth, Londres et Loughton Lodge, avec le premier ami qui voulait bien payer la note – Russell Manners,
Coxhead-Marsh, Jamie Fitzgerald – devenaient lointains à présent,
comme s'ils n'eussent jamais été, et elle se revoyait à Gloucester
Place, triant les meubles, ceci à vendre, cela à garder, Will Ogilvie à
son côté lui disant : « Le jeu continue. »

Ce jeu n'était qu'une loterie à tous petits lots, et n'en valait pas la
chandelle, un jeu d'amateurs, bon pour des commis de boutique qui
considéraient un billet de dix livres comme le sommet de leur ambition. Il n'y avait là ni éclat, ni puissance, ni la gloire de jouer avec
de grands noms. « Mr Rowland Maltby pourra vous obtenir une
place de maître d'hôtel », et non plus : « Son Altesse Royale vous
recommandera… » Elle avait traîné à Loughton avec Coxhead-
Marsh, bâillé à ses histoires de coqs de bruyère, de perdrix, de
pigeons, elle se disait que l'automne était beau en Essex, mais, pendant tout ce temps, la fièvre couvait sous sa peau : je veux le
reprendre. Je veux retrouver mon pouvoir, ma situation, les murmures de Vauxhall : « Regardez, voilà Mrs Clarke, le duc ne doit pas
être loin », le frémissement, les sourires, les saluts, une mer de
visages…

Tout cela était fini, la bulle avait éclaté, le fleuve puissant était
devenu une mare stagnante.

– Ce qui m'a stupéfié, dit Charley, c'est la façon dont tu as
accepté tout cela. Tu n'as même pas lutté. Tu vieillis, ou tu t'en
moques ?

Cette question aurait dû lui attirer une paire de gifles, il aurait
mérité qu'elle le prît à la gorge, et les deux enfants du ruisseau se
seraient tiré les cheveux en criant : « Finis ou je te tue ! » Mais elle

alla simplement à la fenêtre et se mit à regarder le jardin bien taillé, l'allée de gravier, le paysage net et soigné d'Essex. Elle lui dit enfin :

– Va faire tes bagages. Nous allons à Londres.

– Pour quoi faire ?

– Ne pose pas de question. Tu avais confiance en moi dans notre enfance, tu peux avoir confiance en moi maintenant.

– Tu vas me faire réintégrer ?

– Oui. Tu vas retourner à ton régiment. Ton avenir dépend de la façon dont ton colonel t'accueillera. S'il est vrai qu'il a juré de te briser, il le montrera.

Enfin, de l'action, quelque chose à mordre, à déchirer. Sa colère avait trouvé une cible : ce colonel Fane, un sot gonflé d'importance, représentant de l'ordre et de la loi, émissaire d'Adam, de Gordon, du ministère de la Guerre. Une femme seule affrontait une race d'hommes qui lui étaient hostiles parce qu'ils reconnaissaient sa valeur. Elle avait empiété sur leur domaine, leur chasse gardée. C'est pour cela qu'ils la haïssaient, c'est parce qu'elle s'était montrée leur égale. Ils ne redoutaient pas Mrs Carey, ni à Fulham ni sur les planches ; l'art était admis, les artistes restaient à leur place. Mais si une femme se mêlait de prendre des initiatives, pillait les prébendes, se mettait à la tête du mouvement, où irait le monde ? La machine tout entière craquait.

– Comme tu as l'air sérieuse ! A quoi penses-tu ? lui demanda Charley dans la chaise de poste qui les menait à Londres.

Elle rit.

– En fait, j'étais à des lieues d'ici. Mes pensées n'avaient aucun rapport avec moi ou le présent. Je revoyais notre mère un jour, en train de laver la vaisselle, penchée sur le baquet dans la petite cuisine sans fenêtre – tu te rappelles comme elle était sombre ? – et les garçons se traînant par terre entre ses jambes et lui tenant les chevilles pour l'empêcher de bouger. Père entra et réclama son souper en criant après elle… Je l'ai frappé. Je n'ai jamais oublié ça.

– Qu'est ce qui t'y fait penser aujourd'hui, au bout de si longtemps ?

– Dieu sait…

La chaise de poste cahotait dans les chemins et penchait d'un côté puis de l'autre. Elle saisit la poignée de cuir et, de l'autre main, s'accrocha à Charley. Quelque chose s'était éclairé dans son esprit. Elle était confiante, heureuse. Elle en avait fini avec le pied-à-terre de Burlington Street, Russell Manners était parti pour les Indes. Tant mieux, elle ne voulait pas de complications pour l'instant et ne tenait pas à faire connaître sa présence à ses créanciers.

Deux jours à l'hôtel, puis un logement à Hampstead. Elle déposa des fleurs sur la tombe d'Edward, y planta des oignons qui fleuriraient au printemps, sans penser consciemment à Edward mais en ne songeant qu'à George. Hampstead était pour elle un lieu nostalgique et familier, plein de souvenirs, non pas de sa lune de miel avec Joseph, mais de ses premières amours avec Bill. Au Cottage Jaune, Mrs Andrews se montra cordiale et avenante, mais hélas n'aurait pas de chambre libre avant six mois au moins ; tout le premier étage était loué à un imprimeur, sir Richard Phillips. Mrs Clarke connaissait-elle ce nom ? Elle le connaissait, et décida de s'en souvenir. Un imprimeur pouvait être utile à certains projets. En attendant, Mrs Andrews pourrait-elle lui recommander un logis pour elle, le capitaine Thompson et, plus tard, les enfants ? Mrs Andrews lui conseilla d'aller voir Mr Nicols, Fask Walk, New End. C'était un homme très respectable, boulanger de son métier. Elle loua l'appartement du boulanger. Tout était prêt pour la première manche du combat.

Un billet à Portman Square resta sans réponse, mais, le 20 novembre, le capitaine Charles Farquhar Thompson, 59e Régiment à pied, était réintégré. Elle montra la *Gazette* à Charley avec un sourire de triomphe.

— Je te l'avais promis, n'est-il pas vrai ?

— Oui, mais maintenant ?

— Va rejoindre ton régiment à Colchester. Si le colonel Fane fait le méchant, écris-moi tout de suite.

George était encore en sûreté à Chelsea, mais Charley disait vrai, son nom avait été rayé des listes pour Marlow. Adam était un des gouverneurs du collège et Gordon aussi. Il était facile de discerner leur influence. Pour l'instant, Charley passait le premier, elle s'occuperait de George ensuite. Il y avait place pour eux tous chez Mr Nicols, de même que pour la gouvernante française (il fallait renoncer au pensionnat) et pour Martha. Sa mère resterait encore à

Loughton ; elle vieillissait et ses facultés baissaient ; elle se plaignait
sans cesse et demandait pourquoi Son Altesse Royale ne venait pas
la voir.

A la fin de la semaine, Charley revint de Colchester. Son visage
annonçait de nouveaux ennuis.

– Et alors ?

– Il faut que j'obtienne un changement. Le colonel Fane dit qu'il
ne veut pas de moi dans son régiment.

– Donne-t-il des raisons ?

– Toujours les mêmes : absence sans permission. Il y a encore
autre chose. Tu te rappelles ces effets tirés sur Russell Manners que
mère avait signés et que tu m'avais envoyés cet été ? Ils étaient
payables par Rowland Maltby à Fishmonger's Hall et j'avais chargé
le sergent payeur à Leeds de les encaisser, juste avant que je tombe
malade et vienne en permission. Les effets ont été refusés et nous
n'avons aucune preuve de ma bonne foi. Le colonel dit que je suis
passible de poursuites pour manœuvres frauduleuses.

– Mais c'est ridicule ! Rowland Maltby honore toujours les effets
de Russell.

– C'est là où tu te trompes. Maltby a refusé d'honorer ceux-là.
N'y a-t-il pas eu une brouille à Burlington Street entre Manners,
Maltby et toi avant ton départ pour Loughton ? Tous deux frappant
à ta porte et toi refusant de les recevoir ?

– Oh ! grand Dieu, mais ils étaient soûls comme des grives, et moi
morte de fatigue.

– Eh bien, voilà leur riposte. Mais le sergent payeur m'avait
avancé de l'argent sur ces effets, et ceux-ci ont été refusés. Si
l'affaire vient en justice, je suis perdu.

– Le colonel Fane a-t-il dit que tu serais poursuivi ?

– Il m'a dit que l'incident serait clos si je changeais de régiment.

– Très bien. Tu changeras. Tu auras ton changement à Noël.

Cette fois, pas de succès. Les lettres adressées Portman Square
lui furent retournées, non décachetées. Charley sollicita une
audience qui lui fut refusée ; Martha, qui avait voisiné avec le personnel de Portman Square, se présenta à l'office pour voir ses
anciens amis. Elle trouva de nouveaux visages et on lui ferma la
porte au nez. Mr Adam avait, disait-on, congédié ses anciens amis.

Mary et Ellen, en promenade dans Heath Street, furent suivies. La gouvernante française en eut une crise de nerfs et demanda à s'en aller. Un homme lui avait touché le bras et essayé de l'interroger : « Mrs Clarke est-elle à Hampstead ? Quelle est son adresse ? »

Ce pouvait être des créanciers ou même Joseph, mais, plus probablement, des espions d'Adam lancés sur sa trace. Charley arpentait le petit salon en se rongeant les ongles et en guettant la fenêtre.

– Pas de nouvelles de mon changement ?

– Pas encore. J'ai écrit.

A quoi bon lui dire que sa carrière était barrée ? Elle avait écrit à cinquante régiments qui, tous, l'avaient refusé. Aucune agence ne voulait l'inscrire sur ses registres. Les instructions du Grand Quartier général avaient pénétré partout : « Sur la liste noire : C.F. Thompson. » Des amis qui, deux ans auparavant, eussent brûlé de la servir, étaient soudain absents, malades, ou occupés. Elle s'adressa à Will Ogilvie. De lui, au moins, elle obtiendrait la vérité.

– Que se passe-t-il, Will ?

– N'avez-vous pas lu les gazettes ?

– Vous savez que j'ai passé tout l'été et une partie de l'automne à Loughton. Je ne suis rentrée que du mois dernier.

– Je vous avais recommandé de vous tenir au courant des événements. Ils sont clairs comme le jour. Au lieu de cela, vous avez laissé votre esprit se rouiller et préféré contempler Coxhead-Marsh au milieu d'une nuée de faisans.

– Si vous croyez que cela m'amusait… Qu'y avait-il donc dans les gazettes ?

– Des attaques, presque chaque jour, contre Son Altesse. Des libelles crachant des injures toutes proches de la vérité.

– En quoi cela me regarde-t-il ?

– Officiellement, en rien. Mais tout le monde au ministère de la Guerre pense que c'est vous qui les rédigez.

– Seigneur ! je ne demanderais pas mieux.

– Ils sont arrivés à fouiller votre passé. C'est-à-dire qu'Adam y est arrivé ainsi que Greenwood. Il ne s'agit plus de votre mariage, ma chère, mais de vos amusettes avec Grub Street et de l'argent que vous y gagniez quand vous habitiez Holborn.

– Est-ce pour cela qu'on veut expulser Charley de son régiment ?

– Assurément. Il est votre frère et on le met dans le même panier.

– Mais, Will, il est faux que…

– Peu importe. Vous êtes couverte de boue et l'on ne prête qu'aux riches. Mais l'important c'est que les gens lisent ces pamphlets et se disent : « Pas de fumée sans feu. » Notre ami, cette chère Altesse Royale, commence à perdre la faveur du public. Sa popularité pâlit et, avec elle, tout ce qu'il représente : l'Armée, l'Église, le Gouvernement tory, la guerre contre la France, la Constitution britannique. Laissez passer encore quelques mois et nous pourrons entreprendre des affaires plus hardies que par le passé. Vous ne jouez pas aux échecs, donc à quoi bon vous expliquer ? Vous êtes un excellent pion, Mary Anne, dans une certaine partie que je joue depuis quatorze ans, depuis que la France s'est débarrassée de ceux qui la gênaient en 93.

Elle haussa les épaules, agacée.

– Vous misez encore sur la république ? Eh bien, jouez tout seul. Je vous l'ai déjà dit : sécurité d'abord pour ma famille et pour moi. En ce moment, ce qui me préoccupe, c'est mon frère Charley. On veut le débarquer du 59ᵉ.

– Laissez-le débarquer. C'est sans importance.

– Pas pour lui. Pas pour moi non plus. Je n'admets pas qu'on l'expulse sans raison. Pouvez-vous lui obtenir une autre affectation ?

– Il est sur la liste noire. Je ne peux rien faire, ni moi ni personne. Voyez les choses de plus haut, ma chère, et ne vous énervez pas. Dans un an le gouvernement tombera, Son Altesse perdra son commandement. Un peu de patience, que diable !

– J'aime mon frère et il est au désespoir. Mon seul espoir est de faire entendre raison au duc. Rend-il toujours visite à Mrs Carey à Fulham ?

– Vous êtes démodée : il badine avec une pairesse… Maintenant, écoutez-moi, la tactique est complètement changée. Vous n'allez pas le reprendre. Vous allez l'abattre.

Le masque courtois était tombé. Les yeux noirs luisaient. Elle avait devant elle un autre Ogilvie, dur et sans scrupule.

– Agitez-vous comme une sotte pour votre frère, vous perdrez votre temps. Mais quand il sera congédié, et il le sera, revenez me voir : je vous dirai ce qu'il faut faire. Cela a été plutôt terne à

Loughton, n'est-ce pas ? Plus terne encore que dans le Devon parmi
les algues.

Elle le détestait, elle l'aimait, elle le craignait; elle avait
confiance en lui.

— Pourquoi, demanda-t-elle, devrais-je toujours faire ce que vous
me dites ?

— Parce que, répondit-il, vous ne pouvez pas vivre autrement.

Il l'escorta à sa voiture et en referma la portière. Elle rentra à
Hampstead où elle trouva Charley et les enfants qui l'attendaient,
l'air inquiet.

— Un homme surveille la maison, de la porte en face. Il a demandé
à Mrs Nicols si vous envoyiez des lettres à Fleet Street.

— Sottises ! N'y faites pas attention. Quelque ivrogne, sans doute.

La sœur adressa un dernier billet à Portman Square et le frère
écrivit directement aux Gardes.

La première reçut une réponse griffonnée à minuit : « Je ne sais
de quoi vous parlez. Je n'ai jamais autorisé personne à vous persé-
cuter ou à vous importuner. Vous pouvez donc être parfaitement à
l'aise à mon sujet. »

La lettre à Charley était sèche et officielle et lui donnait l'ordre
de se présenter sans tarder à Colchester.

— Donc tout va bien ? Je n'ai pas besoin de changer ?

Charley agita la formule imprimée. Ses yeux brillaient. Toute son
assurance revenait.

— Mais oui… Ça m'a bien l'air d'être ça.

Elle l'embrassa en souriant. Ogilvie se trompait donc. Il n'y avait
pas de vendetta. Il se précipita sur son équipement et se mit immédiatement en route.

Il fallait maintenant s'occuper de George, et le faire entrer à
Marlow ou à Woolwich. Ce serait facile, à présent que Charley était
casé. Tout semblait aisé. Les enfants étaient heureux. Personne ne
la tourmentait, et elle était pleine d'entrain. Une seule chose lui
manquait depuis le départ de Charley : un homme dans la maison,
au courant de ses humeurs, pas quelqu'un dont la présence exigeât
d'elle effort et contrôle, mais un homme qui ne compterait pas et
qui la comprendrait. Personne ne correspondait à ce type… Elle
prit le journal. L'expédition de Buenos Aires était-elle rentrée ?

La guerre d'Amérique du Sud avait été un fiasco, une dispersion des forces. L'ennemi n'aurait pu demander mieux. La faute était-elle au commandement ou aux politiciens ? Peu importait, ce qui comptait, c'est que Bill était peut-être de retour. Elle n'avait pas pensé à lui de dix-huit mois, mais il serait aujourd'hui exactement ce qu'il lui fallait. « Je vais tout de suite écrire à Uxbridge. Il doit être rentré. »

Elle oubliait combien elle avait souhaité qu'il s'éloignât pour ménager son orgueil lors de la vente de Gloucester Place, combien elle avait été heureuse de le savoir à Buenos Aires, hors de vue et d'ouïe, à des milliers de lieues de distance. Maintenant, son humeur avait tourné comme une girouette. Hampstead et ses souvenirs... Bill était l'homme qu'il lui fallait. Seigneur ! Qu'elle avait de choses à lui conter. Tous les remous, le diabolique complot d'Adam et Greenwood, aux mains de qui le malheureux duc n'était plus qu'un instrument docile, obligé de céder à leurs instances (inutile de mentionner le rôle de Mrs Carey). Catastrophe sur catastrophe, mais elle y avait survécu, grâce uniquement à ses efforts, à sa force de volonté. Russell Manners, Rowland Maltby et Coxhead-Marsh ? De vieux amis, tout simplement, assez ennuyeux, qui vivaient à la campagne et s'étaient montrés obligeants.

Charley parti pour Colchester, Bill fut convoqué. Il essaya de lui conter ce qu'il avait souffert à Buenos Aires, les privations, la maladie, le climat. Elle écouta cinq minutes, hochant la tête avec compassion, puis l'interrompit. Il était rendu à son rôle habituel de confident. Les mois et les années s'effaçaient, il était de nouveau là, calme, sûr, fidèle, adorant. C'était une chose agréable et reposante que cette présence familière, comme de mettre des chaussures confortables ou une vieille robe d'il y a trois ans retrouvée au fond d'un placard et complètement oubliée, mais dont la couleur est seyante et donne plus d'éclat au regard.

– Tu restes avec moi, n'est-ce pas ?

Elle l'embrassa derrière l'oreille.

– Cela ne va-t-il pas sembler bizarre ? Les enfants ont grandi.

– Je les renverrai à Loughton. Ma mère y est.

Charmant retour aux anciennes habitudes ! L'adoration est apaisante pour les nerfs, surtout quand le palais est blasé, et que l'on a

perdu le goût de la nouveauté. Bill pourrait rester jusqu'à sa prochaine mission. Il n'avait encore reçu aucun ordre à ce sujet. Sa
demi-solde suffirait pour l'instant à leurs dépenses.

L'annuité du duc n'avait pas été payée mais elle ne lui avait pas
manqué tant qu'elle habitait Loughton Lodge. Manœuvre d'Adam,
assurément; c'était lui qui arrêtait les paiements. Encore une petite
chose qu'elle comptait bien régler sous peu.

– Bill, c'est étrange. Aucune nouvelle de Charley.

– Il attend probablement ses ordres, comme moi. Son régiment
va peut-être partir pour l'étranger. L'on dit à Londres que nous ten-
terons bientôt une nouvelle expédition, en Espagne cette fois, et que
c'est Wellesley qui en prendra le commandement.

– Je crains que Charley ne soit malade. Il n'est pas très fort.

– Ça lui fera le plus grand bien de combattre un peu.

– C'est tout ce qu'il demande, répondit-elle vivement. Il voulait
montrer sa valeur et la prouver à régiment. Il n'en a pas encore
eu l'occasion jusqu'à présent.

Le silence de Charley était le premier nuage dans l'azur, l'annon-
ciateur de l'orage. Vingt-quatre heures plus tard, la vérité s'abattit
sur elle. Lu dans la *London Gazette*, noir sur blanc : « Le capitaine
Charles Farquhar Thompson, 59e Régiment à pied, est à présent
aux arrêts en attendant le jugement du tribunal militaire. »

Will Ogilvie, dieu ou démon, avait percé l'avenir. L'idylle de
Hampstead était terminée. La bataille commençait.

CHAPITRE X

Mary Anne était assise dans une salle d'auberge à Weeleigh, Colchester, une copie de l'acte d'accusation à la main. A côté d'elle, un avocat du nom de Smithies, recommandé par Comrie, prenait des notes sous sa dictée. De l'autre côté de la table, se trouvait Rowland Maltby, témoin malgré lui, maussade et gêné, que l'on avait tiré de sa maison de Hertfordshire pour déposer au procès. Elle avait été le chercher elle-même en coche, la veille, en menaçant, s'il ne déclarait pas que les effets mentionnés par l'accusation avaient été endossés par lui, d'appeler sa femme et de lui faire une révélation désagréable pour lui et pour Russell Manners, lequel avait la chance de se trouver pour l'instant du moins hors d'atteinte, aux Indes.

– Que dirai-je ?

– Ce que vous voudrez, du moment que vous disculperez mon frère de l'accusation d'escroquerie.

– Je n'ai rien à faire devant un tribunal militaire, cela regarde les soldats. Je suis civil.

– C'est vous qui avez fait naître la situation à la suite de laquelle mon frère est accusé par ce tribunal, vous pouvez bien témoigner pour lui, ou préférez-vous que je descende de voiture et appelle votre femme ?

Elle tenait la portière grande ouverte, prête à descendre. Il la repoussa vivement, en regardant la fenêtre.

– Entendu, je viens avec vous. Laissez-moi le temps d'inventer un prétexte. Je vous retrouve dans une heure au carrefour des routes.

Il avait boudé pendant tout le trajet jusqu'à Colchester, espérant l'agacer, mais elle n'avait même pas tourné la tête vers lui. Elle avait griffonné toute la nuit, à l'intention, sans doute, de son maudit frère, et tout ce qu'il avait obtenu à l'arrivée à Weeleigh, à deux heures du matin, avait été quelques sandwiches et un bref « bonne nuit ». Il s'était senti ridicule devant l'aubergiste.

Elle lisait les accusations et l'avocat les inscrivait.

« Premièrement. Pour s'être conduit de façon scandaleuse, indigne d'un officier et d'un gentleman, en s'absentant le 21 juillet 1807 sans autorisation de son supérieur hiérarchique.

« Deuxièmement. Pour s'être conduit de façon scandaleuse, etc., en escroquant Mr Milbanke, trésorier-payeur du district du recrutement de Leeds, de cent livres, en le persuadant de lui verser les fonds correspondant à deux effets dont aucun d'eux ne fut payé lorsque présenté à l'acquittement. »

Elle se tut et cocha les accusations avec son crayon.

– Maintenant, Mr Smithies, reprit-elle, il faut que vous compreniez bien que mon frère est incapable de se défendre lui-même. C'est vous qui le représenterez et interrogerez les témoins. Je serai de ceux-ci, ainsi que Mr Maltby. Mon frère plaide non coupable pour les deux accusations.

– Parfaitement, Mrs Clarke.

Elle lui tendit un papier.

– Au sujet de la première accusation, cette affaire de permission, voici les questions que je voudrais que vous posiez au tribunal, comme venant de mon frère : « Savez-vous que, au moment où j'ai quitté mon corps et me suis rendu à Londres, je souffrais le martyre et avais été reconnu par trois docteurs inapte à assurer mon service ? » Comprenez bien, Mr Smithies, que ce tribunal militaire est ce qu'on appelle vulgairement une frime. L'on veut jeter mon frère hors de l'armée, et qui veut noyer son chien l'accuse de la rage.

» Deuxième question : « Savez-vous que dès mon arrivée à Londres, j'ai envoyé un certificat de médecin établissant mon incapacité ? » Est-ce bien clair ?

– Oui, Mrs Clarke.

– Bon. Passons à la deuxième accusation. Je ne prévois pas ce que le procureur me demandera. Cela se rapportera, assurément, aux billets à ordre que j'ai remis à mon frère, signés du nom de notre mère, Elizabeth Mackenzie Farquhar. En réalité, elle est impotente et ne peut écrire elle-même ; c'est moi qui fais toute sa correspondance en lui guidant la main. Si j'ai employé son nom et non le mien, c'est que je ne voulais pas que celui-ci fût associé avec celui de Russell Manners, beau-frère de Mr Maltby, ici présent. Je voudrais que vous me posiez devant le tribunal, la question suivante : « Aviez-vous été informée par Mr Rowland Maltby "qu'il n'honorerait point les effets tirés sur Russell Manners et payables par lui à Fishmonger's Hall ?" A quoi, Mr Smithies, je répondrai : « Jamais. »

Elle regarda fixement son témoin sombre et morose. Il buvait en silence une chope de bière. L'avocat griffonnait sur la page étalée devant lui.

– Après quoi, Mr Smithies, je désire que vous me demandiez ceci : « D'après ce que vous savez de la transaction relative aux effets en question, pouvez-vous nous dire si le capitaine Thompson pouvait avoir une intention malhonnête en engageant le trésorier-payeur à escompter les billets ? » A quoi je répondrai : « Assurément non. Le capitaine Thompson savait que Mr Manners me devait de l'argent. »

Rowland Maltby s'agita sur sa chaise.

– Non, écoutez, on ne peut pas parler de ça publiquement devant un tribunal !

– Parler de quoi ?

– De ce qui s'est passé 9, Old Burlington Street, quand nous y étions tous les deux seuls avec vous, pendant que nos femmes se trouvaient au Pays de Galles.

– Je ne sais pas à quoi vous faites allusion. Je ne me souviens de rien. Il s'agit d'une opération purement commerciale. J'ai vendu un bracelet pour trois cents livres et en ai remis cent à Russell qui se trouvait à court de fonds liquides. Il me devait donc de l'argent. N'êtes-vous point d'accord ?

Rowland Maltby haussa les épaules et regarda l'avocat.

– Devait de l'argent, Mrs Clarke. C'est noté.

– Merci, Mr Smithies. C'est tout, pour l'instant, en ce qui me concerne. Si nous prenions un peu de café ?

Elle se leva et s'étira. Dieu! C'était bon de lutter et de lutter seule, de prendre soi-même ses responsabilités, sans qu'un autre s'en mêlât. Bill lui aurait prêché la prudence, la réflexion. Ses derniers mots, avant de la quitter, avaient été : « Prends garde. Ton intervention fera plus de mal que de bien. » Comme si ce pauvre Charley était capable de se tirer tout seul de ces accusations… Ces brutes l'avaient tenu trois mois aux arrêts, et les accusations n'avaient été révélées que la semaine dernière. Elle en comprenait à présent la raison : le tribunal était exclusivement composé d'hommes de confiance d'Adam, de Greenwood et du colonel Gordon.

Les dés de ses adversaires étaient pipés mais elle ne s'en souciait pas. Elle ferait acquitter Charley de l'accusation d'escroquerie, rien d'autre n'importait.

– Et la défense? demanda Mr Smithies. Mr Comrie me conseille de faire venir un confrère de Londres. Nous préparerions ensemble la plaidoirie que votre frère prononcerait.

Elle le regarda et sourit.

– Inutile.

– Vous avez quelqu'un d'autre à proposer?

– Je l'écrirai moi-même.

– Mais, madame!

– Oh! je vous en prie, ne discutons pas.

– Le langage juridique…

– De grands mots! Ne vous inquiétez pas, ils en auront leur compte. J'ai corrigé des épreuves, Mr Smithies, quand vous étiez encore au maillot. Les exploits d'huissiers ont fait partie de ma toute première éducation; j'en ai lu, assise en tailleur devant une porte dans l'impasse de Bowling Inn. Vous pouvez être sûr que la défense sera farcie de termes de droit.

Elle leur envoya un baiser à tous deux et monta à sa chambre. Mr Smithies toussa et regarda Rowland Maltby.

– Vous perdrez, n'est-il pas vrai? demanda ce dernier.

– Je le crains.

Le procès s'ouvrit. Des témoins en suffisance attestèrent le bien-fondé de la première accusation. La seconde prit plus de temps et l'accusation, impuissante à intimider la sœur du prévenu, passa toute une matinée à interroger Mr Maltby, qui se contredit une bonne douzaine de fois, et se vit poser des questions embarrassantes, non à propos de traites ou d'argent, mais du nombre de séjours qu'il avait faits chez Mrs Clarke à Loughton. On lui demanda également, à ce propos, à qui appartenait la maison qu'elle habitait alors, et qui s'y trouvait avec elle. L'audience fut ajournée à la requête du prévenu. La sœur de celui-ci passa le dimanche, enfermée dans sa chambre d'auberge, à noircir du papier. Le mardi, les débats reprirent et l'on donna à la Cour lecture de la défense du capitaine Thompson.

« Monsieur le Président, Messieurs les Juges.

« Très jeune encore, n'ayant passé que quatre ans dans l'armée et ne possédant pas les avantages d'une longue expérience, je sens toute la nécessité de me mettre sous votre protection et de vous prier de me pardonner quelque irrégularité que j'ai pu commettre sans le vouloir.

« Si je ne me sentais assuré de me laver entièrement devant cette honorable Cour de toutes les accusations portées contre moi à seule fin de me perdre de réputation, j'eusse préféré me retirer de la société des hommes, me cacher de la face du jour, me plonger dans l'obscurité, sans même la compagnie d'une pensée consolante.

« Mais, Messieurs, je puis l'affirmer hardiment et avec confiance, bien qu'en toute humilité, les flèches empoisonnées dirigées contre mon repos intime et ma réputation publique, par la force accumulée du dépit et de la hargne, viendront se briser sur le bouclier de l'honneur, de l'innocence et de la probité.

« Messieurs, lorsque j'eus l'honneur d'entrer au 59e Régiment, je découvris très vite, à ma grande tristesse, que je ne possédais pas l'estime du colonel Fane et que je n'étais pas accueilli avec amitié par celui-ci. Je dois à la vérité de reconnaître que ma jeunesse et mon inexpérience ont pu me faire commettre certaines erreurs qu'une expérience plus grande, une plus grande connaissance du monde, m'auraient évitées. Sans doute le colonel Fane ne désirait-il pas prendre la peine de devenir pour moi un mentor bienveillant, et c'est ainsi que je me vis soudain ordonner de quitter Newark et de me présenter au service du Recrutement à Leeds.

« J'apportai à l'exécution de mes devoirs un zèle et une diligence qui n'auraient pas été indignes d'un officier plus capable et plus expérimenté. Cela jusqu'au mois de juillet 1807, où je tombai gravement malade. Dans cet état, traité par les plus habiles médecins qui se déclarèrent bientôt impuissants devant mes maux, j'écrivis au colonel Fane pour lui faire part de mon déplorable état de santé et solliciter un congé. En réponse à cette requête, je reçus une lettre du colonel Fane déclarant qu'il n'était pas en son pouvoir de m'octroyer une permission et que, si ma santé l'exigeait absolument, je devais envoyer un certificat médical à cet effet à l'officier inspecteur. Ce que je fis, mais après m'être rendu à Londres. Je suis prêt à reconnaître que ce fut une erreur de jugement de ma part, mais, je le demande à l'honorable Cour, cela aurait-il dû induire un colonel à assigner le très jeune homme que je suis devant un tribunal militaire, afin de détruire ma vie (car l'honneur est la vie d'un honnête homme) et de saper mon avenir ?

« Je vais maintenant abuser de votre attention par quelques remarques au sujet de la seconde accusation. J'avais demandé une assistance pécuniaire à une de mes proches parentes. Elle me remit les deux effets en question, tirés par elle sur Mr Russell Manners, payables chez Mr Maltby, Fishmonger's Hall. Je ne doutai pas un instant que ces effets fussent bons et dussent être payés lorsqu'ils viendraient à échéance, c'est pourquoi je priai Mr Milbanke, trésorier-payeur du district, de les escompter, ce à quoi il consentit. J'appris par la suite que les effets n'avaient pas été payés. Je ne veux pas vous faire perdre votre temps en vous répétant la déposition du principal témoin, mais chaque mot me disculpe.

« Messieurs, je suis au regret d'avoir ainsi abusé de votre attention, mais mon désir de m'expliquer avec la plus grande vérité et la plus grande exactitude m'a obligé à ces longs détails. Je n'ai pas l'intention de supplier l'honorable Cour de m'accorder une faveur imméritée. Je n'éprouve aucune crainte, quant au verdict, puisque votre décision ne pourra être fondée que sur un jugement éclairé. Je m'inclinerai devant ce jugement avec humilité et soumission, et je conjure l'honorable président et juge de croire que, quel que soit mon sort, je garderai un souvenir reconnaissant de l'attention qui m'a été témoignée. »

Mr Smithies s'assit. C'était un petit homme aux cheveux gris, aux épaules voûtées, portant lunettes. Sa voix était sans timbre. Il avait lu la défense comme un curé la leçon du jour. Il ne s'était pas arrêté une seule fois pour souligner un argument ou produire une impression. Les paroles qui, dans la chambre d'hôtel, avaient paru claires, nettes, convaincantes, sincères, tombaient à plat. Le prévenu se tenait très raide au garde-à-vous. Ses yeux ne quittaient pas le visage de sa sœur. Elle regarda le colonel Fane au moment où celui-ci se leva. Aussitôt, le président et la Cour parurent se détendre, les officiers changèrent d'attitude, croisèrent leurs jambes. Un flot d'approbation, de sympathie s'écoulait vers lui. Il toussa pour s'éclaircir la voix, sourit et prit la parole.

« Monsieur le Président, Messieurs les Juges.

« Je n'aurais pas cru qu'il fût nécessaire de vous retenir plus longtemps en répondant à la défense du prévenu, s'il n'est pas jugé bon de faire quelques observations graves concernant mes motifs et ma conduite en cette affaire.

« Si le prévenu est innocent des accusations qui pèsent sur lui, il devrait m'être reconnaissant de lui fournir l'occasion de s'en disculper. Qu'il y ait eu lieu de porter lesdites accusations n'est point douteux, et il doit bien savoir que, dans ces conditions, les officiers du régiment n'auraient pu justifier sa conduite devant un tribunal militaire.

« Le prévenu a également jugé bon d'affirmer qu'il n'avait pas, à Newark, reçu autant d'attention de ma part que d'autres officiers, et d'en induire chez moi un motif répréhensible. Je le mets au défi d'en apporter la moindre preuve. Au contraire, je lui ai témoigné plus de faveur que je n'aurais dû, considérant la suite.

« Il m'a également reproché de l'avoir envoyé dans un service de recrutement. Que j'aie le droit de choisir les officiers que je juge bon de désigner pour ces fonctions, voilà qui n'est point discutable, mais je vais expliquer à la Cour les raisons que j'eus de choisir le capitaine Thompson.

« Un certain Mr Lawton, honorable aubergiste de Newark, était venu me dire que la conduite du capitaine Thompson dans son auberge était intolérable, que le capitaine Thompson l'avait, la veille au soir, grossièrement injurié, que c'était à grand peine qu'il l'avait retenu de se battre avec le valet et que, si je ne prenais pas des mesures pour empêcher que de tels incidents se renouvelassent, il se verrait obligé d'adresser un rapport au commandant en chef.

« Considérant une telle conduite comme des plus préjudiciables à la tenue du régiment dont les officiers sont, pour la plupart, de très jeunes hommes, j'ai jugé opportun d'envoyer le capitaine Thompson en un lieu où son exemple ne risquerait pas d'être nuisible.

« Au sujet de la première accusation, la Cour se rappellera que ma lettre n'accordait pas au prévenu la permission de s'absenter mais lui expliquait simplement comment il devait procéder pour obtenir une telle permission, s'il était vraiment malade. Il a manqué à suivre mes instructions.

« Au sujet de la seconde accusation, je l'ai déjà déclaré à la Cour, je ne sais rien. Il est prouvé que les billets à ordre ont été monnayés par le prévenu, mais c'est à la Cour de décider si la transaction impliquait une escroquerie.

« Je ne vous retiendrai point plus longtemps, Messieurs, mais je tiens à déclarer que c'est mon désir, comme ce doit être celui du capitaine Thompson, qu'il ait convaincu la Cour de son innocence. »

Le colonel Fane s'assit et la Cour se retira pour délibérer. Cela ne fut pas long, le verdict fut prononcé par le président qui, après avoir fait l'éloge du colonel Fane et l'avoir déclaré incapable de tout acte d'injustice, s'exprima en termes sévères pour le prévenu dont les reproches au sujet de son colonel étaient non seulement injustifiés mais inconvenants.

Le capitaine Thompson fut déclaré coupable de la première accusation mais acquitté de la seconde et condamné à être congédié de l'armée, sentence qui devait être confirmée par le commandant en chef.

La sentence fut confirmée, le 24 mai 1808, par une lettre du duc d'York au lieutenant général Lord Chatham, officier commandant la division de l'Est. A dater de ce jour-là, Mary Anne, sœur du condamné, résolut de le venger par n'importe quel moyen.

CHAPITRE XI

— Vous avez toujours l'intention de mener vous-même cette affaire ?

— Je l'espère.

— Bien que le jugement du tribunal militaire vous ait été contraire ?

— La condamnation était décidée d'avance. Je l'ai vu à leurs visages. Mais j'ai du moins obtenu le non-lieu de la seconde accusation.

— Avez-vous de l'argent ?

— Pas une guinée. Nous avons quitté Hampstead sans payer la note. Les Nicols gardent ma harpe et quelques livres en gage.

— Et Mr Dowler ?

— Rappelé en service, il y a plus d'un mois. Il s'est embarqué pour le Portugal avec le premier contingent du corps expéditionnaire. Je suis complètement seule avec Charley qui est dans un abattement extrême et ne veut pas me laisser m'éloigner d'un pas.

— L'obligeant Coxhead-Marsh ?

— Se montre un peu fuyant. Le compte rendu du tribunal militaire a paru en long et en large dans les journaux d'Essex, et le nom de Loughton Lodge y était un peu trop en évidence.

— Appelons les choses par leur nom : vous êtes sans protecteur ?

— Si ce n'est vous. Et mon intraitable volonté.

Will Ogilvie se mit à rire :

— Nous reprenons donc notre double harnais ? Le monde est à nous… Vous m'en voyez ravi. La première nécessité est un toit pour votre tête. Connaissez-vous un tapissier nommé Francis Wright ?

– Non, sinon que tout ce que je n'ai pas vendu de mon mobilier en quittant Gloucester Place est en garde chez lui.

– C'est vrai, je vous avais envoyée à lui, il m'en souvient. Il fait certaines besognes pour moi. Il vous trouvera un appartement garni, en attendant une maison. Je vous conseille de vous faire appeler Farquhar, là où vous habiterez. Le nom de Clarke est suspect dans certains quartiers. Mais nullement parmi les gens que vous fréquenterez désormais. Folkestone, de même que Burdett et Cobbet, sont, comme vous le savez, les idéalistes du groupe radical. Nous rechercherons à présent les opportunistes, les hommes comme Wardle, député d'Okehampton, résolu à parvenir par tous les moyens, honnêtes ou malhonnêtes.

– Je ne vais pas me mêler de politique.

– Oh ! que si !… à moins que vous désiriez voir vos enfants mourir de faim. Qui veut la fin, veut les moyens, je croyais que vous aviez appris cette vérité première. Avez-vous bavardé un peu avec Richard Phillips, le gazetier ?

– Je lui ai rendu visite à Hampstead avant mon départ. Je l'ai trouvé déplaisant, gonflé de son importance.

– Ils sont tous ainsi. Vous y ajouterez. Il rêve d'imprimer les listes de l'armée, mais n'obtiendra pas cette besogne à moins d'un changement de gouvernement avec un nouveau commandant en chef installé aux Gardes. Avez-vous rencontré Mc Cullum ?

– Le pamphlétaire ? C'est un folliculaire du dernier ordre.

– Il va faire sensation, très prochainement, en publiant une enquête sur les abus du Collège militaire, qui prouve que cette institution est un scandale et que tous les cadets sont atteints de maladies vénériennes. Il finit par un Envoi aux généraux anglais qui est à se tenir les côtes… Je crois que l'homme vous plaira.

– Et pourquoi voulez-vous me présenter des pamphlétaires ?

– Parce que, ma pauvre innocente, vous en savez plus long qu'aucun d'eux. Ils veulent la vérité. Vous pouvez la leur fournir, après quoi vous n'aurez plus qu'à vivre comme une reine jusqu'à la fin de vos jours. Maintenant, allez voir Francis Wright et demandez-lui de vous trouver une maison.

11, Holles Street, dans Cavendish Square, vit emménager une certaine Mrs Farquhar, dame de province fort respectable, accompagnée de son frère, le capitaine Thompson, présentée par Francis Wright de Rathbone Place. Le logement avait été retenu pour le mois de juin, après quoi Mrs Farquhar espérait s'installer Bedford Place.

Le lundi 20 juin, Mr Adam, qui habitait Bloomsbury Square, reçut une lettre.

« Monsieur,

« Le 11 mai 1806, vous me rendîtes visite conformément au désir de Son Altesse Royale le duc d'York, pour m'annoncer son intention de m'accorder une pension annuelle de quatre cents livres.

« Selon cette promesse, Son Altesse Royale se trouve à présent me devoir cinq cents livres. J'ai écrit en vain à plusieurs reprises. La conduite de Son Altesse à mon égard est entièrement dénuée de principes de sentiment et d'honneur, et dans l'impossibilité d'ajouter foi à ses promesses même transmises par vous, j'ai décidé, par considération pour Son Altesse Royale, de vous faire part de mes intentions, qui sont les suivantes : Je prie Son Altesse Royale de m'assurer ladite annuité ma vie durant et de m'en payer sans délai l'arriéré dont j'ai le plus pressant besoin (ce qu'il sait). Au cas où Son Altesse Royale s'y refuserait, je n'aurais pas d'autre moyen de subvenir à mes dépenses que la publication de toutes les communications que m'a faites Son Altesse et de tout ce qui est venu à ma connaissance au cours de notre intimité de même que de toutes ses lettres. Cela serait d'une gravité certaine. Le duc d'York est en mon pouvoir plus qu'il ne veut bien le reconnaître.

« Je souhaite toutefois, dans son intérêt comme dans le mien propre, qu'il m'accorde ce que je sollicite de lui car il m'en coûterait beaucoup de l'exposer. Avant de rendre public quelque écrit que ce soit, j'enverrai à chacun des membres de la famille de Son Altesse une copie de ce que j'ai dessein de publier. Si Son Altesse s'était montrée un peu plus exacte à s'acquitter de ses engagements, cette requête n'eût jamais été faite.

« J'ajouterai encore ceci : Que si Son Altesse continue sa protection à mon fils (et je le remercie ici de ce qu'il a fait pour lui dans le passé), j'espère qu'il le placera à Charterhouse ou dans tout autre bon collège ; l'enfant ne saurait être tenu responsable de ma conduite.

« Vous voudrez bien, Monsieur, faire part de cette lettre au duc d'York. Je compte envoyer quelqu'un chez vous mercredi afin d'apprendre les intentions de Son Altesse Royale, que vous aurez l'obligeance de signifier par une lettre à

« Votre très humble et obéissante servante

« M. A. CLARKE »

« P.S.– Son Altesse doit comprendre que sa conduite dans une récente affaire mérite tout cela et davantage. »

Mr Adam ne répondit pas à cette lettre. Le samedi suivant, il en reçut une seconde :

« Monsieur,

« Ma lettre étant restée sans réponse mercredi dernier, j'en suis réduite à supposer que Son Altesse Royale le duc d'York juge à propos de ne pas tenir sa promesse, à moi transmise par vous et que vous l'y engagez.

« Je me suis employée depuis lors à consigner sur le papier tous les faits dont il a pu me souvenir au cours de notre intimité à Son Altesse Royale et moi-même.

« Cinquante ou soixante lettres de Son Altesse Royale donneront à l'ensemble tout le poids et l'authenticité qu'il faut. J'ai promis de remettre le tout mardi, au cas où je ne recevrais point de réponse à ce dernier avertissement ; et ces documents une fois hors de ma possession, je n'y pourrai plus revenir.

« C'est à des gentilshommes et non point à un publiciste qu'ils seront confiés, à des gentilshommes non moins obstinés que Son Altesse Royale et plus indépendants. Ils sont connus de vous et prêts à me venir en aide quand le duc s'y refuse.

« Toutefois, celui-ci tient encore tout en son pouvoir, il lui est loisible d'agir comme bon lui semblera.

« Je suis, Monsieur, votre très obéissante

« M. A. CLARKE »

Le mardi dans la matinée, un officier de police se présenta au n° 11, Holles Street. Il nia connaître Mr Adam mais déclara qu'il venait arrêter une certaine Mrs Clarke, laquelle devait une somme d'argent à un marchand du nom d'Allen habitant près Gloucester

Place. Les demandes répétées dudit marchand étaient demeurées sans effet.

Mrs Clarke fut conduite par l'officier au poste de police, puis relâchée sous caution, le lendemain après-midi. La caution avait été versée par Francis Wright, tapissier. Dans l'action intentée par Allen, ce fut Mrs Clarke qui gagna : elle se déclara mariée à un homme dont le domicile était inconnu. Le loyer de juin à Holles Street fut également réglé par Francis Wright, tapissier, obéissant, à ce qu'il semblait, à des motifs chevaleresques, lesquels le poussèrent en outre à mettre à sa disposition la maison de l'ami d'un de ses amis, sise Bedford Place.

La troisième et la quatrième manches du combat avaient été sans résultat.

Vers la fin juillet ou le début d'août, le prince de Galles, sur le point de partir pour Brighton, reçut à Carlton House un billet parfumé. Il ne contenait que quelques lignes et n'était point signé. L'adresse indiquée était 14, Bedford Place. Le parfum intrigua le prince, de même que l'allusion à son frère cadet, le duc d'York. Le cachet attira également son attention, l'on y voyait Cupidon à califourchon sur un âne. L'esprit lui plut. Il griffonna un mot pour son secrétaire particulier, Mac Mahon.

– Allez voir ce qu'elle veut, mais ne montez point. S'il s'agit de qui je pense, je craindrais pour votre vertu.

Le colonel Mac Mahon était habitué aux démarches de ce genre. Ce n'était pas la première dont il se voyait chargé. Il se présenta Bedford Place avec une certaine assurance. La servante qui lui ouvrit la porte avait le visage rond et les membres épais.

– Monsieur ?

– Excusez-moi. A qui appartient cette maison ?

– A Mrs Farquhar, monsieur.

Ce nom était inconnu du colonel. Son maître se méprenait. La maison était une respectable demeure.

– Je désirerais voir Mrs Farquhar.

– Que Monsieur se donne la peine d'entrer.

Le salon était en désordre et assez mal tenu. Les chaises du souper de la veille entouraient encore la table.

– Qui dois-je annoncer ?

– Je préfère ne pas me nommer.

Il sortit une lettre de sa poche.

– Je viens en réponse à ceci. Votre maîtresse saura.

La servante joufflue regarda le billet parfumé.

– Très bien, monsieur. C'est moi-même qui ai mis ceci à la poste. Je vais avertir ma maîtresse que vous désirez la voir.

Son ton avait je ne sais quoi de familier qui donna à penser au visiteur qu'elle était depuis longtemps dans sa place. Il attendit vingt minutes au salon, non sans quelque impatience, puis fut introduit dans un boudoir.

Sur la chaise longue Récamier, une femme était étendue, les cheveux noués à la grecque, les pieds fins chaussés de sandales. La pièce était bien close et personne ne pouvait les entendre. Elle se leva avec un beau sourire et allait faire la révérence, lorsqu'elle s'aperçut qu'il s'agissait non du maître, mais du secrétaire... et renonça à tant de cérémonie.

– Bonjour, monsieur, dit-elle, je ne crois pas avoir eu le plaisir...

– Mon nom est Mac Mahon. J'ai l'honneur d'être le secrétaire particulier du prince de Galles. Vous êtes bien Mrs Farquhar ?

– Je me fais appeler parfois ainsi.

– Vous êtes, j'imagine, amie de Mrs Clarke ?

– Sa meilleure amie. Personne ne la connaît comme moi. Je puis dire, en toute franchise, qu'aucun être au monde n'est aussi dévoué que moi à Mrs Clarke. Vous ne la connaissez pas ?

– Non, madame, si ce n'est de réputation.

– C'est assez dire, n'est-il pas vrai ?

– Je suis au regret de parler ainsi, Mrs Farquhar, puisque cette dame est votre amie, mais rien de ce que j'ai entendu dire d'elle n'est à son avantage. Personne n'ignore sa noire ingratitude envers le duc d'York dont elle a reçu tant de bontés.

– Est-ce donc noire ingratitude que de consacrer sa vie à un prince, pour se voir, trois ans plus tard, reléguée à la campagne sous promesse d'une pension qui n'est point payée ?

– Quant à cela, madame, j'en ignore tout.

– Harcelée par des espions et des créanciers, menacée de prison, son frère déshonoré et expulsé de l'armée – est-ce là des bontés ? Est-ce ainsi que le prince de Galles traiterait Mrs Fitzherbert ?

– Pardonnez-moi, madame, je ne puis vous parler de mon illustre maître.

– Je le pourrais, moi. Je le trouve et l'ai toujours trouvé charmant, mais il ne s'agit point de cela. Colonel Mac Mahon, Mrs Clarke ne peut confier ce qu'elle a à dire à une tierce personne mais seulement au prince de Galles lui-même.

– Mrs Clarke serait donc déçue. Le prince est parti ce matin pour Brighton. Il m'a ordonné de recevoir le message de cette dame et de le lui transmettre.

– Si j'avais su qu'il allait à Brighton, j'y serais allée moi-même.

Le colonel Mac Mahon tordit sa moustache grise.

– Le prince regrettera d'avoir manqué cette occasion. Dans la circonstance, contentez-vous de moi, je vous prie. Je ne me trompe point : vous êtes bien Mrs Clarke ?

Elle sourit et ouvrit les mains.

– Assurément.

– Je vous demande mille fois pardon, alors, de ce que j'ai dit. Il ne s'agit que de propos rapportés. Le modèle que j'ai devant les yeux est bien différent du portrait qui m'avait été peint.

– Peint par Adam ? Et par Greenwood aussi peut-être ? Vous n'auriez pas dû les écouter. Venez vous asseoir au pied de ma chaise longue.

Ce fut une fort agréable matinée. L'on parla de choses et d'autres. A onze heures, l'on servit du vin et des biscuits et la conférence se prolongea jusqu'à près de midi.

– Ce qui m'a plu surtout, et au prince aussi, c'est le cachet de votre lettre.

– Je vous en donnerai un.

– Ah ! mais à combien d'autres avez-vous fait cette promesse ?…

Il s'arracha enfin, chargé de mission, ayant accepté de servir d'intermédiaire.

– Vous devez comprendre, cela va sans dire que le prince de Galles ne peut absolument pas intervenir entre son frère et vous. Cependant, tout ce qu'il me sera possible de faire, sous forme de message à transmettre, je m'y emploierai avec joie, la prochaine fois que je verrai le duc, à Windsor probablement. Quant à votre projet et à ces lettres dont vous parlez, il vaut mieux les brûler, ma chère.

Les différends qui ont pu survenir entre les princes sont depuis longtemps terminés, oubliés. (Il lui caressa la main.) Allons, allons, chère madame. Tout finira pour le mieux.

Pour le mieux de qui, sot que vous êtes ? Quand il fut parti, elle se recoiffa et remit les coussins en place. La cinquième manche avait eu lieu sans apporter de solution. Les jeux restaient égaux. La société quittait la ville et en demeurerait absente jusqu'en octobre. Il n'y avait plus rien à faire avant l'automne, lorsque les députés rentreraient et que le parlement se réunirait de nouveau. A ce moment, les amis radicaux de Will auraient dressé leurs plans.

– Je vous conseille de quitter Bloomsbury, lui dit Will. Le voisinage d'Adam peut avoir des inconvénients. Wright vous trouvera sans peine une maison dans un autre quartier, mais ne manquez pas de vous y faire appeler Farquhar.

– Et qui, demanda-t-elle, paiera cette maison ?

– Wright continuera à vous avancer de l'argent. Il sait que vous êtes un bon placement ; il y trouvera son compte.

Elle lut les annonces et découvrit une maison à louer, Westbourne Place, à cinq minutes de l'école de Chelsea où George était toujours interne. Le duc, quand il y viendrait en inspection, passerait devant ses fenêtres. L'idée était tentante. Elle se voyait dans une voiture ouverte, le duc dans une autre : un sourire, un signe de l'ombrelle. Il ne fallait pas manquer cela. En outre, May Taylor, après bien des vicissitudes, habitait Cheyne Row, à quelques pas de là. Les fillettes pourraient aller à pied à l'école. Tout le monde serait réuni. Elle signa le bail, une fois de plus au nom de sa mère, et, si on la pressait par trop, elle invoquerait l'irresponsabilité de la femme mariée. Le seul service, véritablement, que Joseph lui eût rendu, était d'être resté en vie et légalement responsable de toutes les factures qu'elle était hors d'état de payer. Le bail fut signé le 11 novembre et au cours du déménagement – l'affaire de deux ou trois jours –, Will Ogilvie mit en mouvement une certaine balle dont le premier résultat fut une visite du colonel Wardle, le 17 novembre à une heure de l'après-midi.

Elle le reçut dans le salon dont l'installation n'était pas terminée et le pria d'en excuser le désordre.

– Je viens d'emménager, comme vous pouvez le voir. La maison est encore sens dessus dessous, c'est effrayant.

Elle le regarda attentivement tandis qu'il lui baisait la main. Pâle, le nez allongé, les cheveux bruns tournés au fer, les yeux rapprochés, l'allure assez commune.

– Chère madame, voilà six mois que je désire faire votre connaissance, mais vous êtes une personne inaccessible, je ne suis pas parvenu à vous rencontrer. Vous savez sans doute que je suis député d'Okehampton. Vous avez dû suivre mes interventions au cours de la dernière session du parlement.

– Je sais qui vous êtes. Je ne puis vous dire que j'ai lu tous vos discours.

– Je vous en enverrai la copie. Je crois qu'ils vous intéresseront. En vérité, Mrs Clarke, je suis un patriote. Mon idéal dans la vie est de libérer mon pays des abus et de la corruption.

Il se tut pour observer l'effet de ses paroles. Elle lui désigna pour siège une valise qu'il épousseta avant de s'y asseoir en relevant avec soin les plis de son habit.

– La corruption pour nous se prolonge au-delà de la tombe, dit-elle, et se moque bien alors de l'idéal. Voulez-vous du café ? La batterie de cuisine a été déballée.

– Je ne veux rien que votre attention, Mrs Clarke. Quand ce grand pays qui est le nôtre, assoiffé de liberté, ligoté par des chaînes surannées…

– Si nous laissions cela et en venions au fait ?

Il se tut. Ses yeux étroits se rapprochèrent.

– Pardonnez-moi, dit-il, je commettais l'erreur de vous parler comme à un électeur. J'ai appris par un journaliste de mes amis, Mac Cullum, que vous ne seriez pas disposée à l'aider dans la composition de ses pamphlets qui ont pour principale cible le duc d'York. Est-ce vrai ?

– C'est vrai.

– Pourtant, Mrs Clarke, vous avez été indignement traitée. J'aurais cru que toute femme possédant la moindre énergie songerait à sa vengeance.

– La vengeance, colonel Wardle, est inutile sans la sécurité. Ce ne sont pas les cinq livres que je toucherai pour prix d'un pamphlet qui assureront mon avenir et celui de mes enfants.

– Je comprends. Vous joueriez pour un gain plus élevé ? Dans ce cas, je pose cartes sur table. Mes amis – membres de notre parti au parlement – et moi, sommes résolus à dénoncer, au cours de la prochaine cession, les abus de l'armée. Notre but est de chasser le duc de son poste.

– Pourquoi ? Qu'a-t-il fait ?

– Il représente un système que nous voulons abolir. En commençant l'attaque par lui, nous pouvons faire s'écrouler tout un paquet de cartes, et prendre nous-mêmes sa place en utilisant, comme figure de proue, un personnage plus docile à nos vues et qui fera ce que nous lui dicterons.

– Que c'est patriotique !... Et qui est le personnage en question ?

Le colonel jeta un regard derrière lui. La porte était fermée.

– Le duc de Kent, dit-il à voix basse.

Elle rit, puis étouffa un bâillement.

– Je suis déçue, fit-elle. J'espérais que vous prendriez un caporal sorti du rang. La méthode n'a pas mal réussi en France. Vous ne ferez en somme qu'échanger Pierre contre le pompeux Paul.

– Les gens de ce pays tiennent aux traditions. Pas trop de changements d'un coup, il faut y aller graduellement. Son Altesse Royale, le duc de Kent, a beaucoup d'ambition.

Elle remarqua le ricanement étouffé de l'homme qui faisait profession de servir la patrie avant tout.

– Vous m'expliquerez peut-être ce que je viens faire là-dedans, dit-elle.

– Vous savez assurément l'animosité qui règne entre les deux frères, la jalousie de l'un à l'égard de l'autre. Nous comptons exciter ces sentiments. Le pamphlétaire Mac Cullum mentionne les points essentiels, et voici où nous souhaitions votre aide : vous auriez fourni les détails. Puisque vous vous y refusez, vous pouvez nous aider autrement en m'instruisant du trafic des promotions qui, à ce qu'on m'a dit, était votre seul moyen de subsistance pendant que vous étiez sous la protection du duc, et qui avait d'ailleurs son autorisation.

– Qui vous a dit cela ?

– Mon petit doigt... Si j'en pouvais apporter la preuve à la Chambre, il serait chassé de son poste.

– Quel bien cela me ferait-il ?

– La justice triompherait. Le duc de Kent deviendrait commandant en chef. Il a dit à un de mes amis que quiconque l'aiderait à
accéder à ce poste en serait amplement récompensé. A propos, il est
indigné de la façon infâme dont vous avez été traitée, pas seulement
en votre personne mais dans l'affaire du tribunal militaire. Je sais
qu'il est décidé à réintégrer votre frère et à vous verser une pension,
pas de trois ou quatre misérables centaines de livres mais de plusieurs milliers.

– Je suis un peu lasse des promesses, dit-elle, des promesses de
princes, surtout. J'en ai trop souvent reçu.

– S'il vous faut des noms pour vous rassurer, je puis vous en donner. L'ami dont je vous parlais est le commandant Dodd.

– Le secrétaire particulier du duc de Kent ?

– Précisément. Il est fort désireux de vous connaître et le plus tôt
sera le mieux. Si vous voulez savoir ce qu'il dit, vous pouvez lire sa
lettre.

Il sortit un feuillet de sa poche et le lui tendit. Elle lut :

« Mon cher Wardle,

« Plus je pense à la conversation que nous eûmes ce matin et dont
l'objet fut uniquement l'honneur et l'intérêt de la patrie, plus je me
convaincs que toute personne qui concourt à cette grande cause a
droit non seulement à notre protection particulière, mais à celle du
pays. Si l'assurance que je vous en donne ici peut servir de quelque
façon que ce soit, je vous autorise à en faire usage. De ce que vous
m'avez dit d'une certaine personne du sexe, je conclus sans hésiter
que son assistance sera plus efficace que celle d'aucun autre être
humain. Dieu sait qu'elle a été traitée de façon infâme et barbare
par un butor illustre, mais elle a à présent l'occasion de redresser les
torts qu'on lui a faits et, en servant un personnage des plus généreux, de servir ses propres intérêts.

« Je suis mon cher Wardle à jamais votre

« THOMAS DODD »

– Peut-être bien, dit-elle, mais ce n'est qu'un papier.

– Je vous prie donc de consentir à le rencontrer et à l'entendre
vous-même. Ai-je besoin d'ajouter que, quelque prétention que

vous formuliez, il en fera part en confidence à son maître ? Le duc
de Kent est fort libéral, dans tous les sens du terme.

– Il n'a pas été très libéral, à Gibraltar, lorsqu'il a rationné ses
troupes et fermé les cabarets.

– La discipline, Mrs Clarke, exige une main de fer. Et c'est également ce qu'il faut aujourd'hui à ce pays.

– Est-ce avec une main de fer aussi qu'il aborde sa vieille maîtresse française ? Peut-être, à Ealing, porte-t-il des gants de velours.
J'ai entendu dire qu'il arrose les plantes et soigne les canaris. Vous
pourrez dire au commandant Dodd que j'ai des goûts dispendieux.
Je demanderai, outre la pension, un attelage de quatre chevaux, et
un manoir à tourelles avec deux ou trois lacs dans le jardin.

– Je ferai part de la demande.

Seigneur, il la croyait ! Il était donc encore plus sot qu'il n'en
avait l'air, ce qui n'était pas peu dire.

– Dites-moi, colonel, reprit-elle, une fois le gouvernement tombé
et vos desseins accomplis, autrement dit quand le peuple
d'Angleterre sera libéré de la tyrannie et de la corruption, quel
poste espérez-vous pour votre récompense ?

Il répondit sans sourciller :

– Ministre de la Guerre. C'est du moins celui que le duc de Kent
m'a offert.

– Un rien, ma foi ! Je brûle de faire la connaissance de vos amis,
Dodd surtout. Quand la rencontre aura-t-elle lieu ?

Il consulta un calepin.

– Je compte aller les jours prochains dans la province de Kent.
Dodd m'accompagnera ainsi que le commandant Glennie qui écrit
un ouvrage sur les fortifications. Il veut discréditer les défenses
côtières présentement existantes, et nous avons un laissez-passer
pour visiter les tours de Mariello. Si vous veniez avec nous ?

– Enchantée. Nous pourrons déjeuner sur l'herbe au bord des
étangs de Romney et choisir la meilleure place pour un débarque-
ment.

– Vous n'insinuez pas...

– Que vos espoirs sont de l'autre côté de la Manche ? Cher colonel Wardle, loin de moi la pensée !... Je ne vois que trop combien
vous aimez votre patrie.

L'expédition fut des plus amusantes et des plus instructives. Première étape : Mordstone ; on passa la seconde nuit à Hythe. Une seule femme avec trois messieurs, anciens militaires incapables et aigris dont on aurait dit, à les entendre, qu'ils avaient commandé les Gardes au combat... Il y avait longtemps qu'elle ne s'était autant amusée.

Ils suivirent la côte en voiture sur huit lieues par un beau temps froid et clair. Le commandant Glennie, expert en fortifications, prenait des notes, et le commandant Dodd (ex-capitaine d'artillerie mais dont la connaissance du canon n'allait guère au-delà des salves de cérémonie) célébrait les vertus de son auguste maître, capable, brave, endurant, le modèle de ce que devrait être un commandant en chef.

– Il est curieux, dans ce cas, murmura la dame, qu'il n'ait exercé aucune fonction dans le gouvernement depuis plus de cinq ans.

– Pure jalousie de la part de son frère, Mrs Clarke.

– Je comprends. En effet. Quel dommage ! Un tel talent stérile ! La grande expérience tactique de Kent inemployée, cette expérience gagnée au cours des épuisantes journées de Salisbury que couronnait un souper de ragoût de mouton et de bière trouble.

Le colonel Wardle la regardait, perplexe. Pour une femme qui aurait dû brûler de se venger, elle traitait cette rencontre avec Dodd d'extraordinaire façon. Quant à lui, n'étant point mathématicien, il avait besoin de toute sa puissance de concentration pour comprendre les figures que lui passait Glennie en lui expliquant pourquoi les tours de Martello constituaient une défense lamentable. Il avait besoin de le savoir pour l'exposer à la Chambre.

Pendant le dîner à Hythe, ces messieurs traçaient des diagrammes, et la dame sirotait son vin.

– Mon fils George a un petit livre à la maison. Il sera ravi de vous le prêter, colonel Wardle. On y voit la différence – à la page trois, je crois – entre un octogone et un triangle. Première leçon... Commandant Dodd, parlez-moi encore de Mme Laurent et de son dévouement pour le duc de Kent.

– Elle sait qu'elle est dans de bonnes mains, Mrs Clarke. C'est le seul de nos princes qui possède un cœur sincère et fidèle, tendre envers elle, reconnaissant de ce qu'elle lui donne.

– C'est un héros de conte de fées, mais il a des sourcils trop épais. Lui avez-vous dit ce que j'attends si j'aide votre cause?

– Cinq mille comptant, une pension pour la vie, vos dettes réglées, une provision pour vos filles. Je puis vous promettre tout cela et davantage. En attendant, le colonel Wardle fera en sorte que vous ne manquiez de rien, j'en suis sûr. Ce que nous vous demandons, ce sont des lettres et les preuves de la corruption, les noms des officiers ayant obtenu de l'avancement grâce à votre influence, des noms d'amis que vous pourriez produire comme témoins. Ainsi, Wardle serait en mesure de les citer à la Chambre sans craindre de contradiction.

– Et nous faire tous jeter dans un cul de basse-fosse?

– La loi ne peut rien contre vous. En dénonçant le duc d'York, vous aurez tout le pays avec vous. L'opinion publique se ralliera autour de votre personne et vous serez, Mrs Clarke, l'héroïne du jour. Une autre Jeanne d'Arc, championne du peuple.

– Vous savez mal votre histoire. Boadicée, plutôt, dans un char qui roule sur des cadavres. J'y réfléchirai, commandant.

De retour à Londres et à sa maison de Westbourne Place, il ne se passa pas de jour qu'elle ne reçût la visite de l'un ou de l'autre de ses nouveaux amis, sans compter les lettres de Will. « Quelle autre chance avez-vous? Qu'adviendra-t-il de vos enfants si vous refusez? Convenez que le jeu en vaut la chandelle, et vous n'y risquez personnellement rien, Dodd a raison. On ne peut pas vous poursuivre ni vous mettre en prison. Même si l'affaire est manquée, vous n'avez rien à perdre. »

Bon, elle accepterait, trierait sa correspondance, réveillerait les souvenirs de ces dernières années. Beaucoup de lettres avaient été brûlées et celles qui restaient présentaient un intérêt plutôt intime qu'officiel. Où étaient les officiers qui lui avaient versé de l'argent? Outre mer pour la plupart, ou bien perdus de vue, oubliés. Le colonel French… Le capitaine Sandon… Sandon, lui, se trouvait en Angleterre. Donovan se rappellerait peut-être d'autres noms. Il y avait encore Corri, le maître de musique, et un certain Mr Knight, client du docteur Thynne. Il ne lui était jamais venu à l'idée de conserver ce genre d'informations : on nouait de rubans les lettres d'amour, pas les rapports militaires.

– Avez-vous bien regardé dans tous vos coffres ? lui demandait le capitaine Wardle.

Il avait des doigts maigres et curieux faits pour tâter, pour fouiller.

– J'ai déménagé une demi-douzaine de fois depuis 1806. Il me faudra des semaines pour trier tout ce que j'ai mis en garde.

– Où est-ce en garde ?

– Chez Wright, Rathbone Place.

– Puis-je y aller avec vous ?

Elle regarda les yeux rapprochés, les doigts qui s'agitaient.

– Je dois à Francis Wright une assez jolie somme. Cette maison n'est pas complètement meublée, comme vous pouvez voir. Il ne se défera pas de ce qu'il a en main tant que je ne l'aurai pas payé.

– Exposez-lui donc quels espoirs vous nourrissez… pour l'avenir.

– Garantis par vous ?

– Certes.

Elle l'emmena Rathbone Place où ils apprirent que Francis Wright était au lit avec une jambe cassée. Son frère Daniel les reçut en s'excusant. Pouvait-il quelque chose pour eux ?

– Oui, Daniel. Montrez, je vous prie, au colonel Wardle mes rideaux, mes tapis et mes meubles, j'en aurai besoin dans ma nouvelle maison de Westbourne Place. Que pensez-vous de ce miroir, colonel ?

– Fort beau, vraiment.

– Et ces chaises ? Peintes à la main, par moi, vous savez, quand j'habitais Gloucester Place. Emmenez le colonel à la remise, Daniel, et montrez-lui le reste. Il désire faire envoyer le tout à Chelsea, ainsi que ce que je vais vous commander. Je vais en parler à votre frère. Je vous laisse.

Il n'était pas question de protester. Wardle était pris. C'était un coup de massue. Fallait-il faire porter tout le mobilier à Westbourne Place sans souci de la dépense ou bien renoncer aux lettres et à un témoignage inestimable ? Il parcourut la remise, joué et heureux d'être joué, en compagnie du tapissier qui cochait une liste.

– Avait-elle donc tout cela Gloucester Place ? demanda-t-il en tâtant du bout de sa canne les somptueux tapis.

– Oh ! non, monsieur. Ceci est neuf. Une fantaisie qu'elle veut s'offrir, dit-il.

– Une fantaisie qui doit coûter cher.

– Bah ! monsieur, vous connaissez Mrs Clarke. Elle est gaie, elle
aime bien vivre et elle a bon goût. Il paraît qu'elle possède des amis
influents.

– Vraiment ?

La maudite femme avait parlé…

Elle descendit l'escalier derrière eux, tout sourire.

– Le pauvre Francis Wright ! Je lui ai conseillé une embrocation.
Tout est réglé ? Vous approuvez mon choix ?

– Nous parlerons de cela plus tard.

– Le colonel Wardle approuve, dit-elle, s'adressant à Daniel.
Faites livrer tout cela. Et n'oubliez pas le service du duc de Berry.

Silence dans la voiture au retour, du moins de la part du colonel.
Pour elle, elle bavardait gaiement et sans le moindre embarras.

– Cela va me sembler bon de vivre de nouveau dans l'opulence.
Je ne saurais vous remercier assez de votre bonté, de votre générosité. Dès que l'on m'aura apporté mon bonheur-du-jour, je recher-
cherai ces lettres.

Le bonheur-du-jour a bon dos ! songea-t-il. Les lettres sont bien
chez elle.

Elle, cependant, trouvait fort amusant de tirer les ficelles du
patriote et de le saigner aux quatre veines pour payer son mobilier,
tapis compris. Pas moyen pour lui d'échapper, elle le tenait. Tout
fut livré chez elle, le lendemain après-midi, et, quinze jours plus
tard, Francis Wright, rétabli, vint Westbourne Place pour rencontrer le colonel Wardle.

– C'est bien vous, monsieur, n'est-ce pas, qui avez fait tant de
promesses à Madame ? Elle m'a laissé entendre que vous étiez un de
ses appuis les plus influents. Je vous serai donc fort obligé de me
verser cinq cents livres en acompte sur ce qu'elle me doit.

Madame souriait d'un air innocent et murmura quelques mots où
il était question de la Chambre des communes et d'un monde nouveau meilleur pour tout un chacun, y compris Wardle. L'honorable
député d'Okehampton essaya d'atermoyer.

– Je n'ai pas d'argent, dit-il. Je ne puis vous signer un billet à
ordre. J'ai remis cent livres, l'autre jour, à Mrs Clarke.

– Mais c'était uniquement pour les fournisseurs de Bloomsbury.

Il faut bien que ce pauvre Mr Wright vive, tout comme vous. D'ailleurs, vous n'avez pas besoin d'y aller de votre poche, vos alliés d'Ealing…

Elle s'interrompit devant son regard alarmé.

– Je ferai en sorte que vous soyez payé, dit Wardle au tapissier en balbutiant, mais comprenez bien, je vous en prie, que mon nom ne devra pas être mentionné. Une affaire très délicate m'attend aux Communes, et une révélation de ce genre serait fatale à mes projets. Je vais tâcher d'opérer ce règlement par l'entremise d'un marchand.

Elle lança un clin d'œil dans la glace à l'intention du tapissier.

– Je suis sûre que Mr Wright ne fera aucune difficulté, du moment qu'il aura quelque garantie.

La garantie arriva tout de suite après Noël, fournie par Illingworth, négociant en vins, 10, Pall Mall (fournisseur de Son Altesse Royale le duc de Kent), sous forme d'un engagement écrit de verser à Francis Wright la somme de cinq cents livres dans un délai de trois mois. Une caisse de vin fut déposée chez Mrs Clarke, avec les compliments de Mr Illingworth et le vœu d'avoir l'avantage de la servir à l'avenir. Une copie du reçu de Wright était cachée dans la paille : « Reçu de R. S. Illingworth, 2 janvier 1809, une traite à trois mois d'une valeur de cinq cents livres laquelle somme, une fois payée, viendrait en déduction de la facture du mobilier livré à Mrs Clarke, 2, Westbourne Place. »

Le vin arrivait à point pour une réception qu'elle donna, le soir des rois, à un groupe d'amis assez mélangé – et fort amusant – qui comptait Mr Corri et quelques-uns de ses élèves, Charley, May Taylor et l'oncle Tom ; le pamphlétaire Mac Cullum, Dodd et Wardle. Chacun fut présenté sous un nom de guerre et se vit, dès l'arrivée, servir un verre d'eau-de-vie qui donna à la soirée l'animation qu'il fallait. Tandis que les jeunes chanteurs, les élèves de Corri, lançaient des œillades à Charley et que Dodd jouait aux dames avec l'oncle Tom, Corri, au septième ciel, dégoisait au colonel Wardle toute l'histoire des recrues levées par le colonel French en 1806.

Les langues s'agitaient… les têtes tournaient… personne ne s'en souciait… L'on apporta la galette, et la fève échut à Mac Cullum.

– Qui sont ces messieurs ? demanda tout bas à la maîtresse de maison Corri, excité par l'alcool et la conversation. Je crains d'avoir laissé échapper quelques indiscrétions.

– Ne vous en inquiétez point, ils ont juré le secret. Ce sont tous hommes intègres et de principes. Celui qui est là, debout avec la fève, écrit des articles, mais uniquement pour l'Église et des publications diocésaines. Le monsieur, à votre gauche, est membre du Parlement. Il s'appelle Mellish, député du Middlesex, et est le personnage le plus respecté de la Chambre des communes.

Elle essuya des larmes de rire en songeant que le véritable Mr Mellish, rouge et pompeux, qu'elle avait aperçu un jour, descendant Saint James... Le maître de musique ouvrait la bouche, écarquillait les yeux.

– Tant de bonté de votre part !... M'avoir invité avec des personnages si éminents !...

Elle alla regarder la partie de dames. L'oncle Tom, après avoir battu deux fois Dodd, se montrait loquace et révélait, à la douzaine, d'augustes secrets. Elle remplit leurs verres et les observa, en riant sous cape.

– Voilà des années que je les fournis de bottes, et d'autres choses aussi, je puis vous l'assurer. Tous les princes sont venus l'un après l'autre me trouver.

– Sauf le duc de Kent, dit Dodd très raide.

– Le prince Edward ? fit Taylor en éclatant de rire. Mais c'était le pire, avant qu'il ne se laissât mettre le grappin dessus par sa Française. Il avait si peur d'être vu qu'il venait sous un déguisement, perruque et chapeau de cocher. Ses frères l'avaient surnommé Simon le Pur.

Dodd repoussa le damier et s'excusa de ne pas continuer à jouer. L'oncle Tom, d'un œil clignotant, remarqua son habit. Seigneur ! L'homme portait des boutons aux armes. Le monde était-il sens dessus dessous ou bien était-ce lui qui devenait fou ? Il tira la maîtresse de maison par sa jupe.

– Qui est-ce ?

– Ne vous inquiétez pas. Un fripier.

L'oncle Tom poussa un soupir de soulagement et vida son verre.

– Avez-vous transmis mon message au duc d'York ? lui demanda-t-elle.

– Oui, ma chère, mais, j'en suis désolé, il n'y a rien à faire. Si vous osez écrire un seul mot contre lui, il vous mettra en prison.

Le dernier effort pacifique avait échoué. En guerre donc, et vers la victoire ! Pourvu qu'elle gagnât, peu importait comment. Il faudrait réunir des témoins qui confirmassent ses dires : le docteur Thynne, Mr Knight, et même Bill, Bill qui allait justement rentrer du Portugal. Il faudrait les prier, les convaincre, ou, tout simplement, les citer à comparaître, et Wardle pourrait lancer son attaque à la fin du mois. Certains protesteraient, nieraient toute connaissance des faits, mais pas les amis comme Bill. Pour les plus douteux, ce serait à Wardle d'en courir le risque : s'ils mentaient et protestaient de leur innocence, tant pis pour lui.

– Devrai-je moi aussi déposer à la Chambre ? demanda-t-elle.

– Certes, répondit-il, vous serez le principal témoin.

Une appréhension lui contracta la gorge. Il était trop tard, à présent, pour reculer. La balle était lancée.

– Quelles questions me poserez-vous ?

– Rien d'effrayant. Nous les répéterons entre nous, dans votre boudoir. Vous n'aurez qu'à dire la vérité sur vos transactions.

– Mais vous ne serez pas le seul à m'interroger. Il y aura aussi des membres du gouvernement qui chercheront à protéger le duc. N'essaieront-ils pas de me confondre et de jeter le discrédit sur ma déposition ?

– C'est probable, mais vous avez assez d'esprit pour les jouer.

Elle ne se fiait pas à lui. Elle ne se fiait à personne, sauf, peut-être, à Will, l'esprit supérieur. La veille du jour où Wardle devait déposer à la Chambre, Ogilvie vint dîner chez Mary Anne, en tête à tête, et, comme il lui souhaitait bon courage :

– Vous voulez dire, fit-elle, que j'en aurai besoin.

– Je ne vous le cache pas.

Là enfin était la vérité. Il la regarda fixement. Elle sentit ses mains se glacer en touchant son verre.

– Si vous gardez votre sang-froid, vous gagnerez. Voici la situation. La Chambre se divisera, en gros, en trois partis. D'abord, les gouvernementaux qui, dans l'ensemble, soutiendront le duc, bien que certains se laisseront sans doute ébranler au cours des débats, surtout quand les faits apparaîtront en pleine lumière. L'Opposition soutiendra l'accusation et fera tout pour vous aider jusqu'au bout. Si Wardle se retournait contre nous, ce qui est toujours possible, Francis Burdett et Folkestone vous défendraient. Les Puritains constitueront le troisième et dernier parti, composé des moralistes et autres conduits par Wilberforce. La seule chose qu'ils retiendront est que le duc avait une maîtresse, et ils s'allieront à l'Opposition pour réclamer sa démission. Vous devrez surtout prendre garde à Spencer Perceval, représentant à la Chambre du gouvernement, et à Vicary Gibbs. Vicary Gibbs est le procureur général. Ils essaieront de réduire votre témoignage à néant, pas tant en niant les transactions elles-mêmes qu'en raclant tout ce qu'ils pourront découvrir de boue dans votre passé afin de vous discréditer. Autrement dit : « Cette femme a toujours été une prostituée, une menteuse, et nous allons le prouver. » Ils appliqueront la même tactique à l'égard de William Dowler, mais ce sera moins facile. Ils produiront des témoins soudoyés par Adam pour parler contre vous. Voilà, vous savez tout. Alors, ma chère, avec le sourire… Nous gagnerons.

Gagner quoi ? Le plaisir douteux de se venger, de frapper un homme autrefois aimé ? Quel baume pour l'orgueil blessé, la situation perdue !

– Rappelez-vous qu'il s'agit de l'avenir de vos enfants, fit Will à voix basse. De votre frère, ajouta-t-il. Lui aussi a quelque chose à gagner. Quand le duc aura perdu son commandement, le verdict du tribunal militaire sera probablement cassé et Charles réintégré. Je n'ai jamais vu un garçon aussi changé. Quel but aura-t-il dans la vie, si vous ne l'aidez pas ?

Il souleva doucement la bouteille de vin et remplit les verres, tout en observant l'air de doute et d'indécision de la jeune femme. Où était-elle, à présent ? se demanda-t-il. Dans le passé, dans l'avenir ? Cachée derrière une charrette de fruits dans l'impasse, en train de voler des pommes pour Charley ? Ou bien debout à la barre de la Chambre des communes, seule femme dans un univers masculin ?

Soudain, elle sourit et leva son verre puis le lança derrière elle. Il tomba, en miettes.

– J'ai déjà fait cela, un soir, dit-elle. A Fulham. Buvons au clan Mackenzie. Le jeu continue.

TROISIÈME PARTIE

CHAPITRE I

Le 27 janvier 1809, le colonel Wardle, député radical de Okehampton, se leva de son banc, à la Chambre des communes, pour demander la constitution d'une commission d'enquête au sujet de la conduite de Son Altesse Royale le duc d'York, commandant en chef de l'Armée, concernant certaines charges et promotions, de même que la levée de nouvelles troupes.

– Se dresser en accusateur public contre un homme d'un rang aussi élevé que le commandant en chef, dit-il, peut paraître une entreprise ardue et présomptueuse. Pourtant, aussi ardue et présomptueuse qu'elle puisse être, rien ne me détournera de l'accomplissement de mon devoir ; et j'espère qu'il sentira, aussi haut qu'il puisse se trouver du point de vue du rang et de l'influence, que la voix du peuple, parlant par ses représentants, triomphe de la corruption, et que justice sera rendue à une nation qui souffre. Si nous ne nous attaquons pas à la corruption, si nous ne nous y attaquons pas de toutes nos forces, ce pays deviendra demain la proie sans défense de l'ennemi.

» Que personne n'aille croire que j'entreprends ce procès à la légère. J'ai établi ma conviction sur les fondations les plus solides et je suis en mesure de faire la preuve de chacune de mes affirmations. Afin qu'elles puissent être examinées à fond, comme il convient, je demande que soit nommée une commission, ayant pour objet d'enquêter sur la conduite de Son Altesse Royale le duc d'York.

Des représentants du gouvernement se levèrent pour affirmer avec véhémence que le commandant en chef était prêt à accepter qu'une enquête fît la pleine lumière sur les faits qui lui étaient reprochés. Ils

prièrent la Chambre de considérer si la façon dont l'armée récemment envoyée au Portugal avait été équipée ne constituait pas un
témoignage éclatant des talents militaires du duc d'York, et propre à
réfuter pleinement les accusations de l'Opposition ; enfin, ils expri-
mèrent l'opinion que le fleuve de calomnies qui se déversait depuis
quelque temps contre les divers membres de la famille royale ne pouvait provenir que d'une vile conspiration contre l'illustre Maison de
Brunswick. (Applaudissements nourris sur tous les bancs.)

Mr Spencer Perceval, chancelier de l'Échiquier et représentant
du gouvernement à la Chambre, proposa alors que la Commission
d'enquête fût composée de la Chambre entière – motion qui fut
acceptée à l'unanimité. L'on décida que la Commission se réunirait
cinq jours plus tard, le 1er février.

Ce délai permit à la nouvelle de se répandre. Tous les journaux la
rapportèrent en première page et, le jour venu, la Chambre était
bondée. Des députés de la campagne qui n'y paraissaient point,
parfois, de toute une session, se disputaient les bancs ; les galeries
étaient pleines à craquer ; les couloirs encombrés.

Le colonel Wardle ouvrit les débats en annonçant qu'il apporterait
les preuves de la première accusation relative à une mutation de
postes effectuée entre le lieutenant-colonel Brook et le lieutenant-
colonel Knight, et appela son premier témoin, le docteur Thynne. Un
homme d'un certain âge, de taille élevée, aux cheveux gris, parut
devant la Chambre pour déclarer s'être, en 1805, adressé à Mrs Mary
Anne Clarke (dont il était le médecin depuis sept ans) de la part d'un
vieil ami à lui, Mr Robert Knight, frère d'un des deux officiers en
question. Il avait été autorisé, dit-il, à promettre à Mrs Clarke, au cas
où elle voudrait bien user de son influence pour accélérer l'échange,
la somme de deux cents livres. Il reconnut, en réponse aux questions
du colonel Wardle, que l'on s'était adressé à elle uniquement parce
qu'elle était sous la protection du duc d'York. La déposition du docteur Thynne fut confirmée par Mr Robert Knight lui-même qui
ajouta que, aussitôt l'échange publié dans la *Gazette*, il avait envoyé
à Mrs Clarke, par son domestique, deux cents livres en billets.

C'était à présent le tour du témoin que toute la Chambre attendait : Mrs Mary Anne Clarke.

« Vêtue, rapporta le *Morning Post* du lendemain, comme pour une fête, d'une robe de soie bleu pâle bordée de fourrure blanche, manchon et toque de même fourrure, ornée d'un voile. Son éblouissant sourire, son nez légèrement retroussé et ses yeux bleus pleins d'animation, séduisirent toute la Chambre. »

Le colonel Wardle lui posa les questions suivantes :

– Habitiez-vous en 1805 une maison appartenant à Son Altesse Royale le duc d'York, et sise Gloucester Place ?

– Oui.

– Viviez-vous alors sous sa protection ?

– Oui.

– Une demande vous fut-elle adressée concernant les colonels Knight et Brook ?

– Oui.

– Parlâtes-vous au commandant en chef à ce sujet ?

– Oui.

– Comment lui présentâtes-vous la chose ?

– Je lui exposai le cas et lui remis le bout de papier que je tenais du docteur Thynne.

– Quelle rémunération reçûtes-vous ?

– Deux cents livres.

– Le commandant en chef eut-il connaissance de cette somme ?

– Oui, je lui montrai les deux billets de cent livres chacun. J'envoyai un domestique les changer, s'il m'en souvient bien.

Mr Beresford, du parti du gouvernement, se leva pour interroger le témoin.

– Où vous trouviez-vous immédiatement avant de comparaître à la barre de cette Chambre ?

Le témoin se retourna et regarda autour d'elle. Un léger frémissement parcourut les bancs. Mr Beresford rougit. Il répéta sa question en élevant un peu la voix.

– Où vous trouviez-vous avant de venir à la barre de cette Chambre ?

– Dans une salle voisine.

– Qui s'y trouvait avec vous ?

– Le capitaine Thompson, Miss Clifford, Mrs Metcalfe, le colonel Wardle.

– Vous êtes-vous entretenue avec le docteur Thynne ?

– Oui, il était assis à côté de moi.

– Que dit-il ?

– Il s'adressait aux dames qui étaient avec moi.

– De quoi leur parla-t-il ?

– Je ne puis le répéter. Ce n'était point convenable.

On rit bruyamment. Mr Beresford s'assit. Sir Vicary Gibbs, procureur général, se leva et, les bras croisés, les yeux au plafond, commença son interrogatoire. Il affectait un maintien hésitant et doux. La Chambre, qui connaissait sa manière, l'écoutait dans un respectueux silence.

– A quelle époque de l'année la nomination du colonel Knight parut-elle dans la *Gazette ?*

– Vers la fin juillet ou le début d'août, je crois. Son Altesse Royale se disposait à partir pour Weymouth où il devait servir de parrain à l'enfant de Lord Chesterfield.

– Quand avez-vous parlé de cette affaire au colonel Wardle pour la première fois ?

– Très récemment. Il y a à peine un mois.

– A qui d'autre encore en avez-vous parlé ?

– Je ne me rappelle pas. A certains de mes amis, peut-être.

– Aviez-vous un intérêt quelconque à faire connaître cette affaire ?

– Certes non.

– Avez-vous jamais déclaré que vous aviez lieu de vous plaindre de Son Altesse Royale le duc d'York ?

– Mes amis savent que j'en ai lieu.

– N'avez-vous point déclaré que, si Son Altesse Royale ne satisfaisait pas à vos demandes, vous le dénonceriez ?

– Non. J'ai adressé deux lettres à Mr Adam. Peut-être les produira-t-il.

– Était-ce des lettres de menace ?

– Non, de sollicitation.

– Cette sollicitation était-elle accompagnée de la déclaration que, si il n'y était point répondu selon votre désir, vous dénonceriez Son Altesse Royale ?

– Je ne me rappelle pas. Vous devriez vous faire montrer ces lettres. Le duc me fit dire, une fois, que si je parlais ou écrivais contre lui, il me mettrait au pilori ou en prison.

– Qui vous transmit ce message ?

– Un ami personnel du duc d'York, un certain Taylor, cordonnier de Bond Street.

– Aviez-vous écrit à Son Altesse Royale ?

– Oui.

– Par qui lui fîtes-vous remettre votre lettre ?

– Par le même ambassadeur du Maroc... hein ?

Un éclat de rire balaya la Chambre. Le procureur général leva la main pour réclamer le silence.

– Quel est le nom de votre mari ?

– Clarke.

– Son nom de baptême ?

– Joseph, je crois.

– Où eut lieu votre mariage ?

– A Pancras. Mr Adam peut vous le dire.

Le témoin fut rappelé à l'ordre par le président et averti que, s'il persistait à répondre sur ce ton impertinent, il s'exposerait à la censure de la Chambre.

– Avez-vous fait croire à Mr Adam que vous vous étiez mariée à Berkhamstead ?

– Je ne sais plus ce que je lui ai fait croire. Je me moquais de lui.

– Avez-vous présenté votre mari comme étant le neveu de Mr le conseiller Clarke ?

– Il m'avait dit qu'il l'était. Je ne me suis jamais donné la peine de vérifier ce qu'il racontait. Il n'est plus rien pour moi ni moi pour lui. Voilà trois ans que je ne l'ai pas vu ni n'ai entendu parler de lui, depuis qu'il avait menacé d'introduire une action contre le duc.

– Qu'est votre mari ?

– Rien. Un homme.

– Quel métier exerce-t-il ?

– Aucun. Il vit avec son jeune frère et la veuve de son frère aîné, c'est tout ce que j'en sais.

– Avez-vous habité Tavistock Place ?

– Oui.

– Quel numéro ?

– Je ne me rappelle plus.

– Avez-vous eu d'autres domiciles entre l'époque où vous habitiez Tavistock Place, et celle où vous habitiez Park Lane ?

– Je ne sais pas. Le duc le sait. J'ai pu habiter une de ses maisons.

– Quand avez-vous fait la connaissance du duc ?

– Je ne trouve pas cette question convenable. J'ai des enfants à élever.

– Étiez-vous sous la protection du duc d'York, lorsque vous habitiez Tavistock Place ?

– Non. J'étais sous la protection de ma mère.

– Connaissez-vous un certain commandant Hogan qui écrivit un pamphlet contre le duc ?

– Non, je ne le connais pas, je ne l'ai jamais vu. Taylor, le cordonnier, m'a dit que Mr Greenwood prétend que j'étais en rapport avec des pamphlétaires, ce que je niai et nie encore.

– Avez-vous dit à Mr Robert Knight que vous désiriez garder secret vis-à-vis du duc d'York le paiement des deux cents livres ?

– Non.

– Si l'on vous représentait comme l'ayant dit, vous soutiendriez que c'est un mensonge ?

– Certes.

– Aviez-vous des raisons de désirer cacher au commandant en chef la visite du docteur Thynne au sujet de Mr Knight ?

– Je n'ai jamais désiré cacher cette visite, ni la visite d'aucun homme, à Son Altesse Royale.

Le procureur général haussa les épaules et, avec un geste désabusé de la main, céda la place au représentant du gouvernement à la Chambre.

– Combien de temps après l'échange Mr Knight s'acquitta-t-il de sa promesse ?

– Immédiatement. Le jour même.

– Et, le jour même, d'après ce que vous avez dit, vous demandâtes au duc d'York la monnaie de la somme ?

– Je n'ai pas demandé de monnaie au duc d'York. Le domestique est allé en faire.

– Avez-vous reçu de l'argent, en d'autres occasions, pour intervenir auprès du duc d'York en faveur d'officiers demandant de l'avancement ?

Le témoin soupira, regarda le président :

– Je croyais qu'après avoir déposé au sujet de l'affaire Knight, je pourrais m'en aller.

On l'autorisa enfin à se retirer, et le représentant du gouvernement à la Chambre demanda la parole pour Mr Adam. Dans un discours qui dura vingt minutes, Adam déclara comment, à la fin de l'année 1805, il avait appris que Joseph Clarke menaçait de poursuivre le duc d'York pour adultère et comment, étant depuis plus de vingt ans au service de Son Altesse Royale, il entrait dans ses fonctions de renseigner le prince. Ses recherches lui avaient révélé que la conduite de Mrs Clarke était entachée de malhonnêteté, qu'elle avait accepté des pots-de-vin, et il avait considéré de son devoir d'en informer le duc d'York. La tâche avait été pénible, Son Altesse Royale répugnant à ajouter foi à ce genre de bruits. Mais les preuves étaient irréfutables. Son Altesse Royale avait dû se résoudre à se séparer de Mrs Clarke, et Mr Adam avait été chargé d'annoncer à celle-ci l'auguste décision. L'entrevue avait été brève, et il ne l'avait pas rencontrée depuis.

Un député se leva alors et protesta avec véhémence contre la comparution à la Chambre d'un témoin de la moralité de Mrs Clarke pour déposer sur la conduite d'un membre de la famille royale. Mr Perceval répondit que, si pénible que ce fût, il considérait néanmoins qu'il importait de poursuivre cette enquête jusqu'au bout.

– La question dont la Chambre a à connaître, continua-t-il, est de savoir si Son Altesse Royale était au courant du fait que de l'argent était versé à Mrs Clarke dans les circonstances exposées par celle-ci. L'affaire sera réglée si le témoignage de Mrs Clarke peut être prouvé indigne de crédit. Elle s'est déclarée veuve, alors que son mari est toujours vivant, elle a dit à Mr Adam s'être mariée à Berkhamstead alors qu'elle s'est mariée à Pancras. Je suis convaincu que l'accusation s'écroulera du fait de ses faux témoignages.

La séance fut levée.

Mary Anne quitta la Chambre des communes accompagnée par le capitaine Thompson, son frère, et les deux dames qui étaient arrivées avec elle. Lord Folkestone la conduisit à sa voiture avec tous les signes d'une profonde sollicitude et il exprima l'inquiétude que lui inspirait sa santé. La foule se rassemblait autour d'eux, des visages se pressaient aux vitres, et il fallut un certain temps pour écarter les curieux et permettre aux chevaux d'avancer.

De retour Westbourne Place, Mary Anne accepta un sédatif des mains du docteur Metcalfe, son médecin, et monta à sa chambre, suivie de son frère et de sa sœur Isobel.

– Les brutes, explosa Charley. Ils te mettent sur la sellette comme une vulgaire criminelle. Que vient faire dans l'enquête actuelle la date de ton mariage, l'église où il eut lieu et les adresses où tu as habité ? Pourquoi n'as-tu pas envoyé le procureur général au diable ?

Elle s'était jetée sur son lit et avait fermé les yeux.

– Je l'ai fait, aussi courtoisement que j'ai pu, répondit-elle. Ne n'inquiète pas, je sais maintenant contre quoi je me bats. Will Ogilvie m'a prévenue. Ça été plutôt pire que je n'avais imaginé, mais l'on n'y peut rien. Isobel, va me chercher un verre d'eau, veux-tu ?

Isobel lui apporta de l'eau, la déchaussa, ranima le feu.

– Ne vous tourmentez pas pour moi, mes chéris. Allez vous coucher. Vous devez être fatigués, vous aussi. Veux-tu voir s'il y a des lettres pour moi, Charley ?

– Il y en a une. La voici.

Il lui tendit une enveloppe portant le timbre de Tilbury. Elle avait été adressée Bedford Place d'où on l'avait fait suivre. Mary Anne reconnut l'écriture de Bill, et serra la lettre dans sa main.

– Je me sens mieux. Dites à Martha de ne pas me déranger.

Ils quittèrent la chambre et elle ouvrit l'enveloppe.

« Très chère, où es-tu et que se passe-t-il ? J'ai reçu à Lisbonne la lettre où tu parlais de dénoncer le d… Es-tu devenue folle ? Je te supplie de ne pas écouter des conseils insensés. Je serai à Londres jeudi, Hôtel Reid. »

Jeudi, aujourd'hui donc. Elle regarda la pendule de la cheminée. Il fallait le mettre au courant sur-le-champ. Demain, il aurait vu les journaux et se serait fait lui-même une opinion, la condamnant peut-être et refusant de se laisser mêler au procès.

Elle se leva de son lit, prit un manteau, gagna sur la pointe des pieds la porte et l'ouvrit. Tout était silencieux, la maison plongée dans l'ombre, Isobel et Charley couchés. Elle griffonna quelques mots qu'elle posa sur son oreiller à l'intention de Martha et descendit sans bruit l'escalier.

Elle héla un fiacre au coin de la place et donna au cocher l'adresse de l'hôtel Reid. Il était près de minuit lorsqu'il la déposa dans Saint Martin's Lane. Le quartier était presque désert, à l'exception de quelques flâneurs attardés.

Mr Reid, le propriétaire de l'hôtel, parlait à des clients dans le salon. Il la reconnut aussitôt et vint à elle en souriant. Dieu merci, il ne l'associait pas aux commérages dont ses clients et lui s'entretenaient à ce moment. (Elle avait entendu les mots de « duc » et de « catin, menteuse ».) Mr Reid ne la connaissait que comme « la dame de Mr Dowler ».

– Vous venez voir monsieur ? dit-il. Il est monté. Il a soupé il y a deux heures. Ça lui a fait plaisir de retrouver la cuisine anglaise. Il paraît en bonne santé. Sam, conduis Madame au numéro 5.

Le garçon la précéda au premier étage et frappa à une porte. Elle l'ouvrit et entra.

Il était à genoux par terre à côté de sa malle, les manches de sa chemise relevées, et, en le voyant ainsi, familier, toujours pareil à lui-même, elle se sentit rassurée. Elle referma la porte derrière elle et l'appela.

– Bill…

– Quoi… Mary Anne !

Que de choses à démêler, à expliquer, toute l'histoire de ces neuf derniers mois à raconter… Il savait le verdict du tribunal militaire mais non ses suites – non les lettres à Mr Adam, l'arrestation, le manque d'argent, les semaines de souci, l'entrevue de novembre avec Wardle et Dodd, et la décision finale d'associer sa fortune à la leur.

– Tu as eu tort. Oh ! comme tu as eu tort !

Elle l'interrompit.

– Que pouvais-je faire d'autre ? Tu n'étais pas là pour me conseiller. Je n'ai jamais été plus seule, plus complètement abandonnée.

– Je t'avais prévenue, il y a quatre ans de cela… Je sais, je sais… A quoi bon y revenir ? Le mal est fait. Si le duc avait réglé les choses convenablement pour moi, rien de tout cela ne serait arrivé, mais quel autre recours ai-je aujourd'hui que de faire ce que je fais et de témoigner dans le sens de l'accusation ? C'est un supplice, c'est l'enfer et la damnation, mais je n'ai pas le choix.

– Et tu voudrais que je t'y aide ?

– Il le faut. Sans toi, je suis perdue. Nous ne pouvons compter sur aucun autre. Wardle m'a dit, ce soir, avant de quitter la Chambre, que la plupart des témoins cités nieraient tout, tant ils ont peur de s'attirer des ennuis. Tu te rappelles Sandon, l'ami du colonel French ? C'est un témoin pour nous, soi-disant, mais il tournera probablement casaque. De même d'un agent nommé Donovan sur lequel je croyais pouvoir compter après tout l'argent que je lui ai versé autrefois. Bill chéri, tu vas… tu dois me soutenir.

Il y avait une angoisse dans sa voix, des larmes dans ses yeux. Il lui ouvrit les bras, la serra contre lui.

– Nous en parlerons demain.

– Non, ce soir.

– Il est très tard. Il faut que j'appelle une voiture pour te ramener.

– Je ne rentre pas. Je reste ici avec toi.

– Ce n'est pas sage…

– Oh ! mon Dieu, ne parle pas de sagesse… Tu ne me désires donc pas ?

Le portier reçut un message qu'il tendit à Samuel Wells, le garçon : « Ne déranger le n° 5 sous aucun prétexte avant demain matin. Petit déjeuner pour deux, à huit heures. »

Le lendemain, le colonel Wardle fut informé que Mr William Dowler, de retour de Lisbonne, était prêt à déposer en qualité de témoin à charge, et souhaitait le rencontrer, le dimanche suivant, Westbourne Place…

Quelles questions poseraient-ils à Bill, se demandait Mary Anne, et pourquoi ces interrogatoires la mettaient-ils au supplice, la poussant à chercher des subterfuges ? Elle n'avait rien à craindre des témoignages à charge. Elle avait accepté des pots-de-vin, c'était de notoriété publique, la faute était avouée. Peu lui importait ce qu'on lui demandait à ce sujet, mais quand le procureur général touchait à son passé, elle avait aussitôt le sentiment d'être prise au piège, l'impression d'être traquée dans un réduit sans issue. Elle redoutait d'être amenée à faire sur sa vie d'autrefois, sur ses amants, des déclarations qui, imprimées dans les journaux, finiraient par tomber sous les yeux de ses enfants.

Le pauvre Bill allait subir la même épreuve en songeant à son père, à Uxbridge ; il avait toujours eu honte de la nomination obtenue par corruption et qu'il allait falloir avouer, à présent, pour étayer l'accusation. Elle fut saisie d'horreur, elle se dit qu'elle ne pourrait le supporter, et quand Will Ogilvie vint la voir le lundi soir, elle lui demanda de l'emmener à la campagne.

– Je suis à bout de nerfs. Je n'en peux plus.

Il ne répondit pas tout de suite. Puis il traversa la pièce et vint se planter devant elle.

– Lâche ! lui dit-il, et il la gifla en plein visage.

La colère l'emporta aussitôt et elle lui rendit sa gifle. Il se mit à rire et croisa les bras. Elle fondit en larmes.

– C'est cela, pleurnichez à présent, dit-il, retournez au ruisseau. Filez comme un rat, et allez vous cacher dans un égout. Je croyais que vous étiez une fille du peuple et que vous aviez de la fierté.

– Comment osez-vous me traiter de lâche !

– Vous êtes lâche. Vous êtes née dans une impasse, vous avez grandi sur le pavé de Londres et vous n'avez pas le courage de vous battre, pour votre classe. Vous avez peur parce que le procureur général, dont c'est le métier d'être désagréable, vous interroge. Vous avez peur parce que les tories vous traitent de catin. Vous avez peur parce qu'il est plus facile de pleurer que de se battre et que la Chambre est composée d'hommes et que vous êtes une femme. Filez, si vous voulez ; vous ferez ce qu'il vous plaira. Peut-être cela vous intéressera-t-il d'apprendre que vous n'êtes pas la seule. Le duc de Kent vient de faire un discours à la Chambre des Lords. Je vous conseille d'aller le rejoindre à Ealing.

Il jeta des feuillets sur le sol et sortit. Elle entendit claquer la porte de la rue. Elle ramassa les papiers et lut le compte rendu suivant, prêt pour les journaux du lendemain.

« Chambre des Lords, 6 février 1809.

« Le duc de Kent juge nécessaire d'effectuer la mise au point suivante. Un certain nombre de personnes prétendant qu'il s'était trouvé en désaccord avec son auguste frère, l'on a pu en conclure qu'il soutenait les accusations portées contre le commandant en chef : quels qu'aient été les différends d'ordre professionnel qui aient pu survenir entre eux, il éprouve pour son auguste frère la plus profonde estime, et le sait absolument incapable d'avoir agi de la manière qu'on lui reproche. Aussi, loin de soutenir de telles accusations, il fera tout ce qui est en son pouvoir pour les détruire. Il n'existe à ce sujet aucune différence d'opinion dans sa famille, dont tous les membres s'associent à ses déclarations. »

Elle rejeta le papier et alla à la fenêtre, mais Will Ogilvie était parti. Elle appela Martha.

– Si le colonel Wardle vient, je suis couchée. Mais dis-lui que j'irai demain à la Chambre des communes, à l'heure où il lui plaira de me convoquer.

Simon le Pur pouvait se renier. Pas Mary Anne.

CHAPITRE II

Le mardi suivant, à la reprise de l'audience, le colonel Wardle annonça qu'il allait passer à sa seconde accusation concernant la levée de troupes par le colonel French, et appela à la barre le capitaine Sandon. Comme il le craignait, ce témoin déclara n'avoir aucun souvenir d'avoir parlé à Mrs Clarke de cette affaire qui avait été entièrement réglée entre le colonel French et ladite dame. Il admit toutefois, pressé par le colonel Wardle, qu'il lui avait, à un certain moment, remis huit cents livres, à moins que ce ne fût huit cent cinquante, en sus du versement initial fait à elle et à son agent Mr Corri, par le colonel French.

Il ne croyait pas, poursuivit-il, que Mrs Clarke disposât de beaucoup d'influence auprès du commandant en chef. D'autre part, il n'avait jamais eu lieu de supposer que sa proposition de recrutement serait repoussée par la voie régulière, mais le colonel French avait pensé hâter les choses en donnant de l'argent à Mrs Clarke. Mrs Clarke avait fait grand mystère de toute l'affaire et, chaque fois qu'il l'avait vue, lui avait recommandé la plus grande prudence, de crainte que la question d'argent vînt aux oreilles des personnages officiels et plus particulièrement à celles du duc d'York.

Le capitaine Sandon s'assit et Mr Domenigo Corri fut appelé. Le maître de musique, souriant, confiant, les cheveux frisés pour l'occasion, regarda autour de lui dans l'espoir de reconnaître les visages illustres de la Chambre. Il fut rappelé à l'ordre et le colonel Wardle commença l'interrogatoire.

– Vous souvient-il d'avoir présenté le capitaine Sandon à Mrs Clarke ?

– Je ne l'ai jamais présenté. Il s'est présenté lui-même.

– Que savez-vous du marché conclu entre eux ?

– Il fut réglé entièrement entre eux et, au mois de juin, je reçus un billet de deux cents livres, au Café Cannon.

– Vous ne savez rien de plus ?

– Diverses personnes s'adressèrent à moi pour des places et j'en fis part à Mrs Clarke mais n'en entendis plus parler, et nous ne nous occupâmes plus que de musique.

– Avez-vous détruit des papiers depuis l'ouverture de cette Commission d'enquête ?

– J'ai détruit un papier, au mois de juillet, l'année même de l'affaire du capitaine Sandon. J'allai un jour chez Mrs Clarke qui me dit que l'on faisait grand bruit, que le duc était en colère et qu'elle désirait que je brûlasse tous les papiers et toutes les lettres que j'avais.

– Vous dit-elle les raisons de la colère du duc ?

– Oui. Elle me dit que le duc était surveillé de près par le colonel Gordon, et que Mr Greenwood la surveillait elle-même, à tel point qu'elle ne pouvait plus guère s'entremettre. Elle allait sortir à ce moment-là, la voiture était à la porte pour la conduire à Kensington Gardens, elle me dit : « Pour l'amour du Ciel, rentrez chez vous et brûlez ces papiers ! » Ce fut tout. Elle était pressée.

Mr Sheridan, député irlandais, se leva pour poser des questions au témoin.

– Avez-vous reçu des lettres de Mrs Clarke depuis ce temps-là ?

– Oui, ce mois-ci, je reçus d'elle une invitation à dîner chez elle, le 6. Je me rendis à l'invitation.

– Parla-t-on ce soir-là des transactions de 1804 ?

– Oui, et j'en fus un peu surpris. Tout de suite après le dîner elle fit servir la galette des rois et il vint des messieurs, et l'on se mit aussitôt à parler de l'affaire du capitaine Sandon. Je dis tout ce que j'en savais, comme je viens de le faire ici.

– Mrs Clarke fit-elle allusion à d'autres transactions de même nature ?

– Non, le reste de la soirée se passa à deviser joyeusement de choses et d'autres, et je quittai la maison un peu après minuit, laissant ces messieurs en train de boire et de causer.

– Savez-vous qui étaient ces messieurs ?

– Je n'en suis pas sûr. Il y en avait un, avec un grand nez, un ami de Mrs Clarke, et un autre qui écrit dans un journal dont on a mentionné le nom, mais je l'ai oublié. Elle a dit qu'elle était obligée de l'avoir pour allié. Il y avait un autre monsieur qui avait l'air d'un homme de loi. Il a beaucoup ri, d'ailleurs, quand je lui ai dit qu'il avait l'air d'un homme de loi.

– Qui était le monsieur, ami de Mrs Clarke, que vous avez mentionné en premier ?

– Dois-je le dire ? Elle me l'avait confié en particulier.

On répondit au témoin qu'il devait tout dire, et personne ne s'aperçut que le colonel Wardle, qui paraissait soudain en proie à une violente rage de dents, s'était assis, le visage dans son mouchoir. Mr Corri répondit :

– Eh bien, elle me dit que c'était Mr Mellish, le député du Middlesex, qui doit se trouver ici, j'imagine.

Un mouvement de surprise s'éleva de toutes parts, vite suivi par de grands rires et des ricanements du côté de l'Opposition. L'on vit un gros monsieur, assis du côté de la Majorité, devenir cramoisi et secouer énergiquement la tête. L'on dit au témoin qu'il pouvait se retirer. Le gros monsieur, Mr Mellish, se leva alors et dit que, bien que craignant que ce ne fût pas dans l'ordre, il souhaitait d'être interrogé.

On lui demanda s'il avait été chez Mrs Clarke en janvier. Il répondit :

– Je n'ai de ma vie été chez Mrs Clarke et je ne l'avais jamais vue avant de la voir dans cette Chambre.

Mr Mellish demanda alors qu'on rappelât Mr, Corri, et l'honorable député s'approcha de la barre pour permettre au témoin de bien le regarder.

– M'avez-vous jamais vu chez Mrs Clarke ? demanda Mr Mellish au témoin.

– Non, répondit Mr Corri. Ce n'était point vous, mais je n'ai fait que répéter ce qu'elle m'a dit. Le monsieur en question avait le teint plus brun que vous. Si elle m'a dit un mensonge, ce n'est pas ma faute.

L'on rit et l'on applaudit, tandis que l'honorable député du Middlesex, sa réputation lavée, reprenait sa place au banc du gouvernement.

Le colonel Wardle, remis de sa rage de dents, se leva alors pour appeler à la barre Mr William Dowler. Le témoin entra, la mine grave mais assurée. Il déclara qu'il venait de rentrer de Lisbonne, qu'il connaissait Mrs Clarke depuis plusieurs années, et qu'il se rappelait avoir vu le colonel French et le capitaine Sandon, Gloucester Place, à l'époque où la jeune femme était sous la protection du duc d'York. Comme on lui demandait s'il se rappelait les propos du colonel French concernant le recrutement, il répondit :

– Je l'ai vu une fois chez Mrs Clarke et j'appris qu'il était venu la trouver au sujet d'une lettre de service. J'interrogeai Mrs Clarke sur la nature de cette affaire et je me rappelle parfaitement avoir pris la liberté de lui dire que je l'en désapprouvais et que je jugeais cela fort mal. Le colonel French avait alors quitté la maison. Il avait versé à Mrs Clarke cinq cents guinées en acompte sur la somme totale promise.

– Comment Mrs Clarke reçut-elle vos remontrances ?

– Elle me répondit que le duc d'York avait de tels soucis d'argent qu'elle n'osait rien lui demander et que c'était la seule façon pour elle de soutenir son train. Elle s'offensa de ma franchise et nous cessâmes de nous voir pendant je ne sais combien de temps.

– Quelle est à présent votre situation ?

– En dernier lieu, je dirigeais le service de comptabilité au commissariat à Lisbonne.

– Comment aviez-vous obtenu ce poste ?

– Je l'avais acheté à Mrs Clarke.

Un sifflement partit d'un coin de la Chambre. Mr Dowler rougit.

– Avez-vous versé de l'argent à Mrs Clarke en échange ?

– Je lui ai payé mille livres.

– Aviez-vous sollicité ce poste auprès d'autres personnes que de Mrs Clarke ?

– D'aucune autre.

– Saviez-vous que Mrs Clarke obtenait ce poste du duc d'York ?

– Assurément.

Interrogé ensuite par le procureur général, Mr Dowler déclara que Mrs Clarke lui avait proposé de lui procurer ce poste – ce n'était pas lui qui le lui avait demandé –, et que son père n'avait pas tout de suite acquiescé, mais avait fini par consentir, son fils paraissant persuadé que l'affaire ne serait jamais publique. A la supposition que son père avait pu solliciter le poste par l'entremise de ses propres amis, Mr Dowler répondit par les dénégations les plus fermes ; il était absolument convaincu que Mrs Clarke avait obtenu sa nomination directement du duc d'York.

Mr Sheridan, député irlandais, se leva à son tour pour interroger le témoin.

– Comment, ayant jugé bon de reprocher à Mrs Clarke sa transaction avec le colonel French en 1804, avez-vous pu vous-même, en 1805, lui verser un pot-de-vin de mille livres pour obtenir votre poste ?

– Je l'ai fait parce qu'elle avait particulièrement besoin d'argent à cette époque, et parce que la nomination devait rester secrète et que rien, sauf une enquête comme celle-ci, n'aurait pu me la faire avouer. La réputation du duc d'York et celle de Mrs Clarke n'auraient donc jamais eu à souffrir de ce que je suis malheureusement contraint de déclarer aujourd'hui devant cette Chambre.

– La Commission devra donc en conclure que l'unique raison de vos remontrances à Mrs Clarke n'était pas la malhonnêteté de l'acte, mais le risque de la découverte ?

– Les deux. Je remarquai que ces transactions ne semblaient lui apporter que des soucis et je lui conseillai de se faire verser des mensualités régulières par le duc d'York, au lieu de se mêler de telles affaires. Elle me répondit qu'il n'avait vraiment pas d'argent.

– Vous rappelez-vous quand vous avez, pour la première fois, remis de l'argent à Mrs Clarke ?

– Je lui ai prêté diverses sommes à diverses époques.

– Aviez-vous des garanties ?

– Aucune.

– C'étaient des prêts ?

– Oui.

– Vous n'avez pas demandé de reconnaissances de dettes en échange ?

– Non.

– Avez-vous vu Mrs Clarke depuis votre retour du Portugal ?

– Oui.

– Quand l'avez-vous vue ?

– Dimanche.

– L'avez-vous vue depuis ?

– Je viens de la voir dans la salle des témoins.

– Y avait-il quelqu'un auprès d'elle ?

– Une ou deux jeunes personnes, c'est tout.

– Que s'est-il passé entre vous dimanche ?

– J'ai déploré l'état où je la trouvais, et elle m'a dit que c'était le duc d'York qui l'y avait mise en ne lui payant pas sa pension.

– Avez-vous vu Mrs Clarke au cours de l'an dernier, avant votre départ pour le Portugal ?

– Oui.

– Fréquemment ?

– Je ne saurais dire avec précision.

– Vous rappelez-vous quand vous lui avez remis de l'argent pour la dernière fois ?

– Vraiment, non.

– Lui avez-vous donné de l'argent depuis l'époque de votre nomination ?

– Sur ma parole, je ne puis me le rappeler ; si je lui en ai donné, ce dut être peu de chose.

William Dowler fut enfin autorisé à se retirer. Il était resté plus d'une heure à la barre.

Mr Huskisson, qui avait été ministre des Finances en 1805, déclara ensuite qu'il n'avait point souvenir de la nomination de Mr Dowler et ne croyait pas que les recherches les plus diligentes dans les archives des Finances pussent apporter des précisions au sujet de l'origine de cette nomination. Il s'assit parmi les murmures désapprobateurs de l'Opposition.

Mr Perceval, représentant du gouvernement à la Chambre, considérant comme indispensable de poser certaines questions à Mrs Clarke le jour même et sans délai, celle-ci fut appelée à la barre. Au bout d'un moment, le président fit part à la Chambre d'un message de Mrs Clarke, qui, souffrante et épuisée par la longue attente, priait qu'on la dispensât de comparaître. Il y eut de

nombreux cris de « Faites la venir et qu'on lui avance un fauteuil. »
L'on attendit de nouveau, assez longtemps cette fois, puis elle fit
son entrée. Elle déclara :

– J'ai attendu plus de huit heures et suis trop épuisée pour
répondre à un interrogatoire.

– Continuons… continuons… cria-t-on sur le banc de la Majorité.
Le président intervint.

– On vous apporte un fauteuil, Mrs Clarke.

– Ce n'est pas cela qui effacera la fatigue de mon corps et de mon
esprit.

On lui permit alors de se retirer parmi les protestations bruyantes
de la Majorité qui désirait l'interroger sur-le-champ et les exclama-
tions de l'Opposition qui trouvait plus humain de reporter son
audition au lendemain. Mr Canning mit fin à la discussion en proposant d'interroger Mr Dowler, afin de savoir s'il avait communiqué
avec Mrs Clarke après avoir déposé. Mr Dowler fut donc rappelé à
la barre.

– Depuis que vous avez quitté cette salle, avez-vous communiqué
avec Mrs Clarke ?

– Uniquement pour lui offrir un rafraîchissement, car je la voyais
fort souffrante. Je me suis procuré un verre d'eau et de vin que j'ai
posé près d'elle.

– Lui avez-vous fait part de ce qui s'était passé ici au cours de
votre déposition ?

– Non.

– Combien de temps vous êtes-vous tenu dans la même pièce que
Mrs Clarke ?

– Cinq à dix minutes. Elle était souffrante, et plusieurs messieurs
l'entouraient en lui proposant des rafraîchissements.

– Saviez-vous que vous ne deviez avoir aucune communication
avec Mrs Clarke ?

– J'en avais le sentiment.

– Et vous avez agi conformément à ce sentiment ?

– Oui.

La séance fut levée alors, et la Commission d'enquête reçut
l'ordre de se réunir de nouveau le jeudi suivant.

Pas d'hôtel Reid, ce soir-là, pour Mrs Clarke, pas de fiacre cahotant vers Saint Martin's Lane, mais sa chambre, son lit, un abîme de fatigue. Prête et pomponnée dès trois heures pour affronter l'épreuve, elle pensait être appelée aussitôt, mais la journée s'était traînée de l'après-midi au soir sans amener d'autre distraction que le passage de Few, le commissaire-priseur qui avait été son voisin à Bloomsbury, puis de Bill. Bill était resté absent une éternité et, quand elle avait demandé à un député qui se trouvait là ce qui se passait, il lui avait répondu : « Ils remuent de la boue. Ils lui demandent avec qui il vous a rencontrée pour la première fois, où, quand. »

French et le recrutement semblaient oubliés. Ce qui intéressait les enquêteurs, c'était de fouiller son passé, de découvrir ses secrets, et Bill, qui avait acheté sa nomination pour lui rendre service, honteux de son action, se voyait à présent, pour lui rendre service encore, forcé de la révéler.

Quand il sortit de la Chambre, il avait le visage défait et paraissait vieilli de plusieurs années. Il lui dit :

– Je préférerais donner jusqu'à mon dernier sou plutôt que de retourner dans cet endroit.

L'on avait avisé Mrs Clarke ce soir-là avant qu'elle quittât la Chambre que, jusqu'à la fin de l'enquête, il lui était interdit de voir aucun des témoins. Bill ne devait pas venir chez elle, elle ne pouvait le rencontrer, aucune communication ne serait autorisée entre eux. Quel bienfait que ce répit d'un jour, d'ici le jeudi, quel bienfait que de se trouver au lit, les rideaux fermés, une compresse sur les yeux, un oreiller sous la tête, une tasse de bouillon déposée par Martha à côté d'elle. Pas de Dodd, pas de colonel Wardle, personne pour la tourmenter. Charley lui-même avait assez d'esprit pour se tenir à l'écart.

Dieu ! Comme elle haïssait ce monde devenu soudain hostile, traînant son nom dans les journaux, la montrant du doigt, ricanant. Déjà, les gamins des rues traçaient des graffiti sur sa porte, et quelqu'un avait lancé un pavé dans une de ses fenêtres, brisant la vitre.

– C'est de l'ignorance, madame, dit Martha. Ils ne se doutent pas que vous êtes en train de sauver leur pain et leur beurre en essayant de délivrer le pays des tyrans.

Qu'est-ce que Martha avait bien pu lire, grand Dieu! *Le Globe du Peuple,* ou *Vérité pour les Opprimés?* Elle ferma les yeux et enfouit sa tête dans l'oreiller.

CHAPITRE III

Le jeudi, les préliminaires expédiés, le colonel Wardle demanda « que Mrs Mary Anne Clarke fût appelée à la barre des témoins ».

Ordre fut donné au sergent d'armes de l'aller chercher, mais un certain temps s'écoula avant qu'elle parût. Elle semblait si souffrante qu'il n'y eut qu'un cri : « Un fauteuil, un fauteuil ! » Elle ne s'assit pas, cependant, mais dit, tournée vers le banc du gouvernement :

– J'ai été insultée en venant ici. Je ne pouvais descendre de voiture, tant la foule se pressait aux portières, et les huissiers ne parvinrent pas à me protéger. J'ai envoyé chercher le sergent d'armes afin qu'il me conduise jusqu'au vestibule. D'où mon retard.

On lui laissa quelques minutes pour se remettre, puis le colonel Wardle commença à l'interroger sur l'affaire de recrutement du colonel French. Elle répondit que celui-ci et le capitaine Sandon l'avaient harcelée de demandes et qu'elle avait toujours remis les lettres du colonel French au duc sans prendre la peine de les lire, pensant que Son Altesse Royale comprendrait. Wardle, qui la voyait encore fort éprouvée par les incidents qui avaient eu lieu à son arrivée à la Chambre, interrompit son interrogatoire pour lui accorder un moment de répit, mais Mr Croker, membre de la Majorité, se leva et lui demanda :

– Depuis combien de temps êtes-vous liée avec Mr Dowler ?

– Neuf ou dix ans, je ne sais.

– Lui devez-vous de l'argent ?

– Je ne me rappelle jamais mes dettes envers un gentilhomme.

– Citez les noms de tous les invités qui rencontrèrent Mr Corri chez vous en janvier.

– Si je faisais cela, aucun homme convenable ne me rendrait plus visite.

L'éclat de rire de la Chambre parut réconforter le témoin qui leva la tête et regarda Mr Croker bien en face.

Divers députés se levèrent ensuite, l'un après l'autre, pour l'interroger sur son train de maison de Gloucester Place, lui demander qui en payait les frais, quand elle avait pour la première fois adressé une demande au duc en rapport avec les affaires de l'Armée, si elle s'était, en ces occasions, fiée à sa mémoire ou bien consignait les demandes par écrit.

– S'il n'y avait qu'une demande, je me fiais à ma mémoire et à celle de Son Altesse qui est fort bonne : lorsqu'il y en avait plusieurs, je lui remettais une liste, mais non de ma main. Il me souvient d'une, qui était particulièrement longue.

– Cette liste existe-t-elle encore ?

– Non. Je l'avais épinglée à la tête de mon lit, et, au matin, Son Altesse Royale l'emporta. Je la vis, quelque temps après, dans son calepin.

De grands rires fusèrent sur les bancs de l'Opposition.

– Vous rappelez-vous de qui vous teniez ladite liste ?

– Je ne sais plus si c'était du capitaine Sandon ou de Mr Donovan, mais tous deux le nieront.

– Vous reçûtes de nombreuses lettres d'autres solliciteurs ?

– Des centaines.

– Et vous montriez à Son Altesse Royale ces lettres, contenant des promesses de vous verser de l'argent ?

– Il était au courant de tout ce que je faisais.

Le parti du gouvernement demeurant, pour l'instant, sans voix, le colonel Wardle appela le témoin suivant. Miss Taylor, intimidée, rougissante et fort nerveuse, succéda à la barre à Mrs Clarke. Le colonel Wardle lui demanda :

– Veniez-vous voir Mrs Clarke, Gloucester Place, lorsqu'elle était sous la protection du duc ?

– Très souvent.

– Avez-vous jamais entendu le duc d'York parler à Mrs Clarke du recrutement du colonel French ?

– Une seule fois.

– Voulez-vous rapporter comment cela se passa ?

– Autant qu'il m'en souvient, les termes employés par le duc furent : « Je suis continuellement importuné par le colonel French. Il me demande sans cesse de nouvelles faveurs. » Puis il ajouta, s'adressant à Mrs Clarke : « Comment en use-t-il avec vous, chérie ? » ou une autre de ces tendres appellations qui lui étaient coutumières, et elle répondit : « Couci couça, pas trop bien. » C'est tout ce qu'elle dit.

– Fut-ce là toute la conversation ?

– Le duc dit encore : « Que Maître French fasse attention, sinon je l'abandonne et sa levée aussi. » Tels sont les termes dont il se servit.

Le colonel Wardle déclara n'avoir pas d'autres questions à poser au témoin qui se disposait à se retirer, lorsque le procureur général se leva. Un murmure de compassion pour la jeune fille se fit entendre sur les bancs de l'Opposition. La voix qui s'était adressée avec tant de douceur et de suavité à Mrs Clarke parla sèchement à Miss Taylor.

– Depuis combien de temps connaissez-vous Mrs Clarke ?

– Une dizaine d'années, peut-être un peu plus.

– Où vous êtes-vous liée avec elle ?

– A Bayswater où j'habitais.

– Avec qui habitiez-vous à Bayswater ?

– Avec mes parents.

– Que sont vos parents ?

– Mon père était un gentleman.

– Avec qui vivez-vous à présent ?

– Avec ma sœur.

– Où habitez-vous ?

– A Chelsea.

– En garni ou bien tenez-vous votre ménage ?

– Nous tenons notre ménage.

– Exercez-vous une profession ?

– Si tenir un pensionnat est une profession…

– Qui habitait avec Mrs Clarke, lorsque vous fîtes sa connaissance ?

– Son mari.

– Et ensuite ?

– Son Altesse Royale le duc d'York.

– Vécut-elle avec d'autres hommes ?

– Pas à ma connaissance.

– Êtes-vous de sa famille ?

– Mon frère a épousé sa sœur.

– Qu'était son mari ?

– J'ai toujours cru qu'il avait de la fortune.

– Avez-vous habité avec elle Tavistock Place ?

– Je n'ai jamais habité avec elle nulle part.

– Vous n'avez jamais passé une nuit chez elle ?

– Si, mais rarement.

– Lorsqu'elle habitait Tavistock Place, vous la considériez comme une personne convenable ?

– Je n'avais aucune raison d'en douter. Elle vivait avec sa mère.

Le témoin était en larmes. Des murmures d'indignation se firent entendre du côté de l'Opposition. Le procureur général n'y prêta aucune attention.

– A la requête de qui déposez-vous ici ce soir ?

– A la requête de Mrs Clarke.

– Connaissez-vous Mr Dowler ?

– Oui.

– Mrs Clarke vous a-t-elle dit qu'elle avait présenté Mr Dowler au duc d'York comme son frère ?

– Non, jamais.

– Quand avez-vous entendu la conversation entre Mrs Clarke et Son Altesse Royale au sujet du colonel French ?

– Je ne puis dire précisément. C'était Gloucester Place.

– Avez-vous jamais vu le colonel French, Gloucester Place ?

– Je l'ai entendu annoncer. Je ne peux pas dire que je lui ai jamais été présentée.

– Et, après cinq ans écoulés, vous vous rappelez les termes exacts d'une réplique sans que rien soit venu vous le remettre en mémoire ?

– J'y ai pensé depuis, sans en parler.

– Qu'est-ce qui vous a fait y penser ?

– J'étais curieuse d'un homme qu'on ne me laissait pas voir.

– A quelle époque de l'année était-ce ?

– Je ne me rappelle pas.

– L'hiver ou l'été ?

– Il ne m'en souvient pas.

– Et, cependant, votre mémoire vous restitue fidèlement l'expression dont on a usé ?

– Oui.

– Cela ne vous paraît-il pas extraordinaire ?

– Non.

– Les affaires de votre père sont-elles embarrassées ?

Le témoin hésita un instant puis répondit à voix basse :

– Oui.

– Combien d'élèves avez-vous à Cheyne Row ?

– Douze.

– Quel âge a votre plus jeune élève ?

– Sept ans.

Des cris de « Assez, assez… » retentirent devant l'affliction visible de Miss Taylor. Le procureur général haussa les épaules et s'assit. L'on dit à Miss Taylor qu'elle pouvait se retirer.

Mrs Mary Anne Clarke fut rappelée ensuite pour répondre à de nouvelles questions de Mr Croker. Il l'interrogea pendant plus d'une heure sur son train de maison de Gloucester Place, lui demanda le nombre de domestiques mâles qu'elle employait, s'ils couchaient dans la maison, qui payait leurs gages, combien elle possédait de voitures, de chevaux, quels bijoux elle avait portés, si elle avait mis ses diamants en gage. Puis, jetant un regard sur un billet que lui faisait passer le procureur général, Mr Croker demanda encore :

– Avez-vous jamais habité Hampstead ?

Le témoin, exténué, garda un instant le silence puis répondit :

– Oui.

– A quelle époque ?

– Une partie de l'année 1808 et la fin de 1807.

– Dans la maison de qui viviez-vous ?

– De Mr Nicols.

– Y étiez-vous tout le temps sous votre nom ?

– Oui.

– Vous êtes-vous jamais fait appeler Dowler ?

– Non.

– Combien de fois avez-vous vu Mr Dowler depuis son retour du Portugal ?

– Je l'ai vu ce dimanche-là chez moi, et je l'ai vu ici dans la salle des témoins.

– Est-ce là les seules fois où vous l'ayez vu depuis son arrivée en Angleterre ?

– Je pense que monsieur le Député est en mesure de le dire avec exactitude. La fenêtre de son grenier surplombant ma demeure constitue un excellent observatoire pour épier ce qui se passe chez moi.

Il y eut des sifflements et des applaudissements de la part de l'Opposition.

– Vous êtes sûre que ce sont là les seules fois où vous avez vu Mr Dowler ?

– Si monsieur le Député le désire, je veux bien dire que je l'ai vu davantage. Je n'ai nullement l'intention de dissimuler que Mr Dowler est un ami très intime.

– Où encore avez-vous vu Mr Dowler depuis son arrivée ?

– Je l'ai vu à son hôtel.

– Quand ?

– Le soir de son arrivée, mais je désirais le tenir secret vis-à-vis de ma famille.

– Êtes-vous restée fort longtemps cette nuit-là en compagnie de Mr Dowler ?

– J'ai dit que j'avais vu Mr Dowler et je prie la Chambre d'apprécier si la question qu'on me pose est décente et convient à la dignité de cette assemblée.

Mr Wilberforce se leva et protesta que la Commission d'enquête n'avait pas à entrer dans le détail de la vie privée du témoin, et que c'était là une question immorale. Mais on le fit taire et Mr Croker répéta la question.

– Votre visite se prolongea-t-elle après jeudi minuit ?

– Elle se prolongea jusqu'au vendredi matin.

À la grande déception de tous les partis, Mr Croker n'avait plus de questions à poser, et la séance fut levée.

Comme Mrs Mary Anne Clarke allait monter en voiture, un huissier lui toucha l'épaule et lui tendit un billet. Elle le lut et dit à l'huissier : « Point de réponse. » En arrivant chez elle, elle posa le billet dans le cadre de son miroir parmi les nombreuses cartes arrivées en avance pour la Saint-Valentin. Le billet était signé des initiales bien connues d'un important député tory :

« Que diriez-vous de trois cents guinées et de souper ce soir avec moi ? »

CHAPITRE IV

Tout le pays avait à présent les yeux fixés sur la Commission d'enquête de la Chambre des communes. La guerre de la Péninsule était oubliée, et les principaux journaux donnaient chaque jour le compte rendu des débats. Napoléon et l'Espagne passaient au second plan. Pamphlétaires et caricatures se déchaînaient et le commerce florissait. Des objets de porcelaine apparurent par magie : cruches représentant Mrs Clarke en coiffe de veuve, une liste de noms d'officiers à la main; portraits grossièrement coloriés du duc d'York en chemise de nuit sortant du lit; caricature de Dowler et d'autres témoins. La biographie de chacun d'eux, infamante, imprimée à la hâte et « authentique », se vendait au coin des rues. Des douzaines de chansons comiques étaient chantées chaque soir sur la scène. Enfin, hommage à la mode du jour, l'on ne disait plus, en lançant en l'air une pièce de monnaie : « Pile ou face » mais « Duc, chérie ».

A Londres, l'on ne parlait que de cela. C'était le grand sujet de conversation dans les cafés et les tavernes. Mrs Clarke recevait des pots-de-vin mais le duc le savait-il ? L'opinion était divisée et, entre les deux principaux partis – celui qui assurait qu'il empochait lui-même des pots-de-vin et celui qui le proclamait pur et sans reproche – se dressait une troisième faction qui hochait la tête et disait que ce qui comptait c'était la liaison elle-même. Un prince du sang, marié, avait eu une maîtresse, lui avait donné des maisons et des diamants tandis que le peuple mourait de faim. Les hommes et les femmes travaillaient dans les fabriques, les soldats se battaient,

la masse du peuple anglais vivait vertueusement, mais le commandant en chef, le propre fils du roi, entretenait une putain. C'était
cela le plus grave. Les orateurs se livraient à leur éloquence sur la
place publique et le simple citoyen s'indignait au coin de son feu.
« Les Brunswick se doivent de donner l'exemple. Si c'est ainsi que
les Bourbons se conduisaient en France, rien d'étonnant que les
grenouilles leur aient coupé la tête… » L'indignation était contagieuse et les éternels fauteurs de troubles qui y trouvaient leur
compte ne manquaient pas de l'attiser.

Will Ogilvie, assis à son bureau, souriait de voir le tison allumer
la paille, la paille s'enflammer et la flamme échauffer ce monstre :
l'opinion publique. Voilà ce qu'il avait en vue depuis le début, et les
brins de paille brûlés dans l'incendie ne faisaient que servir son
projet. May Taylor était un de ces brins de paille. Les parents de ses
élèves lui retirèrent leurs enfants, et son propriétaire de Cheyne
Row lui donna congé. Il lui laissa trois jours pour déménager. Il
avait suffi d'une demi-heure à la Chambre des communes pour
détruire son existence. Elle ne dirigeait pas une école, ricanaient les
folliculaires à la solde du gouvernement, mais une maison mal
famée où les filles de joie apprenaient leur métier.

Gagnons-nous ? Perdons-nous ? Mary Anne se posait chaque jour
la question. Elle n'avait pas connaissance des billets dépêchés à
Windsor par le représentant du gouvernement. Celui-ci appréciait,
comme elle ne pouvait le faire, l'état d'esprit de la Chambre. Il
voyait le doute se glisser parmi les partisans, il percevait la froideur
grandissante à l'égard du duc.

De la Chambre des communes au château de Windsor : « Je crois
de mon devoir d'avertir Votre Majesté que la situation devient
grave… » *Le duc savait ce qu'elle faisait et fermait les yeux*, voilà ce
qu'on murmurait de tous les côtés. Les porte-parole du gouvernement firent assez mauvaise impression. Adam, Greenwood – de
Greenwood and Cox, agents de l'Armée – le colonel Gordon, secrétaire militaire et son assistant, produisirent des papiers, des documents, des dossiers, qui ne prouvaient rien sinon que des promotions
avaient été signées puis publiées dans la *Gazette*. La seule arme dont
le gouvernement disposât était de traîner dans la boue le principal
témoin à charge, Mrs Clarke, afin de discréditer ses déclarations.

Parmi ceux qui furent appelés à la barre dans ce dessein au cours de la deuxième semaine de l'enquête, se trouvaient Mr John Reid, propriétaire de l'hôtel de Saint Martin's Lane, et Samuel Wells, garçon dans ledit hôtel. Tous deux déclarèrent que la dame qui avait passé la nuit du jeudi au vendredi avec Mr William Dowler s'était toujours fait appeler Mrs Dowler et ils juraient avoir ignoré jusqu'à ce jour qu'elle n'avait aucun droit à ce nom. Mr Nicols, boulanger, témoigna de la même façon. Mr Dowler venait souvent chez lui du temps que Mrs Clarke y habitait. Elle s'était d'abord dite veuve puis lui avait annoncé qu'elle avait épousé Mr Dowler. Elle ne lui avait jamais payé de loyer mais il avait en sa possession quelques instruments de musique qui appartenaient à sa locataire ainsi que des lettres destinées à être brûlées mais oubliées dans un placard. Il répugnait toutefois à produire celles-ci, à moins que la Chambre ne l'en requît.

On lui dit de se retirer pendant que la Chambre discutait s'il convenait ou non de demander communication desdites lettres. Le représentant du gouvernement à la Chambre réfléchit quelques instants. Si les lettres étaient de nature à jeter le discrédit sur Mrs Clarke, la cause de la vertu triompherait et tout serait pour le mieux. Si les lettres concernaient le duc, c'était tout différent, elles pouvaient confirmer les accusations. Mr Perceval, après avoir rapidement pesé le pour et le contre, estima le risque trop grand et déclara que le seul fait que ces lettres appartenaient à Mrs Clarke n'était pas une raison suffisante pour en réclamer l'examen. Le colonel Wardle, lui, soupçonnait ces lettres de contenir des éléments utiles à l'Opposition et il protesta vivement contre la décision du représentant du gouvernement. Après force discussion, les lettres furent produites et lues par le président.

La première se trouvait être de Samuel Carter. Le pauvre Sammy, alors en garnison aux Antilles, ne se doutait certes pas que sa lettre, écrite de Portsmouth en 1804 et sollicitant une permission pour s'acheter une tunique, serait lue tout haut à la Chambre des communes. Une seconde lettre de Sammy suivit, puis une troisième. La Chambre reçut avec stupéfaction l'information, découverte par pur hasard, que le valet de pied de Mrs Clarke avait été nommé enseigne.

Deux lettres de la baronne de Nollekens, nom fort connu dans les milieux diplomatiques, remerciaient Mrs Clarke pour services rendus, et la priaient de transmettre des remerciements à Son Altesse Royale.

Trois lettres du général Clavering sollicitaient un entretien, et priaient Mrs Clarke d'intervenir auprès du commandant en chef au sujet du recrutement de nouveaux bataillons. Sur les bancs de la Majorité, l'on était sombre ; sur ceux de l'Opposition, l'on jubilait. Les lettres découvertes par hasard, bien que ne touchant pas propre-ment à l'accusation, contribuaient à démontrer l'existence du trafic d'influence. Elles furent écoutées en silence, puis le colonel Wardle fit venir Mrs Clarke afin qu'elle en reconnût l'écriture, ce qu'elle fit pour chaque missive, bien qu'ayant depuis longtemps perdu le sou-venir de la teneur de ces lettres qu'elle avait crues brûlées.

Le colonel Wardle profita de l'occasion pour l'interroger en détail sur chaque missive. Était-ce elle qui avait obtenu la commission de Samuel Carter ? L'avait-elle demandée au duc ? Son Altesse Royale savait-elle qu'il s'agissait bien de la personne qui servait à table, Gloucester Place ? Le duc vit-il Sam Carter après que celui-ci fut devenu officier ? Mrs Clarke s'était-elle entremise auprès du duc pour le compte de la baronne Nollekens ? Ses réponses furent, dans l'ensemble, des plus satisfaisantes pour la thèse de Wardle.

– Reconnaissez-vous, lui demanda-t-il, l'écriture du général Clavering ?

– Oui, et j'ai trouvé ce matin, dans une lettre du duc, mention du colonel Clavering et de ses bataillons.

Elle tendit la lettre, dont la lecture fut donnée à la Chambre, lec-ture interrompue à plusieurs reprises par des éclats de rire.

« Ô mon ange, rends-moi justice, et sois convaincue que jamais femme ne fut adorée comme toi. Chaque jour, chaque heure, me per-suade davantage que tout mon bonheur dépend de toi et de toi seule. Avec quelle impatience j'attends la soirée d'après-demain ! Encore deux nuits avant que je puisse serrer ma chérie dans mes bras. Clavering se trompe, mon ange, lorsqu'il croit que l'on va lever de nouveaux régiments ; cela n'est pas prévu : l'on ne fera qu'ajouter des seconds bataillons aux corps déjà existants ; tu devrais l'en ins-truire et lui dire que tu es sûre qu'il est inutile qu'il sollicite à ce sujet.

« Dix mille fois merci, mon amour, pour les mouchoirs, et je n'ai pas besoin de t'assurer du plaisir que j'éprouve à les porter et à penser aux chères mains qui les ont faits pour moi.

« Rien de plus satisfaisant que la tournée que je viens de faire et l'état dans lequel j'ai trouvé toutes choses. Toute la journée d'hier a été employée à inspecter les travaux de Douvres, passer la revue des troupes qui s'y trouvent, et examiner la côte jusqu'à Sandgate. Je vais monter à cheval dans un instant pour suivre la côte jusqu'à Hastings et passer en revue les différents corps. Adieu, donc, mon très doux, mon très cher amour. »

La lettre était adressée, chose assez curieuse, à Mr George Farquhar Esq. et non à Mrs Clarke, détail qui échappa à l'attention des députés.

Les révélations apportées par les lettres de Hampstead ébranlèrent considérablement la confiance des partisans du duc d'York et, le 16 février, le représentant du gouvernement à la Chambre, dans l'espoir de rétablir leur confiance, se leva pour faire une déclaration importante au sujet de la nomination d'un certain commandant Tonyn. Mrs Clarke avait témoigné, quelques jours auparavant, que l'agent qui lui avait communiqué le nom de Tonyn était le capitaine Sandon. Le capitaine Sandon avait reconnu le fait mais en avait, au cours de son témoignage, passé sous silence un autre d'une importance vitale qui était depuis lors venu au jour, en dehors de la Chambre des communes. Ce fait, découvert par Mr Adam, était le suivant : le capitaine Sandon avait en sa possession, dans ses bagages, des lettres de Mrs Clarke, et l'on avait cité en particulier un billet mentionnant le commandant Tonyn et son avancement, billet prétendu du duc lui-même. Mr Adam avait parlé à Son Altesse Royale qui avait aussitôt affirmé que ledit billet était un faux.

– Je ferai remarquer ceci, dit le représentant du gouvernement à la Chambre : si l'on peut prouver que ce billet est un faux, cela démontrera que Mrs Clarke était capable de mentir, non seulement par la parole mais par la falsification des signatures. Si, au contraire, le billet est authentique, il renforcera l'accusation portée devant nous. Je suis, pour ma part, si convaincu de la première hypothèse que je n'hésite pas à porter la question devant la Chambre pour être discutée ce soir même, et propose que le capitaine Sandon soit appelé à la barre.

Le colonel Wardle acquiesça. Il n'avait jamais entendu parler du billet ni d'aucune autre lettre se trouvant entre les mains de Sandon. Mais qu'on les montrât, il était sûr qu'ils viendraient à l'appui de l'accusation et, en tout cas, ne pourraient nuire à Mrs Clarke.

Le capitaine Sandon parut et, au grand étonnement du représentant du gouvernement à la Chambre, et de toute la Commission d'enquête, déclara tout ignorer du billet en question. Il avait pu y avoir un billet. Il ne lui en souvenait pas. Le billet n'existait pas ou n'existait plus. Il avait été détruit. Il lui souvenait bien d'un billet mais qui avait disparu. Il ne s'en rappelait pas la teneur. Le billet s'était évanoui. L'embarras du témoin était si évident non seulement pour Mr Perceval, mais pour toute la Chambre que, au bout d'une demi-heure d'interrogatoire serré, ordre lui fut donné de se retirer sous bonne garde, et que la Chambre décida à l'unanimité de le faire accompagner chez lui par le sergent et d'y opérer une perquisition dans le dessein de trouver ledit billet. Tandis que la Chambre attendait le résultat de la perquisition, Mrs Clarke fut appelée, une fois de plus, et interrogée par Mr Perceval.

– Vous rappelez-vous si le capitaine Sandon s'adressa à vous au sujet du commandant Tonyn en 1804 ?

– Je me rappelle que le capitaine Sandon servait le commandant Tonyn. De cela je suis certaine.

– Vous rappelez-vous avoir envoyé un message au commandant Tonyn par l'entremise du capitaine Sandon ?

– Je ne me rappelle pas ; c'est possible. Il y a si longtemps !

– Vous rappelez-vous avoir envoyé un papier au commandant Tonyn par le capitaine Sandon ?

– Quelle espèce de papier ?

– Un écrit de vous ou de quelqu'un d'autre ?

– Je ne crois pas. Je prenais toujours bien garde de ne pas me dessaisir de documents écrits.

– Si vous aviez envoyé un papier de ce genre au commandant Tonyn par le capitaine Sandon, considérez-vous comme possible que vous l'ayez oublié ?

– Non, je suis sûre que je n'aurais pas oublié un incident de ce genre se rapportant au duc d'York.

– Le capitaine Sandon devait-il recevoir un pourcentage sur le

paiement afférent au succès de la demande faite par le commandant Tonyn ?

– Je crois que oui, car le commandant Tonyn était généreux,
disait-on, et le capitaine Sandon ne se serait pas tant intéressé à lui
pour rien.

– Avant de comparaître, à l'instant, à la barre, avez-vous été
informée de l'objet de la comparution du capitaine Sandon ce soir
devant la Commission d'enquête ?

– En aucune façon.

L'attitude du témoin était absolument naturelle. Si le billet en
question avait existé, elle l'avait oublié.

La chambre attendait avec impatience le retour du capitaine
Sandon et du sergent d'armes. Au bout de plus d'une heure, il fut
ramené à la barre et interrogé par le représentant du gouvernement
à la Chambre.

– Avez-vous trouvé ce papier ?

– Oui.

– L'avez-vous sur vous ?

– L'huissier l'a, de même que tous les autres papiers en rapport
que je possédais.

L'huissier reçut l'ordre de remettre les documents qui consis-
taient en un paquet de lettres parmi lesquelles le billet en question.
Dans un silence total, Mr Perceval tendit le billet au président qui
en donna lecture à la Chambre : « Je viens de recevoir ta lettre et
l'affaire Tonyn en restera là. Dieu te bénisse. » Le billet n'était pas
signé, mais adressé à George Farquhar Esq. 18, Gloucester Place.

Un murmure courut sur les bancs. Que signifiait cela ? Le billet
était-il bien du duc ? Mais qui était George Farquhar ?

M. Perceval interrogea le capitaine Sandon.

– Quel motif aviez-vous de dissimuler ce billet ?

– Je n'avais aucun motif. J'ai honte de moi-même.

– Quelqu'un vous avait-il demandé de le cacher ?

– Non.

– Quand Mrs Clarke vous remit ce billet, vous dit-elle qu'il était
du duc d'York ?

– Je ne me rappelle pas ses paroles exactes mais elle me dit qu'il
venait de lui.

– Connaissez-vous l'écriture du duc d'York ?

– Je ne l'ai jamais vue.

– L'écriture de ce billet vous paraît-elle pouvoir être de la main de Mrs Clarke ?

– Non.

– Qui est George Farquhar Esq. à qui le billet est adressé ?

– Je n'en ai pas la moindre idée.

Le capitaine Sandon se retira et Mrs Clarke fut appelée à la barre et interrogée par le procureur général.

– Vous rappelez-vous avoir déjà vu ce papier ?

– Je dois l'avoir vu, car c'est l'écriture de Son Altesse Royale. Je ne sais pas comment il a pu se trouver entre les mains de cet homme, à moins que je ne le lui aie donné.

– Regardez le cachet de la lettre. Le reconnaissez-vous ?

– C'est le sceau privé du duc d'York. J'ose dire que j'en ai un certain nombre comme cela chez moi. Ils portent l'inscription : « Jamais absent. »

– Qui est George Farquhar ?

– Il n'existe personne de ce nom, présentement. C'était celui d'un de mes frères. J'en ai perdu deux dans la Marine, il était l'un d'eux. C'est toujours à son nom que le duc adressait les lettres qu'il m'écrivait.

– Avez-vous jamais imité l'écriture de quelqu'un ?

– Jamais pour m'en servir. J'ai pu le faire, entre amies, pour m'amuser. Il existe un petit jeu – cela peut paraître ridicule de parler de cela ici –, un petit jeu où l'on écrit le nom d'un monsieur, puis d'une dame, qui ils sont, ce qu'ils font, puis on replie le papier et l'on dit ensuite : « N'est-ce pas ainsi qu'Untel écrit ? », nommant l'ami dont on pense qu'il est question dans le papier.

– Pouvez-vous imiter l'écriture du duc d'York ?

– Je ne sais pas. Il en est le meilleur juge. J'ai parfois essayé d'écrire comme lui, en sa présence. Il disait que j'imitais assez bien sa façon de signer Frédéric, mais je n'en ai jamais fait usage. Si je l'avais tenté, il y a longtemps qu'on m'en aurait accusée.

– Écrivez-vous toujours de la même écriture ?

– Je ne peux pas dire exactement comment j'écris. J'écris le plus souvent à la hâte.

– Vous avez guidé la main de votre mère sur les effets qui furent produits au procès de votre frère. N'est-ce pas là encore une autre sorte d'écriture ?

– Je n'écris pas aussi vite en guidant sa main. Mais ce doit tout de même être mon écriture plus que la sienne, sa main lui obéissant si peu.

– En fait, vous avez deux écritures différentes ?

– Je ne vois pas grande différence entre elles.

– Vous ne voyez pas de différence entre votre propre écriture et celle des effets montrés devant le tribunal militaire ?

– La différence ne me frappe pas… Voudriez-vous insinuer que l'écriture des effets était un faux ?

– Je n'insinue rien de pareil. Vous tenez la main de votre mère et la guidez ?

– C'est elle qui tient la plume, moi je la tiens un peu plus bas et guide sa main. Vous pourrez nous voir écrire ainsi quand vous le voudrez.

– Donc les deux effets sont bien de votre écriture ?

– Si vous le voulez ainsi, j'y consens. C'est moi qui dirigeais la main de ma mère ; l'on peut donc dire, en effet, qu'ils sont de mon écriture.

La Chambre se sépara alors, après avoir décidé de nommer une commission restreinte afin d'examiner les autres lettres de Mrs Clarke trouvées chez le capitaine Sandon avec le billet, et de présenter son rapport à ce sujet le lendemain. Suivant quoi, le 17 février, ces lettres, ayant été préalablement reconnues par Mrs Clarke comme étant de sa main – sur le seul vu des enveloppes car on ne lui en montra pas le contenu –, un certain nombre d'entre elles furent lues devant la Chambre. Elles n'avaient fait l'objet d'aucun classement, et la plupart étaient datées de l'été 1804.

Dans chacune d'elles, le duc d'York était associé directement ou implicitement à l'avancement de divers officiers – parmi lesquels le commandant Tonyn.

« Dites à Spedding d'écrire ce qu'il veut, le d. dit que cela vaut mieux… Voulez-vous solliciter à nouveau une charge de lieutenant dans l'armée des Indes ? Le d. m'assure qu'il y en a deux à vendre… J'ai parlé au d. du commandement que vous désirez. Il y consent entièrement. Pensez-vous pouvoir m'obliger de cent livres ?... Par malheur, Lord Bridgewater a demandé le poste vacant, avant même en fait qu'il y en eût un, mais S.A.R. me dira ce qu'il peut faire... Je suis absolument convaincue que la somme est insuffisante, et vous pouvez dire à Bacon et à Spedding qu'ils devront donner chacun deux cents. Il me faut une réponse à ce sujet car je dois lui en parler et j'ai dit que vous vous occuperiez de moi... Pour Tonyn, le duc a ordonné la publication dans la *Gazette*... »

La lecture de ces lettres produisit un profond effet sur la Chambre. Tous les députés se rendaient bien compte que les lettres avaient été découvertes par hasard, et que Mrs Clarke et le colonel Wardle ignoraient tous deux qu'elles se trouvaient chez le capitaine Sandon. S'ils l'eussent su, les lettres auraient été produites depuis longtemps comme pièces à conviction.

Mr Perceval demanda au général Gordon, secrétaire militaire, si, à son opinion, l'écriture du billet qui avait fait découvrir cette nouvelle piste : « Je viens de recevoir ta lettre et l'affaire Tonyn en restera là. Dieu te bénisse », était celle du duc.

– Tout ce que j'en puis dire est qu'elle ressemble fort à celle de Son Altesse Royale, mais je ne puis prendre sur moi de dire si elle est ou non de sa main.

– Avez-vous eu une conversation avec le duc d'York à ce sujet ?

– Oui.

– Que vous êtes-vous dit ?

– La dernière conversation eut lieu ce matin à dix heures et demie, heure à laquelle je me présente toujours chez le duc d'York pour lui faire mon rapport sur les affaires du jour. Il m'accueillit par ces mots : « Vous allez être appelé à répondre à certaines questions, ce soir à la Chambre, je ne vous en parlerai donc point, mais je puis déclarer, comme je l'ai déjà déclaré, que j'ignore tout de ce billet et le considère comme un faux ! »

D'autres témoins furent interrogés, et aucun d'eux ne put établir de façon positive si le billet était ou non de la main du duc. Parmi ceux-ci se trouvait un commis de la banque de Messrs Coutts qui déclara l'écriture semblable à celle du duc, mais, en l'absence de signature, il n'était pas en mesure d'en certifier l'authenticité.

Ultime effort pour convaincre Mrs Clarke de faux, le représen-

tant du Gouvernement à la Chambre convoqua un Certain
Mr Benjamin Towan.

– Quelle est votre profession ?

– Peintre sur velours.

– Avez-vous connu Mrs Clarke, Gloucester Place ?

– Oui.

– Vous souvient-il de l'avoir jamais entendue parler d'écritures ?

– Oui. Elle me dit, au cours d'une conversation, qu'elle pouvait
imiter la signature du duc, et me montra un bout de papier où je ne
pus voir aucune différence entre le nom du duc tracé de sa propre
main, et écrit par Mrs Clarke.

– Elle vous parla de cela puis, aussitôt, en votre présence, imita
l'écriture du duc ?

– Oui.

– Vous montra-t-elle une signature de lui ?

– Oui, sur un bout de papier. C'était Frédéric ou York ou Albany,
je ne me rappelle plus.

– Avez-vous fait quelque commentaire ?

– Je lui dis que c'était grave.

– Qu'a-t-elle répondu ?

– Elle a ri.

Lord Folkestone se leva aussitôt pour interroger le témoin.

– Quelle espèce de peinture enseignez-vous ?

– Les fleurs, le paysage, les personnages, les fruits.

– Enseignez-vous également à vos élèves à dessiner des lettres
d'une certaine façon ? Avec fioritures et paraphes ?

– Oui.

– Mrs Clarke vous déclara-t-elle qu'elle pouvait imiter la signature du duc uniquement, ou son écriture en général ?

– Elle ne parla que de la signature.

– Étiez-vous fort dans les confidences de Mrs Clarke ?

– Non.

– Combien de temps y a-t-il que vous lui donniez des leçons ?

– Je ne puis le dire sans consulter mes livres.

– Vous êtes-vous séparés en bons termes ?

– Elle est ma débitrice.

– Ne vous a-t-elle payé toutes vos leçons ?

– Non.

Le témoin se retira un peu confus, et la Chambre se sépara après avoir décidé de soumettre le billet concernant Tonyn à un expert en écritures, afin que son opinion pût aider la Chambre à former un jugement à ce sujet au cours de la prochaine séance.

CHAPITRE V

Chaque fois que Mary Anne fermait les yeux, elle voyait devant elle les deux billets à ordre et entendait la voix agaçante de sa mère lui répéter : « Pourquoi faut-il que je signe mon nom ? Qu'est-ce que ça veut dire ? » et elle, perdant patience, lui répondre : « Pour l'amour du Ciel, fais ce que je te dis ! Charley a besoin d'argent et il peut toucher ses effets tirés sur Russell Manners. Cela aura meilleur air, si c'est toi qui les signes plutôt que moi. » Puis, guidant la main de sa mère, elle l'avait fait signer.

– Cela veut-il dire que l'on viendra me réclamer cet argent ? Je n'ai pas d'argent à envoyer à Charley.

– Mais non, naturellement. Ne dis pas de sottises.

Ces malheureux effets avaient été envoyés à Charley, touchés par lui puis présentés à l'acquittement ; examinés et discutés en détail au tribunal militaire ; oubliés, Charley ayant été libéré de cette accusation, et, enfin, produits de nouveau devant la Chambre. Il y avait un sort, une malédiction diabolique sur ces effets. Avait-elle eu tort ? Le procédé était-il illégal ? Était-ce faire un faux que de guider la main d'une personne ? Il lui était impossible de jurer, la Bible devant elle, que sa mère avait pleine connaissance de ce qu'elle signait. Celle-ci était bien trop faible et sénile pour comprendre les complications des billets à ordre, effets et traites, et elle ne savait pas ce que sa fille avait fait 9, Burlington Street, avec Russell Manners.

Et s'ils amenaient sa mère à la Chambre, et l'interrogeaient à la barre des témoins ? Cette idée lui faisait horreur : sa mère, tremblante

sur une chaise, harcelée, tarabustée par le procureur général. Mary
Anne s'agitait, se retournait dans son lit, la main sur les yeux.
Combien de temps durerait ce supplice ? Quand tout cela finirait-il ?

Il n'en était sorti rien de bon jusqu'ici, rien que de l'infamie, des
insultes, des révélations ignobles. Elle avala la poudre prescrite par
le docteur et frissonna. Deux jours au lit. Pas de visites. Tels étaient
les ordres du médecin et elle s'y conformait. Mais comment se reposer avec la nouvelle accusation de faux qui pesait sur elle ?

Un coup à la porte. Ce devait être encore Martha venue voir si
elle n'avait besoin de rien.

– Qu'y a-t-il Martha ? Tu ne peux pas me laisser dormir ?

– Lord Folkestone vous apporte des fleurs.

– Eh bien, mets-les dans l'eau.

– Il espère que vous allez mieux, madame, et vous présente ses
hommages.

– A-t-il demandé à me voir ?

– Il n'aurait pas osé.

Elle bâilla et regarda la pendule. Neuf heures et demie seulement. Encore des heures devant elle, et elle n'arriverait jamais à
dormir. Une petite conversation avec Folkestone serait peut-être
distrayante. Il s'était montré vraiment très attentif, assez séduisant,
et visiblement épris, elle l'avait lu dans ses grands yeux de biche. Il
avait perdu sa femme et ne s'en était point consolé, disait-on, mais
le chagrin pouvait exciter les sens, elle en avait fait l'expérience.
Elle s'assit dans son lit et entoura ses épaules d'un châle, retoucha
son visage, et répandit quelques gouttes de parfum sur son oreiller.

– Fais monter Lord Folkestone.

Martha sortit.

Elle s'étendit sur ses oreillers, pâle et languissante. La lampe, à
son côté, versait une faible et seyante lumière. Le coup frappé à sa
porte lui parut assuré et légèrement mystérieux. Il y avait des mois
qu'un homme n'avait frappé ainsi chez elle. A peine si elle s'en souvenait encore.

– Entrez, dit-elle, et sa voix ne respirait plus l'ennui mais s'adou-
cissait, invitait, annonciatrice d'intimité.

– Que c'est aimable à vous d'être venu ! J'étais si seule !

– Je ne resterai qu'un moment. Jurez-moi que vous allez mieux !

– Bien sûr, je vais mieux. Pourquoi tant d'inquiétude ?

– Quand le docteur Metcalfe vint dire à la Chambre que vous étiez souffrante et hors d'état de paraître aujourd'hui, j'ai été sur le point de tout quitter. J'ai eu toutes les peines du monde à rester jusqu'au bout de la séance. Je l'appelai à la barre pour qu'on l'interrogeât et il convainquit la Chambre que vous étiez vraiment malade, ce qui ne fit qu'augmenter mon désir de vous voir. N'avez-vous besoin de rien ? Que puis-je faire pour vous ? Êtes-vous sûre que l'on peut se fier à votre médecin, ou voulez-vous que je vous envoie le mien ?

– Je vais très bien. Je suis exténuée, c'est tout. Je pensais que le dimanche me reposerait, mais cela n'a pas suffi apparemment. Allons, racontez. Comment cela marche-t-il ?

– A merveille. La séance s'est passée à interroger les experts en écritures. Deux inspecteurs des Postes qui apportèrent des microscopes, un second commis de la Banque Coutts et trois de la Banque d'Angleterre. Chacun fit à peu près la même réponse, malgré les efforts de Perceval pour les embrouiller.

– Quelle réponse ?

– Forte ressemblance, mais ils ne pouvaient jurer de l'identité des écritures. Il leur semblait qu'elles étaient de la même main, mais c'est tout. Je les confondis un peu en leur demandant s'ils avaient lu dans les journaux la discussion sur la question de savoir si le billet était un faux. Ils reconnurent tous l'avoir lu, en effet, ce qui signifiait, en pratique, qu'ils étaient tous arrivés pour examiner le billet, avec l'idée préconçue qu'il pouvait n'être pas authentique.

– De sorte que le gouvernement n'est pas plus avancé ?

– En effet. Nous nous retrouvons au même point. Après le départ des experts, nous eûmes le vieux général Clavering qui espérait nier qu'il vous connût. En vain, lorsqu'on lui montra vos diverses lettres. Il nous a amusés. C'est Sam Whitbread qui l'interrogea, et il emberlificota si bien le pauvre vieux, que celui-ci fut fort aise de sortir. Son témoignage n'a rien changé, en fait, à l'accusation, mais la Chambre a bien vu, à l'embarras de ses réponses, qu'il avait été en relation avec vous au sujet d'avancements. Greenwood et Gordon déposèrent ensuite. Rien d'important. Ils produisirent une masse de papiers qui ne signifiaient rien. C'était fort ennuyeux. En fait, chacun avait cessé de s'intéresser à la chose, aussitôt que l'on apprit que vous ne viendriez pas. Voilà la vérité.

– Ils sont bien cruels, ils veulent assister à mon supplice. La victime jetée en pâture aux lions.

– Nullement. Vous n'avez jamais eu l'air d'une victime. Vous semblez vous amuser du moindre incident. Le procureur général est l'ours et vous le chasseur qui l'épie. Toute la Chambre raffole de vous, y compris le Gouvernement. Wilberforce lui-même ne parle que de vous. Il en a oublié ses esclaves nègres. Je l'ai entendu soupirer à un de ses pieux amis : « Au fond, elle est bonne. »

– Au fond de quoi ?

– Au fond de votre âme. Mais vous êtes tombée en de mauvaises mains, telle est du moins son opinion.

– Il doit avoir raison. J'ai passé par tant de mains, à en croire les pamphlets, qu'il ne doit plus rester grand-chose de moi. Les avez-vous lus ?

– Je m'en garde bien. Écoutez, je ne vous fatigue pas ?

– Pas du tout. Je vous trouve reposant.

– L'affaire du billet est des plus curieuses. Je veux bien vous raconter ce qu'on dit dans les couloirs. L'on dit que Sandon, sachant le billet écrit par le duc et de nature à servir l'accusation, prétendait l'avoir égaré, n'imaginant pas qu'Adam le ferait produire devant la Chambre.

– Pourquoi Adam l'a-t-il fait ? Ça ne pouvait que leur nuire.

– Ne voyez-vous pas qu'il n'avait vraiment pas idée que le billet pût être authentique ? Il le croyait faux. Mais maintenant, grâce à la gaffe de Sandon, ils ont été obligés de faire lire, non seulement le billet mais toutes les autres lettres et c'est eux qui les ont produites. Voilà où l'incident du billet devient un tel triomphe pour notre cause. Perceval se donne des verges pour se fouetter, et les autres aussi. Je parie que Son Altesse Royale va tancer Adam d'importance demain.

– Pour cela, il a bien trop peur de lui. Il est entièrement entre les griffes d'Adam, je l'ai toujours dit.

– Vous ne lui gardez vraiment pas rancune. Je trouve cela merveilleux.

– A quoi bon de la rancune à présent ? Il est trop tard.

– De vilains bruits continuent de courir – que d'ailleurs personne

ne croit – mais selon lesquels Kent serait derrière nous. Je sais d'où
cela vient : vous avez déclaré, au cours d'un de vos interrogatoires,
que vous connaissiez Dodd, le secrétaire particulier de Kent. Mais
tout le monde connaît Dodd.

Elle ne répondit pas. Il fallait être prudente, elle le savait.
Folkestone, l'idéaliste, n'avait aucune idée de la conspiration qui
était à la source de la Commission d'enquête.

– Le connaissez-vous beaucoup ? demanda Lord Folkestone.

– Qui cela, Dodd ? Grand Dieu, non. Il est affreusement ennuyeux
mais se trouve être de mes voisins. Il habite Sloane Street, et il vient
ici en passant chaque fois qu'il en trouve l'occasion.

– Je le tiendrais à distance, si j'étais vous. Tous les courtisans
potinent follement, c'est leur métier. C'est ce que je trouvais si reposant lorsque j'habitais la France – avant la Terreur, évidemment,
alors qu'un puissant idéal régnait. L'on y avait vraiment l'impression de revivre, une fois la tyrannie abattue, d'avoir un avenir qui
en valait la peine.

Elle le vit avec soulagement enfourcher son dada favori. Le danger était passé, pour le moment du moins. Elle ferait servir des
liqueurs dans dix minutes, pour faire diversion, puis, si le cœur lui
en disait, elle lui permettrait de s'asseoir sur le lit.

La diversion vint, mais pas sous forme de liqueurs. Martha
parut, annonçant de nouveaux visiteurs.

– Le colonel Wardle et le commandant Dodd demandent à voir
Madame.

Silence. Un moment affreux, puis le jeu de la surprise.

– Que c'est étrange ! Sont-ils venus ensemble ? Je me demande
pourquoi...

– Le colonel Wardle espère que madame le recevra.

– Il espère en vain.

Lord Folkestone se leva.

– Ne va-t-il pas trouver bizarre que vous ayez consenti à me voir
et refusiez de lui parler ?

– Eh bien, qu'il le trouve bizarre ! J'ai bien le droit de voir tels
amis qu'il me plaît.

– Je suis très gêné. Recevez-le, je vous en prie. S'il me sait ici, l'on
en fera d'absurdes commérages.

Mylord avait peur de se compromettre ? L'opinion que Mary
Anne avait de lui tomba de plusieurs degrés. Le charme du visiteur
cessa d'opérer.

– Bon. Faites-le monter.

Mylord parut rasséréné. Le colonel Wardle fut introduit.

Au lieu du sourire de connivence qu'on aurait pu attendre, du
coup de coude dans les côtes, de la remarque : « Vous m'avez donc
devancé ? » et autres délicates allusions à la réception dans la ruelle,
le député d'Okehampton laissait voir une certaine gêne. Il murmura
une ou deux phrases polies, puis s'assit en silence. Il se passait
quelque chose. Elle sentit le changement d'atmosphère. Elle dit :

– Lord Folkestone me faisait le compte rendu de la séance. En
somme, les choses sont en bonne voie mais rien n'est terminé.

– Oui. La Chambre est bien disposée pour vous. C'est, en partie,
pour cela que je viens vous voir ce soir. Je crois qu'il serait bon que
vous profitiez du fait que vous êtes souffrante pour vous faire dis-
penser de nouvelles comparutions devant la Chambre.

– Rien ne pourrait m'être plus agréable.

Lord Folkestone regarda Wardle d'un air stupéfait.

– Vous êtes fou ! Comment, mais Mrs Clarke est notre atout ! Sa
présence suffit à nous rallier la Chambre.

– Je ne suis pas d'accord avec vous.

– Vous prétendez que son témoignage n'a pas été utile à notre
cause ? Mais c'est monstrueux ! Sans elle, nous n'avions pas une
chance.

– Ne vous méprenez pas sur mes paroles, Folkestone. Certes,
Mrs Clarke a été fort utile. Mais mon opinion est qu'elle a dit tout
ce qu'elle avait à dire. Si elle revient à la Chambre, On recommen-
cera à l'interroger sur toutes sortes de sujets qui pourraient être
dangereux.

Wardle avait donc eu vent des rumeurs qui circulaient sur le rôle
du duc de Kent dans l'affaire. C'est pour cela qu'il était venu avec
Dodd. Elle haussa les épaules. Qu'ils se disputent entre eux, elle
n'en avait cure.

– Allons, dit Folkestone, qu'y a-t-il derrière tout cela ? Y a-t-il
quelque chose que vous ne dites pas ? Y a-t-il du vrai dans les
rumeurs relatives à Kent ?

– Je vous assure que non.

– Alors, de quoi s'agit-il ?

– Je crains qu'on importune par trop Mrs Clarke.

– On ne fera pas pire que ce qu'on lui a déjà fait, vous le savez, et elle s'en est tirée avec beaucoup d'aisance. Quels autres sujets dangereux pourrait-on aborder ?

Le colonel Wardle chercha du regard l'appui de son principal témoin. Elle n'y fit pas attention, ferma les yeux et bâilla. Il s'adressa de nouveau, en désespoir de cause, à Lord Folkestone.

– Bien. Je serai franc. Il s'agit d'une affaire personnelle, une chose qui ne regarde que Mrs Clarke et moi. Je vous serais très obligé de bien vouloir nous laisser cinq minutes.

Lord Folkestone se leva, très raide.

– Si vous le prenez ainsi, je n'ai pas le choix.

Il quitta la chambre, les laissant en tête à tête. Le colonel Wardle, très agité, commença aussitôt :

– Vous n'avez pas parlé à Folkestone du duc de Kent ?

– Assurément non.

– Il soupçonne quelque chose. Voilà pourquoi il est venu vous voir. C'est clair.

– Sottises ! Il m'a apporté des fleurs.

– Simple prétexte. Je vous avertis, il faut être prudents. Les rumeurs abondent. Si le gouvernement se doute de quelque chose, notre cause est perdue et toute l'accusation tombera dans le discrédit.

– Folkestone ne fait pas partie du gouvernement.

– Cela n'y change rien. Il nous quitterait s'il savait.

– Vous êtes donc honteux du complot qu'a monté l'accusation ?

– Il ne s'agit pas de honte ni de complot. Tout cela est affaire de politique et des plus compliquées.

– Compliquée est bien le mot. Et vous m'avez conduite dans un marécage. Je dois me méfier non seulement du gouvernement mais aussi de Folkestone, l'homme qui en a fait le plus pour m'aider.

– Je le regrette. C'est grand dommage. Mais, en politique, nos plus chers amis sont parfois ceux qui, involontairement, nous trahissent.

– Eh bien, que voulez-vous que je fasse ?

– Assurez à Folkestone que Kent n'est pas derrière nous. Dites-lui, si vous voulez, que nous sommes du dernier bien, vous et moi, et que j'ai peur que le scandale soit découvert.

– Grand merci !

– La supposition l'éloignera et le retiendra de vous poser d'autres questions.

– Pourquoi l'éloignerais-je ? Je le trouve aimable.

– Eh bien, donc, contez-lui ce que vous voudrez mais ne dites pas la vérité.

Elle s'assit dans son lit et tassa les oreillers derrière elle, donna un nouveau regard au miroir, arrangea les plis de son châle.

– Pour un patriote, colonel Wardle, vous faites vraiment belle figure ! Quel dommage que le procureur général ne puisse vous entendre !

– Les nécessités de la politique, chère madame…

– La politique, laissez-moi rire ! Ne me parlez pas de politique, la politique est infecte. Bon, je mentirai à Lord Folkestone, ne vous inquiétez pas ; et si je suis convoquée à la Chambre, je comparaîtrai. Je ne dévoilerai pas le pot-aux-roses, ne vous affolez pas… Ne serait-il pas temps, à présent, que vous alliez trouver Folkestone et lui annonciez que notre tête-à-tête est terminé ?

Un poids tomba des épaules de Wardle. L'expression égarée, le souci, quittèrent son visage. Il sortit, et elle entendit les hommes parler dans le boudoir. Elle imaginait la scène : Folkestone, curieux, Dodd et Wardle fuyants, et Dieu sait quels sales commérages colportés sur elle-même. Il y eut un claquement de porte, des pas dans la rue. Ils étaient partis, elle pouvait dormir. Elle allait quitter son châle et éteindre la lampe, lorsqu'elle entendit de nouveau frapper à la porte de sa chambre.

– Entrez !

Que voulait encore Martha ? Ce n'était point Martha, mais Lord Folkestone entrant d'un air furtif et excité.

– Ils sont partis. Je me suis débarrassé de tous deux, dit-il en s'approchant du lit sur la pointe des pieds et en lui prenant la main.

Ciel !… Elle n'en pouvait plus. Devait-elle encore subir cela ? Son humeur avait entièrement changé depuis une demi-heure. Le moment était passé et elle n'avait plus d'autre désir que de dormir. Elle étouffa un bâillement et s'efforça de sourire.

– Je vous croyais également parti ?

– Je suis revenu vous dire bonsoir.

Elle savait ce que cela signifiait. Elle avait passé par là des douzaines de fois. Pas avec Mylord-Égalité, sans doute, mais avec d'autres. Cinq minutes de politesses, serrements de main, murmures et soupirs, puis une demande pressante. Autant s'exécuter sur-le-champ pour le renvoyer plus vite chez lui, feindre un épuisement extasié... cela prenait, généralement. Il se glisserait hors du lit croyant avoir conquis le monde.

– J'éteins ? demanda-t-il tout bas.

– Si tu veux...

Elle regarda la pendule. Onze heures moins le quart. S'il partait à onze heures et quart – hypothèse optimiste – elle aurait huit heures de repos avant son thé de sept heures... Mais si, comme son instinct l'en avertissait, Mylord-Égalité manquait de savoir-faire – tout en promesses et pauvre en réalisation –, alors le temps pressait et c'était à elle d'annoncer : « Faites vos jeux » et « Allons-y ».

CHAPITRE VI

Le mercredi 22 février fut le dernier jour d'audition des témoins, et le colonel Wardle, ayant annoncé qu'il ne désirait pas faire comparaître d'autres témoins à charge – les lettres découvertes chez le capitaine Sandon prouvant assez la complicité du duc d'York dans le trafic des promotions –, céda la place au représentant du gouvernement à la Chambre.

Mr Perceval commença par déclarer qu'il souhaitait dissiper tous les doutes qui pouvaient subsister au sein de la Commission d'enquête quant au fait que le témoignage du capitaine Sandon et la production du billet concernant le commandant Tonyn étaient intervenus tardivement dans les débats. L'on avait chuchoté de l'autre côté de la Chambre que le capitaine Sandon avait reçu, de personnes amies du duc d'York, l'ordre de détruire le billet. Cela était entièrement faux.

L'Opposition accueillit cette déclaration en silence. Elle remarqua, de même, que le parti gouvernemental ne disait plus que ledit billet était un faux, et que l'on ne réclamait pas de nouveaux témoignages d'experts en écritures.

Dernière tentative pour discréditer Mrs Clarke, le représentant du gouvernement à la Chambre convoqua Mrs Favoury, gouvernante, dans l'espoir que sa déposition salirait sa maîtresse, et Martha, écarquillant des yeux étonnés, fut livrée au procureur général.

– Vous étiez gouvernante chez Mrs Clarke, Gloucester Place ?
– Oui.

– Le train de maison y était-il fort dispendieux ?

– Certes. Il y avait parfois trois chefs de cuisine pour un dîner, et si Son Altesse Royale trouvait à redire, elle en faisait chercher un quatrième.

– Mrs Clarke recevait-elle la visite d'autres messieurs ?

– Oui. Ces messieurs allaient et venaient.

– Avant que Samuel Carter n'entrât chez Mrs Clarke en qualité de valet de pied, y était-il venu en compagnie du capitaine Sutton ?

– Le capitaine l'amenait certes, mais il le laissait dans l'antichambre.

– Savez-vous si Mrs Clarke a jamais vécu avec un monsieur du nom d'Ogilvie ?

– J'ai vu Mr Ogilvie mais elle ne vivait pas avec lui. Il venait Tavistock Place, un monsieur très actif.

– Connaissez-vous un nommé Walmsley ?

– Pourquoi venez-vous me parler de ça ?

Martha, rouge d'indignation, regardait haineusement le procureur général. Sir Vicary Gibbs se pencha en avant. Encore un amant, donc, à ajouter à la liste des conquêtes de Mrs Clarke ? Le nom de Walmsley bourdonna sur les bancs. Un Walmsley, député de Shropshire, secoua la tête et devint cramoisi. Le procureur général leva la main pour réclamer le silence.

– Si vous avez quelque déclaration à faire au sujet d'un certain Mr Walmsley, dit-il à Martha, je serai bien aise de l'entendre.

Martha sortit son mouchoir. Si elle ne disait pas la vérité, le procureur général pourrait bien la mettre en prison.

– Mrs Clarke est au courant, répondit-elle. Je l'ai épousé, et il était déjà marié, mais je ne le savais pas. Il m'a menti. Quand je l'ai appris, j'ai refusé de continuer à vivre avec lui, et je ne veux plus le voir. Je l'ai épousé à l'église de Woolwich. C'était un charbonnier, et Mrs Clarke m'avait bien dit de ne pas le prendre, mais je ne voulais rien entendre.

Un éclat de rire retentit à travers la Chambre, et le procureur général, avec un regard à Mr Perceval, permit au témoin éberlué de se retirer, puis appela Mrs Mary Anne Clarke pour un dernier interrogatoire.

– Étiez-vous au courant de ce mariage avec Walmsley ?

– Oui. J'avais entendu parler de lui à diverses reprises. L'on m'avait dit que c'était un voleur. Des assiettes à soupe disparurent de chez moi et mes domestiques pensaient qu'il les avait dérobées. L'homme avait très mauvaise réputation, et le duc pensa qu'il valait mieux qu'elle quittât mon service.

– Combien de temps après y rentra-t-elle ?

– Je ne la repris que parce que j'avais grand besoin d'elle. Mrs Favoury m'est indispensable, elle est au courant de tout chez moi. Je la crois discrète et l'ai toujours trouvée honnête.

– Vous vous en tenez à votre première déposition selon laquelle vous avez reçu un jour une longue liste de noms d'officiers réclamant de l'avancement, liste que vous auriez montrée à Son Altesse Royale ?

– Oui. Il mit la feuille dans son calepin et, plus tard, je revis cette liste avec quelques noms barrés. Je mentionne ceci, uniquement parce que je viens d'entendre un monsieur à ma droite dire que j'avais pu lui faire les poches.

Elle tourna un regard accusateur sur le malveillant député tory, et des cris moqueurs « Fi, c'est honteux ! » s'élevèrent sur les bancs de l'Opposition. Le procureur général consulta un papier qu'il tenait à la main.

– Vous dites, dans vos précédentes dépositions, connaître le commandant Dodd. Quand l'avez vous vu pour la dernière fois ?

– Je ne me rappelle pas. Je ne rougis pas de connaître le commandant Dodd, pas plus, je crois pouvoir le dire, que le commandant Dodd ne rougit de me connaître. Sauf peut-être en ce moment.

– Connaissez-vous un Mr Ogilvie ?

– Oui.

– Depuis combien de temps ?

– Je ne me rappelle pas. Des années.

– Quatre ans ?

– Peut-être.

– Six ans ?

– Je ne crois pas.

– Depuis combien de temps connaissiez-vous Mr Ogilvie, quand vous avez commencé à vivre avec le duc d'York ?

– Quelques mois. Il venait de faire de mauvaises affaires et était sur le point de déposer son bilan.

– Avez-vous jamais vécu avec lui ?

– Je n'ai jamais vécu avec aucun autre homme que le duc d'York.

Des applaudissements et des sifflements s'élevèrent sur les bancs. Le témoin les accueillit avec calme. Le procureur général haussa les épaules. Lord Folkestone regarda par terre. Le colonel Wardle s'épongea le front. Sur quoi, à la grande déception de toute la Chambre, le procureur général déclara n'avoir pas d'autres questions à poser au témoin.

Ce fut à peu près tout. Les débats se terminèrent par la déposition de deux porte-parole du gouvernement : le ministre de la Guerre et le député Sir Arthur Wellesley.

– En ce qui concerne l'état de l'armée, déclara Sir Arthur Wellesley, je puis dire, d'après la connaissance profonde que j'en ai, qu'il a largement progressé à tout point de vue. La discipline des troupes est meilleure, les officiers sont mieux instruits, l'état-major est plus capable et beaucoup plus complet, les officiers de cavalerie sont meilleurs qu'autrefois. Tout le système d'administration et d'équipement de l'armée, l'économie intérieure des régiments, et tout ce qui se rapporte à la discipline militaire des soldats et à la valeur des armes a été considérablement amélioré depuis que Son Altesse Royale le duc d'York a été nommé commandant en chef.

L'audition des témoins était enfin close. Mr Perceval proposa, les minutes devant être imprimées le lundi suivant, que le rapport fût examiné le mardi. Le colonel Wardle acquiesça.

L'enquête sur la conduite du duc d'York était terminée. Restait à présent le débat qui devait se prolonger du jeudi 23 février au vendredi 17 mars.

Elle était assise dans le salon de Westbourne Place, dans un grand sentiment de vide et d'abattement. L'enquête, si abominable qu'elle eût été, comportait un défi. A présent, il n'y avait plus rien à faire qu'à attendre le verdict. Quoi qu'il dût être, elle avait l'impression que c'était sans importance. Elle n'avait plus de rancune ni de colère. Elle avait oublié jusqu'au tribunal militaire. Adam était responsable de tout, Adam et Greenwood. Elle prit le journal et lut la lettre adressée par le duc d'York à la Chambre des communes.

« Monsieur,
« J'ai attendu dans une extrême impatience que la Commission nommée par la Chambre des communes pour enquêter sur ma conduite en qualité de commandant en chef de l'armée de Sa Majesté eût terminé ses examens, et je pense qu'il m'est permis à présent de m'adresser, par votre entremise, à la Chambre des communes.

« J'observe avec un profond chagrin que mon nom s'est trouvé, au cours de l'enquête, associé à des transactions de la nature la plus criminelle et la plus déshonorante et je ne puis que déplorer à jamais la liaison qui a ainsi exposé mon honneur et ma réputation à l'hostilité publique. »

Parfait, songea-t-elle, déplore-le. Tu n'as pas toujours dit cela. Tu ne la déplorais point quand tu me jurais ton amour. Tu ne la déplorais point quand tu promettais de t'occuper de mes enfants. Tu n'as commencé à la déplorer que quand ton regard blasé est

tombé sur Mrs Carey et que je suis devenue gênante. Mais si tu
avais tenu tes promesses alors, je t'aurais épargné.

Elle reprit le journal et lut la lettre jusqu'au bout.

« Quant aux fautes dont on m'accuse en rapport avec les fonctions
officielles que j'occupe, je tiens, de la façon la plus solennelle, et sur
mon honneur de prince, à proclamer mon innocence, non seulement
en niant toute participation aux transactions infâmes qui ont été
révélées à la barre de la Chambre des communes, ou toute complicité dans la corruption qu'elles impliquent, mais aussi la moindre
connaissance ou le plus léger soupçon de leur existence même. »

Que Dieu le pardonne ! Et ces boucles d'oreilles, alors, celles de
Parker, et les chevaux, les voitures, mes toilettes, et les armes gra-
vées sur l'argenterie ? Croyais-tu vraiment que je les payais sur les
quatre-vingts livres par mois que tu me versais ?

« La conscience que j'ai de mon innocence me porte à espérer
avec confiance que la Chambre des communes ne prendra pas de
mesures préjudiciables à mon honneur et à ma réputation, à la suite
des témoignages qu'elle a entendus ; mais si les témoignages expri-
més contre moi amenaient la Chambre des communes à douter de
mon innocence, je réclamerais de sa justice de ne pas être
condamné sans procès ou privé du privilège et de la protection
accordés à tout sujet britannique par ces sanctions selon lesquelles
les témoignages ne sont valables que reçus dans les formes de la loi.

« Je suis, Monsieur... »

                                                    « Frédéric »

Écrit par lui-même ? Très probablement. Ou rédigé par son
secrétaire particulier Herbert Taylor, Adam regardant par-dessus
son épaule.

La lettre, si l'on en croyait Folkestone, n'avait pas fait grande
impression. L'on avait dit que l'autorité de la Chambre s'y trouvait
attaquée. Elle n'y comprenait pas grand-chose et s'en souciait
encore moins.

« Et alors ? Que va-t-il se passer à présent ? » Elle posa cette
question aux conspirateurs quand ils vinrent la voir, les conspirateurs, c'est-à-dire Wardle, Dodd et Glennie, la bande qui avait
lancé l'affaire.

– Nous ne pouvons pas prévoir plus loin, dit Wardle qui faisait soudain l'important. Votre avenir, tout comme le nôtre, dépend de la Chambre des communes. Je vais être extrêmement occupé au cours des prochaines semaines. Tout le poids des débats va me tomber sur les épaules.

– Le reste de l'Opposition ne vous aidera-t-il pas à le porter ?

– Assurément. Mais en ma qualité d'instigateur de l'accusation, c'est moi le responsable. Je suis en première ligne, tout le monde compte sur moi.

– Mais c'est ce que vous désiriez, mon pur et incorruptible patriote.

– Chère madame, ce ton caustique ne vous sied point.

– Vous l'appréciiez à la Chambre.

– C'était un peu différent. Vous en usiez contre le Gouvernement. Nous sommes vos amis.

– A propos du gouvernement... intervint Dodd, et elle vit les deux hommes échanger des regards d'intelligence. Nous parlions de vous l'autre soir à Sir Richard Phillips.

– Le libraire de Bridge Street ?

– En effet. Un de vos grands admirateurs, à ce qu'il nous a dit.

– Tiens ! Que veut-il ?

– Pourquoi cette question ? Il a loué votre charme.

– L'expérience, commandant Dodd, m'a depuis longtemps enseigné que quand un homme se met à exprimer son admiration, c'est qu'il désire obtenir quelque chose de l'objet admiré.

– C'est une opinion très cynique.

– Mais je suis une personne cynique.

Le colonel Wardle intervint.

– Il s'agissait, en vérité, d'une affaire en rapport avec la profession de Phillips. Vous êtes très en vue, tout Londres parle de vous, et il voudrait que vous écriviez vos Mémoires. La vente, selon lui, en serait énorme.

– Mes Mémoires ?... Mémoires de quoi ?

– De votre vie avec le duc, de tous les gens que vous avez rencontrés, des commérages et des scandales. Vous feriez fortune, assurément. Vous seriez riche jusqu'à la fin de vos jours.

– Mais je croyais cela déjà réglé. Le duc de Kent ne me réservait-il pas une pension ?

Il y eut un silence étrange et gênant. Puis Dodd reprit :

– Certes, tout cela sera considéré quand les débats seront terminés à la Chambre et que nous saurons ce qui va se passer. En attendant, vous avez tout à gagner et rien à perdre, en publiant un livre le plus tôt possible.

– Avec votre talent, dit Wardle, votre esprit, votre charme, l'aisance avec laquelle vous vous exprimez, cela ne vous prendra que quelques semaines. Phillips connaît un plumitif qui le reverra. Un certain Gillingham.

– Je vous aiderai volontiers moi-même, dit le commandant Dodd. J'ai un assez joli brin de plume ; ma femme dit toujours que, si j'en avais le loisir, je saurais écrire un roman. Son Altesse Royale le duc de Kent le pense également.

– Pourquoi donc n'écrivez-vous pas ses Mémoires alors ? Ils se vendraient encore mieux que les miens. L'on y verrait comment il fit la connaissance de Mme de Laurent, avec tous les détails. Et comment les troupes de Gibraltar le brûlèrent en effigie.

– L'objet du livre, si vous écriviez vos Mémoires, dit le colonel Wardle, essayant de changer de conversation, serait certes principalement de noircir York mais, en même temps, d'attaquer le gouvernement actuel et, en rapportant diverses rumeurs, de frapper un coup qui serve la cause de la liberté et la nôtre.

– Laver le linge sale du gouvernement pour vous épargner la besogne ?

– Je suis très occupé. Je n'ai pas le temps d'écrire.

Grand Dieu ! comme elle les méprisait tous ! Ils se servaient d'elle comme d'un outil pour arriver à leurs fins. Peu leur importait à quel point elle s'embourberait, leurs mains à eux resteraient propres tant qu'ils garderaient leurs distances.

– Je vais vous dire, fit-elle. J'ai assez envie d'écrire un livre sur la vie privée de tous les hommes que j'ai connus. Y compris vous et le commandant Dodd.

– Mais, chère madame, nos vies supporteraient la pleine lumière. Demandez à nos épouses.

– Parfait. Mais qu'est-ce donc que le pseudonyme de *Mr Brown ?* et le café qui se trouve au fond de Cadogan Square ?

Le colonel Wardle devint cramoisi et cligna des yeux.

– Je ne sais pas ce que vous voulez dire.

– Interrogez votre conscience si vous en avez une. Moi, je ne sais rien. La chambrière rend visite à Martha à l'office. Quant au commandant Dodd, il y a une taverne, dans Drury Lane, avec une fille rousse assise au comptoir. Mon frère y dîne parfois. Il adore le théâtre.

Le commandant Glennie eut un rire chatouillé.

– Et que savez-vous de moi ? fit-il.

– Je me demande simplement comment vous avez réussi à garder votre chaire de maître de mathématiques à Woolwich. Je croyais qu'on avait besoin en Espagne de tous les spécialistes de l'artillerie.

Il y eut un silence puis des rires d'autant plus bruyants qu'ils étaient forcés ; enfin, ces messieurs regardèrent leurs montres. Ils devaient tous rentrer.

– Si vous vous décidez à écrire vos Mémoires, Mrs Clarke, Sir Richard est l'homme qu'il vous faut, très actif.

Si actif qu'une demande d'audience en termes empressés lui parvint par le courrier suivant, prouvant assez la connivence. Elle eut un entretien avec Sir Richard dans son bureau de Bridge Street et, regardant autour d'elle, songea à d'autres bureaux semblables où, dix ans auparavant, elle vendait ses échos aux feuilles à un sou.

Dix shillings la colonne, dans ce temps-là, dix shillings que Joseph avait vite fait de boire. Mr Jones de Paternoster Row : « Ce n'est pas assez corsé, le public veut du poivre rouge. » Aujourd'hui, on lui faisait des courbettes, et les shillings devenaient des milliers de livres.

Sir Richard Phillips commença par la complimenter sur sa déposition.

– Ma chère Mrs Clarke, vous avez toute la Chambre à vos pieds.

– Sauf, peut-être, le procureur général. Le représentant du gouvernement ne s'est pas mis à genoux, lui non plus. Je n'ai vu personne quitter les bancs du gouvernement pour se prosterner. Ils étaient tous impassibles.

– Mais fort impressionnés, je vous assure. Vous êtes beaucoup trop modeste. Et maintenant, parlons de vos Mémoires.

– Parlons-en.

– Avez-vous déjà quelque chose sur le papier ?

– Pas un mot.

– J'avais cru comprendre que, avant l'enquête, l'été dernier, vous aviez commencé à noter les souvenirs de votre vie, Gloucester Place, des conversations avec le duc, des confidences qu'il avait pu vous faire sur la famille royale, etc. C'est exactement ce qu'il me faut. Pourrais-je les voir ?

– Cela dépend un peu de ce que vous avez l'intention d'en faire.

– Eh bien, mais les publier, avec quelques améliorations de la main d'un littérateur professionnel auquel vous fourniriez le matériel et les lettres. Ce doit être assez leste, j'imagine. On connaît ces princes, c'est leur sang allemand, ils sont absolument sans frein. Je vous paierai un bon prix les droits de reproduction, Mrs Clarke.

– Je ne vends pas de droits de reproduction, Sir Richard.

– Vous ne vendez pas… que voulez-vous dire ?

– Vous pourrez imprimer le livre et le vendre, mais vous demeurerez vendeur. Les droits de reproduction demeurent ma propriété.

– Dans ce cas, Mrs Clarke, l'affaire ne se fera pas.

– Je le regrette. Je trouverai quelqu'un d'autre. Je ne suis pas pressée.

Elle se levait, prête à partir, mais il la retint.

– Si je ne publie pas moi-même ce livre, je puis vous mettre en rapport avec un excellent homme qui est sur le point de fonder une imprimerie. Il s'appelle Mr Gillet et il est dans le métier depuis quelque temps. Il se trouve justement ici. Je vais vous le présenter.

Elle connaissait la manœuvre. Il y avait quelqu'un d'autre en vue qui se trouvait justement là, lui aussi, comme par hasard, mais attendant en réalité qu'on le sonnât.

– Et j'ai ici également un libraire du comté de Kent, un nommé Sullivan, qui tient un commerce florissant à Maidstone. Un regard sur vous, Mrs Clarke, et il fera sa commande. Il faut battre le fer pendant qu'il est chaud, c'est ma devise.

Entrèrent Mr Gillet et Mr Sullivan. Nouveaux propos flatteurs, nouveaux hommages à ses charmes, après quoi ils se mirent à griffonner des chiffres sur un papier.

– Une première édition de douze mille volumes s'enlèvera en quelques semaines.

– Un portrait de l'auteur en frontispice ? Le dessin de Mr Buck qu'on a vu dans les journaux signé, bien entendu. Il serait sans valeur, s'il n'était signé.

– Et l'Irlande, le marché de Dublin ?

– Les Irlandais ne paient pas trop bien, mais le livre leur plaira. A mon avis, Mrs Clarke peut compter empocher deux mille guinées.

Elle les écoutait en silence puis posa une question.

– Quelle avance entendez-vous me verser ?

Pas de réponse. Silence de mort. Puis, Mr Gillet :

– Il n'est pas d'usage de rien verser avant la remise du manuscrit.

Usage bientôt confirmé par le bouquiniste de Maidstone et Sir Richard.

– Je comprends. Eh bien, je n'ai plus qu'à rentrer chez moi et me mettre à l'écrire.

Ses paroles firent plaisir à tous les intéressés. L'entretien était terminé, aucun engagement écrit ni de part ni de l'autre, pas de signatures de contrat mais un avenir littéraire assuré et la promesse d'une fortune. Elle les croirait quand elle tiendrait l'argent ! Tous leurs beaux discours prendraient alors un sens. Retour Westbourne Place. Une feuille de papier. Et alors…? *Mémoires de M. A. Clarke*, serait-ce là le titre ? Cela sonnait sec comme un manuel de maître d'école. *Grandeur et Décadence* serait plus à propos, mais les débuts entraîneraient pas mal d'explications. Ne réveillons pas les chats qui dorment et tirons pudiquement un voile sur tout cela jusqu'à ce que les fillettes soient mariées et George général.

Ma vie avec le duc ? Elle était, en somme, consignée dans les minutes qu'on discutait en ce moment aux Communes. Certes on n'y trouverait pas tout. Comment il était vêtu (ou dévêtu), ses goûts en matière de nourriture, son humeur au petit déjeuner, les chansons qu'il chantait en prenant son bain, son horreur des lits bassinés, le bâillement de minuit. On dirait qu'elle mentait, assurément – c'était là le danger –, et on la poursuivrait en diffamation. Le livre, pour être vraiment convaincant, devrait reproduire ses lettres : on ne pourrait les nier ou leur faire dire autre chose que ce qu'elles disaient. Elles étaient toutes là, dans ce coffret noué de ruban, sauf quelques-unes qu'elle avait apportées à la Chambre. C'étaient ces lettres-là que le public voulait. Pas les billets doux comme ceux qu'on avait lus aux Communes mais ceux où il racontait ses histoires de famille.

Le roi jouant au whist en robe de chambre, tandis que le premier ministre. Mr Pitt, attendait une audience... La passion de la reine pour le protocole, toute sa Maison prosternée à son approche. L'accouchement de la princesse de Galles et ses curieuses conséquences... Les habitudes et les goûts de ses augustes frères, de Cumberland, en particulier, qui vivait à Saint James environné de miroirs et de valets aux manières équivoques...

Oui, ces lettres étaient précieuses et pourraient servir de plus d'une façon, une fois reliées en veau sous un beau titre doré. Qui les paierait le plus cher : Sir Richard, Gillet et le bouquiniste de Maidstone, ou la main policière qui les avait écrites ?

L'espèce de gêne et de malaise qui gagnait soudain tant de ses amis était assez amusante. James Fitzgerald, d'Irlande, semblait un des plus agités, non sans raison, d'ailleurs, reconnaissait-elle en songeant à ses lettres. Il n'était pas le seul qui l'implorerait, au cas où elle écrirait ses Mémoires – le bruit en avait donc déjà gagné Dublin –, de ne pas l'y citer, par égard pour leur vieille amitié, et de bien vouloir lui renvoyer ses lettres si elle ne les avait déjà brûlées. Il n'était plus en son pouvoir d'ailleurs de les brûler ni de les rendre. Elles faisaient partie du paquet retrouvé par Nicols à Hampstead et étaient déposées pour l'instant à la Chambre des communes.

Cette nouvelle eut pour conséquence de lui expédier Willie, le fils Fitzgerald. Il se présenta chez elle à six heures du matin, les larmes aux yeux. Ciel !

– Que se passe-t-il ? Votre père est-il mort ?

L'on se hâta d'ouvrir les rideaux, de ranimer le feu, de lui servir des œufs et du café, tandis qu'elle s'asseyait en peignoir en face de lui.

– Mary Anne, la ruine nous guette. Vous seule pouvez nous aider.

– Je n'ai pas cinq livres à la maison. Je vais envoyer chez mon tapissier, il m'obligera.

– Ce n'est pas cela. Il ne s'agit pas d'argent...

– De quoi diable s'agit-il alors ?

Il la regarda avec les yeux d'un pensionnaire de l'asile de fous de Bedlam. Il avait de la paille dans les cheveux (le bateau de Dublin), il n'était pas rasé, il avait les ongles sales.

– Mon père a reçu votre lettre, il y a cinq jours. Je suis venu aussitôt... il *faut* que vous repreniez ces lettres.

– Comment le puis-je ? Elles sont sous scellés à la Chambre des communes.

– Adressez-vous immédiatement à Perceval.

– Il ne voudra rien entendre. Il a sans doute rompu le sceau et doit être en train de les lire.

– Ne voyez-vous pas que c'est le déshonneur pour nous ? Mon père ne pourra plus jamais marcher la tête haute, ma sœur devra rompre ses fiançailles, quant à moi…

– Certes, c'est très fâcheux. Il y a une lettre où James me propose d'être mon agent en Irlande, écrite, s'il m'en souvient bien, environ en 1805, et disant qu'il pourrait faire monter les prix pour l'obtention du brevet d'enseigne. Cela n'aura pas trop bon air si on la lit devant la Commission.

– Et vous souriez…

– Que puis-je faire d'autre ? Je n'ai plus ces lettres. Allez les réclamer vous-même à Perceval, mais il ne vous écoutera guère avant la fin des débats.

– En attendant, vous ne parlerez pas de nous dans vos Mémoires ?

– En attendant, je ne promets rien. Mangez votre petit déjeuner.

Comment avait-elle jamais pu le trouver amusant ? Cela avait dû tenir à son aspect juvénile, à sa blondeur, et aux chaleurs de juillet à Worthing. Soudain, elle eut une idée.

– Je vais vous dire ce que vous pourriez faire. Vous m'avez dit que vous connaissiez bien le comte de Moira, ainsi que le comte de Chichester. Je les ai vus avec vous. Ils doivent à présent me traîner dans la boue, mais peu importe. Ce sont des amis personnels du duc depuis de longues années. Dites-leur que je veux publier mes Mémoires contenant toutes les lettres du duc mais que je me raviserais peut-être si quelqu'un voulait se donner la peine de m'en persuader.

Cela laissait la porte ouverte.

Pendant ces jours de mars où les débats se poursuivaient jour après jour, avec des discours interminables – le pour, le contre, l'éloge, le réquisitoire, les louanges allant aux nues et les remuements de boue –, le principal témoin cité par Wardle et l'Accusation griffonnait dans ses cahiers confessions, impressions, digressions et le reste. Personne ne devait la déranger, les enfants d'ailleurs étaient à la campagne avec sa mère, et Bill, à Uxbridge, soignait son vieux père qui venait d'avoir une attaque.

Elle ne s'interrompit qu'une fois, lorsque Mylord-Égalité, encore échauffé par la séance des Communes, vint lui rendre discrètement visite. Elle apprit alors toutes les nouvelles. Comment se déroulait la guerre de l'idéal, que quelqu'un l'avait traitée de sorcière et quelqu'un d'autre de femme légère, et un troisième de pauvre créature méconnue méritant la miséricorde divine.

– Qui l'emporte ?

– La lutte est serrée.

– Sera-t-elle sans résultat ?

– Non. Le gouvernement mènera, mais de si peu qu'il n'aura pas lieu d'en être fier.

– Ce qui signifie ?

– La démission.

– De qui ?

– De votre galant commandant en chef.

Elle n'éprouva ni joie, ni gonflement de triomphe, rien qu'un pincement au cœur et un sentiment de honte. Je vengerai, dit le Seigneur ; tels étaient les mots de la Bible usée de sa mère, mais la vengeance ne lui avait apporté qu'un goût de cendre.

– Puis-je rester ?

– Si vous voulez.

Même cela lui était indifférent. Elle ne désirait pas cet hommage, et se prêta une fois de plus sans ivresse ni ferveur à l'antique expérience.

La Chambre siégea très avant dans la nuit du 16 mars, avant d'en arriver au vote. Les débats qui avaient duré trois semaines prirent fin, et les derniers discours laissèrent prévoir la décision de l'Assemblée.

D'abord, le représentant du gouvernement et le procureur général déclarèrent qu'il n'y avait pas lieu de relever Son Altesse Royale du poste qu'il occupait à présent et pour lequel il était si qualifié. Si l'on ajoutait foi aux dires de Mrs Clarke, certes, l'accusation était prouvée, mais sa déposition était apparue comme un tissu de mensonges. La Chambre avait le devoir d'acquitter le duc d'York des accusations infâmes portées contre lui.

Sir Francis Burdett, au nom de l'Opposition, exprima son étonnement de voir Mr Perceval, représentant du gouvernement à la Chambre et chancelier de l'Échiquier, Sir Vicary Gibbs, procureur général, et tous les avocats de la Couronne dont la mission était de châtier les délits de droit commun, se ranger, cette fois, du côté de l'accusé.

Leur rôle avait été de réfuter le témoignage de Mrs Clarke, mais l'on ne pouvait qu'être frappé par la solidité de sa déposition. Tous ceux qui avaient tenté de la confondre ou de l'amener à se contredire s'étaient trouvés eux-mêmes confondus. Le procureur général de Sa Majesté avait été constamment battu.

Quant aux principes élevés du duc d'York, tout ce qu'on en pouvait dire était qu'il n'avait éprouvé aucun remords à se débarrasser de sa maîtresse et à l'exposer à la misère et à l'infamie. La pension promise, lorsqu'on l'avait réclamée, avait été refusée, ce qui en disait long sur la valeur des promesses royales. Le rang élevé du prince ne devait pas intervenir dans cette affaire, car il s'agissait ici de la justice de l'Angleterre, et le peuple d'Angleterre attendait que la Chambre rendît la justice. Pour lui, il lui paraissait impossible, après tout ce qu'on avait entendu au cours des dernières semaines à la Chambre des communes, que le duc d'York pût conserver son poste à la tête de l'Armée.

La Chambre vota dans une grande agitation, et le résultat fut celui qu'avait prédit Lord Folkestone. Le duc d'York fut acquitté des charges de corruption et de complicité, mais la majorité en sa faveur n'était que de quatre-vingt-deux voix. Sur le papier et numériquement, les accusations avaient été rejetées, mais, pour l'opinion publique, le duc d'York était coupable, et le résultat marquait le triomphe de l'Opposition.

Le vendredi soir, quand la nouvelle fut connue, l'on fit grand tapage dans les rues de Londres. Le colonel Wardle devint un héros national, Mrs Clarke une bienfaitrice du peuple britannique, et, au

lieu des voyous qui jetaient des pierres contre les vitres de son boudoir, une foule venue des ruelles de Chelsea et de Kensington attendait qu'elle parût sur son perron et lui sourît.

Ce soir-là, elle alla à l'Opéra de Haymarket, où l'on donnait une
représentation au bénéfice des acteurs et actrices de Drury Lane.
Charley l'accompagnait, ainsi que May Taylor et Lord Folkestone.
Lorsqu'ils entrèrent dans sa loge et que le public la reconnut, les
acclamations et les applaudissements emplirent la salle.

– Cela compense ce que t'a fait subir le procureur général, n'est-
il pas vrai ? chuchota Charley.

Elle sourit, salua, et agita la main pour remercier la foule.

– Non, répondit-elle à son frère en continuant à sourire au
public.

– Que te faut-il alors ? Des excuses publiques ?

– Je choisirai mon moment, répondit-elle en riant. Tu verras. Le
jour viendra où je serai vengée de Vicary Gibbs.

– Si vous recevez de tels hommages maintenant, lui dit tout bas
Lord Folkestone comme les applaudissements cessaient peu à peu,
que sera-ce quand vous publierez les Mémoires promis ?

– On lit un auteur, on ne le voit pas, chuchota Mary Anne.
D'ailleurs, il est possible que je ne les publie pas.

– Mais il le faut… (Il paraissait stupéfait.) Sir Richard Phillips
m'a dit que l'affaire était réglée. Le livre sera un nouveau bâton
dans les roues du gouvernement et rendra l'Opposition plus populaire encore.

Mary Anne haussa les épaules. Les lumières de la salle baissèrent.

– Si vous croyez que je me soucie plus d'un parti que de l'autre,
vous vous trompez, dit-elle. Videz vos querelles sans moi.

– Pourquoi alors vous battiez-vous ?

– Pour l'avenir de mes enfants.

Le rideau se leva et le silence s'abattit sur la salle. L'on jouait une
pièce intitulée *Lune de miel.* Les spectateurs se levèrent et applau-
dirent lorsque l'acteur chargé d'un des principaux rôles termina
une réplique par ces mots : « Cela me sera, certes, pénible de me
retirer à la fin du mois, mais pareil aux grands hommes d'État, je
veux profiter de mon reste, puis disparaîtrai de bonne grâce, afin de
n'être pas jeté dehors. »

Une fois de plus, toutes les têtes se tournèrent vers la loge de droite, des rires et des acclamations retentirent. Le triomphe était complet.

Le samedi matin, Son Altesse Royale le duc d'York remit sa démission de commandant en chef de l'Armée à Sa Majesté qui l'accepta. L'excitation qui suivit dura jusqu'à Pâques et les discours prononcés à Westminster Hall par l'Opposition furent chaleureusement applaudis. Le 1er avril, le colonel Wardle reçut la franchise de la Cité de Londres et le lord maire, ayant fait campagne contre lui, fut hué par la foule, qui lança de la boue contre sa voiture. Le même jour, le principal témoin de l'accusation dans l'affaire du duc d'York eut une entrevue avec trois messieurs : le comte de Moira, le comte de Chichester et Sir Herbert Taylor, secrétaire particulier de Son Altesse Royale le duc d'York.

A cette conférence, Mrs Clarke, assistée de son avoué Mr Comrie, de son frère le capitaine Thompson et de deux amis, Mr William Dowler et Mr William Coxhead-Marsh, consentit à ne pas mettre en circulation ses Mémoires dont une partie, déjà imprimée à plusieurs milliers d'exemplaires, se trouvait entre les mains de Mr Gillet, libraire, lequel recevrait quinze cents livres d'indemnité, aussitôt détruite la totalité du tirage.

En échange du retrait des Mémoires et de son consentement à remettre au comte de Chichester toutes les lettres du duc d'York qui se trouvaient encore en sa possession, Mrs Clarke recevait une somme de dix mille livres, plus une pension viagère de quatre cents livres, et deux cents livres par an pour chacune de ses filles. A sa mort, sa propre pension serait reversée sur la tête de ses filles. Les trois messieurs qui assistaient Mrs Clarke seraient administrateurs de sa pension ; le comte de Chichester et Mr Cox (de Cox et Greenwood) en garantissaient le paiement.

Mrs Mary Anne Clarke s'assit et signa l'engagement suivant :

« Considérant les termes proposés et acceptés, moi, Mary Anne Clarke, 2, Westbourne Place, Londres, m'engage à remettre tous papiers, lettres, documents et écrits en ma garde ou possession, concernant le duc d'York ou tout autre membre de la famille royale, et, en particulier, tous billets, documents et autres, écrits ou signés par le duc. Je promets également de recouvrer toutes les lettres non entre mes mains, confiées par moi à des tierces personnes, et de les remettre aux mandataires du duc.

« Je promets en outre de déclarer solennellement sous serment, le moment venu, avoir remis toutes les lettres et autres écrits du duc à moi adressés, autant qu'il est en mon pouvoir ou en ma possession, et n'avoir pas connaissance d'autres missives de même provenance. Je promets également d'obtenir, de l'imprimeur et des personnes employées à imprimer une publication de ma vie, la restitution de tout document en leur possession et de toute partie de l'ouvrage qui pourrait avoir été imprimée.

« Je m'engage encore à ne rien écrire, imprimer, ou publier concernant les relations ayant existé entre le duc et moi, ou aucune information, écrite ou verbale, que je pourrais tenir du duc.

« J'accepte en outre que, au cas où je manquerais à tenir les divers engagements stipulés ci-dessus, la pension destinée à m'être versée ma vie durant et, après ma mort, à mes filles, soit entièrement annulée.

« Je remettrai toutes les lettres, mais le manuscrit et tout ce qui en a été imprimé sera brûlé devant toute personne habilitée à cet effet. Je m'engage également à ne pas conserver de copie d'aucune lettre du duc d'York, d'aucun manuscrit ou partie de manuscrit.

« Daté du premier jour d'avril 1809
« signé : Mary Anne CLARKE »

Mr James Comrie, son avoué, légalisa la signature.

Elle rentra Westbourne Place et donna une soirée.... mais elle songeait au fauteuil vide dans le bureau des Gardes.

Quand les invités furent partis, elle resta un moment à la fenêtre du salon. Il n'y avait plus dans la pièce que Bill, Charley et May Taylor. Bill s'approcha d'elle et lui prit le bras.

– La fin d'une époque, dit-il. Oublie tout cela. C'est un malheureux épisode de ta vie qui est terminé.

– Nullement terminé. Et l'avenir ?

– Tu as ce que tu voulais. Les enfants ne manqueront de rien.

– Je ne songeais pas à cela. Je songeais aux promesses de Wardle.

– Que t'a-t-il promis ?

– Des châteaux, des attelages, et le duc de Kent comme cocher.

Elle rit et refusa d'en dire plus. Ils finirent le vin qui restait du beau cadeau de Mr Illingworth.

– Avez-vous remarqué, dit-elle, une étrange omission de ces papiers si importants que j'ai signés aujourd'hui ? J'ai promis de ne pas publier un mot sur le duc et moi et sur notre vie commune. Mais la promesse ne lie que moi et non mes héritiers.

– Crois-tu que tes enfants… ? commença Bill.

Elle haussa les épaules.

– Je trouve l'omission curieuse, c'est tout, dit-elle.

Elle porta un toast à l'avenir et vida son verre.

QUATRIÈME PARTIE

CHAPITRE I

Ils vinrent l'un après l'autre lui exposer leurs doléances : Wardle, Dodd, Folkestone, et, en dernier, bien entendu, Will Ogilvie. Tous lui posèrent la même question : « Pourquoi ? Mais pourquoi ? »

A chacun d'eux, elle répondit : « Ma sécurité. Mes enfants. »

— Mais nous avions toutes les cartes en main, insista Wardle. Nous triomphions sur toute la ligne, et la publication de vos Mémoires, y compris les lettres du duc, aurait été d'un prix énorme pour notre cause.

Elle haussa les épaules.

— Votre cause ne m'intéresse pas, dit-elle Je me suis battue pour vous à la Chambre. Ça suffit.

— Ces lettres, gémit le commandant Dodd, ces précieuses lettres ! Le peu que vous m'aviez dit de leur contenu aurait suffi à déshonorer le duc d'York pour la vie aux yeux du public, sans parler de sa famille. Le duc de Kent aurait pris sa place, et, grâce à son caractère noble et droit, serait devenu, du jour au lendemain, l'objet de l'adoration, de la vénération des foules, tandis qu'à présent…

— Tandis qu'à présent, dit-elle, il est toujours assis sur son derrière à Ealing, et c'est Sir David Dundas qui est commandant en chef.

Mylord-Égalité se pencha vers elle avec une tendre sollicitude en hochant un front désabusé.

— Vous m'aviez promis de me consulter sur tous les points, lui dit-il avec reproche. Je comprends votre besoin de sécurité, mais jeter un tel atout, c'est de la folie. La publication de vos Mémoires et de ces lettres aurait pu avoir un effet profond sur la vie politique, non seulement en divisant tout le parti tory et le Ministère et en faisant souffler l'esprit républicain sur les bancs où…

– Où il est vrai qu'un changement d'air s'imposerait, acheva-t-elle pour lui. Balayez donc votre Chambre, mais faites-le vous-même. Je ne suis pas et n'ai aucun désir de devenir jamais un personnage politique. Rentrez chez vous. Vous m'ennuyez, tous tant que vous êtes.

Ils se retirèrent, la laissant à sa solitude où elle éprouva, comme trop souvent, une impression de retombement. Sans doute, elle avait été folle – le temps seul pourrait le dire –, au moins y avait-il de l'argent à la banque pour Mary et Ellen, et une réserve pour elle-même. Elle ne dépendait plus de la générosité masculine. La constante inquiétude était bannie à tout jamais. Mais que faire à présent de sa vie ? Se retirer de tout, à trente-trois ans ? Le regret commençait à nuancer son humeur changeante, à point pour la visite de Will Ogilvie. Il lui dit à brûle-pourpoint :

– Vous m'avez abandonné.

– Je vous l'ai dit il y a longtemps, répondit-elle. Je ne fais rien dans la vie que pour mes enfants.

– Sornettes ! Vous auriez tiré une fortune de vos Mémoires, et vos filles seraient devenues des héritières. Maintenant, vous leur avez seulement assuré deux cents livres à chacune, une misère ; quant à vos dix mille à vous, connaissant votre façon de vivre et vos goûts dispendieux, il ne vous en restera rien d'ici deux ans. Et pour ce qui est de la question plus haute…

– La question plus haute était de vider Buck House et de chasser les Brunswick ?

– Mettez cela comme ça, si vous voulez.

– Franchement, Will, j'aime le cérémonial. Les habits rouges, les cuirasses, les cuivres bien astiqués, le roi, couronne en tête – même s'il est gâteux et porte de la paille par-dessous. Le sang bleu, l'oint du Seigneur, tout cela m'émeut.

– Oh ! que non ! C'est un prétexte. Au fond de votre cœur féminin, vous souhaitez le reprendre.

– Qui ?

– Votre duc d'York. C'est pour cela que vous avez rendu les lettres et brûlé les Mémoires. Vous vous imaginez, avec votre astuce

de femme, qu'en agissant ainsi vous faites un beau geste, que son
cœur en sera touché, qu'il versera un pleur et que, un de ces jours,
sa voiture s'arrêtera à votre porte et qu'il tirera la sonnette.

– Ce n'est pas vrai !

– Ne mentez pas. Je connais toutes vos pensées. Allons, dépêchez-vous d'éteindre ce feu de joie. Il ne reviendra pas, il est écœuré
au seul son de votre nom. Déshonoré à la face du monde et uniquement à cause de vous.

A ces mots, la colère l'emporta.

– Conseillée par un agent de l'Armée, maître chanteur et failli…
Grand Dieu, vous vous êtes assez mêlé de mes affaires comme ça !
Je déplore de vous avoir jamais connu.

– Et où seriez-vous maintenant ? Sur le dos, à Brighton, dans
quelque garni infect ? Trois fois la nuit, avec des fêtards du
dimanche, à cinq shillings la passe ? Ou bien, faute de mieux, installée par le fidèle Dowler dans une modeste retraite ? Faisant votre
cuisine, vous laissant engraisser, et marchandant au pauvre Dowler
sa récompense du samedi soir ?

– Pas du tout ! J'aurais coupé l'herbe sous le pied à Mrs Fitz et je
régnerais à Carlton House, ou bien je me serais retirée des affaires.
Ciel, Will, je vous hais, vous avez été mon démon !

– J'ai été votre sauveur, mais vous ne voulez pas le reconnaître.
Et maintenant, qu'allez-vous faire ?

– Me reposer sur mes lauriers. Apprendre les bonnes manières à
mes filles.

– Et les marier à des pasteurs qui gagnent deux sous par an.
Votre vie sans tache sera un capital… Et les amants ?

– Je n'en ai pas besoin avec dix mille livres en banque et quatre
cents de rente. D'ailleurs, je suis dégoûtée des hommes, ils sont trop
exigeants.

– Vous parlez de Mylord-Égalité ?

– Je ne parle de personne, je parle de l'espèce en général. J'ai
conquis ma sécurité par mes propres efforts et non pas grâce à vous
ou à Wardle. Où, à propos, est la prime promise ? Le manoir à tourelles et la voiture à quatre chevaux ?

– Il faut demander cela au député d'Okehampton. Il vous
répondra comme moi que vous l'avez trahi et que, en retirant vos

Mémoires en ce moment vital, vous jetez aux chiens l'arme principale sur laquelle il comptait. Autrement dit : vous avez cessé de lui
être utile.

– Et Kent ?

– Oh ! Kent vit dans la sainte terreur de se voir démasqué. Je me
suis mépris sur cet homme. Je lui croyais de la valeur, mais elle a
coulé dans ses bottes à l'allemande. Il n'aura pas le poste de son
frère ni d'aucun autre.

– Nous voici donc Gros-Jean comme devant ?

– Vous l'avez dit. Sauf que Wardle est un héros populaire et que
vous êtes célèbre. Si ce n'est pas le visage qui lança mille navires,
du moins vos traits figurent-ils sur des cruches en faïence du
Staffordshire. Votre caricature au lit a été imprimée partout. Que
vous faut-il de plus ?

– Un mot de gratitude pour avoir rempli la Chambre des communes. Pour avoir distrait les gens de la guerre d'Espagne.

– Vous l'avez fait à merveille. Hommage vous en soit rendu.
Toute l'Angleterre résonne du nom de Clarke. Le malheur, c'est
qu'elle n'en résonnera plus longtemps. Les Mémoires détruits, vous
allez passer tout simplement de mode. Il n'est pas pire ennui que de
vivre dans la retraite.

Elle regarda les yeux impassibles qui ne cillaient jamais.
Essayait-il encore de l'influencer ? Quel génie y avait-il dans cette
âme pour distiller des poisons ?

– Je déteste l'ingratitude et les promesses rompues.

– Promesses faites par des sots qui se prennent pour de grands
hommes… fit-il.

Lui non plus, alors, n'aimait point Wardle ? Elle comprenait. Son
jeu n'avait pas rapporté ce qu'il espérait, son plan avait échoué. Au
milieu de leurs intrigues compliquées, Wardle avait dû se tromper
lourdement et Ogilvie, filant en secret sa toile, avait vu sa proie lui
échapper… La toile s'était déchirée.

– Si vous agissiez vous-même au lieu de confier la manœuvre aux
pions, vous réussiriez peut-être.

– Je suis ainsi fait, physiquement, que j'ai horreur de bouger.

– Est-ce cela ? Je me le suis souvent demandé…

Mais aucune confidence ne suivit, aucune révélation sur la

vie secrète. Où allait-il chercher ses plaisirs ? Pas ici, en tout cas, songea-t-elle avec rancune, ce qui créait à la fois entre eux un lien, et une division. Peut-être, selon son habitude, lut-il ce qu'elle pensait, car il se mit à rire et lui baisa la main en lui souhaitant bonne nuit.

– Bon, fit-il, je vous pardonne d'avoir brûlé les Mémoires. Mais dix mille livres liquides s'évaporent facilement. Tâchez de doubler la somme tant que vous le pouvez encore. En outre, vos filles seules sont pourvues. Tout le clan Mackenzie ne vit-il pas à vos crochets ?

Il se retira là-dessus, mais sans avoir changé le cours de ses pensées et les avoir tournées vers l'angle utilitaire plus propice à ses propres intérêts, elle ne l'ignorait pas.

L'agitation intérieure qu'il avait provoquée valut à Mary Anne une nuit inquiète et sans sommeil, le flacon de sels au matin, et un mélange de paroles aigres-douces avec Martha.

– La robe bleue, pas la blanche.

– La bleue est déchirée.

– Alors pourquoi diable ne l'as-tu pas fait recoudre ?

– Quand cela, madame ? Vous l'avez portée hier.

– Celle en taffetas bleu, pas celle en satin… N'emporte pas mon plateau, je n'ai pas encore fini. Le courrier est-il passé ? Qui est venu ? Où sont mes lettres ?

– Ici, madame, sur le plateau. Vous les avez poussées de côté.

– Je croyais que c'étaient des factures. Ce sont des factures. Enlève-moi ça. Qu'est-ce, grand Dieu, que ce bouquet de marguerites fanées ?

– Des fleurs arrivées ce matin de la part de Mr Fitzgerald.

– Fitzgerald père ou fils ?

– Mr William, madame.

– A vingt-six ans, il n'a pas d'excuses. Son père envoyait des roses. La fortune décline ou le sang irlandais se refroidit, l'un ou l'autre. Personne n'est venu ?

– Mr Wright est en bas.

– Wright, le tapissier ?

– Oui, madame, il est là depuis sept heures.

– Qui espérait-il surprendre à cette heure indue ?

– Il ne me l'a pas dit… Il a parlé du colonel Wardle.

– Dieu me garde de le retenir ici jusqu'à sept heures ! As-tu jamais vu le colonel Wardle dans mon lit ?

– Jamais, madame… Quelle supposition choquante !…

– Choquante est le mot. Le contact de sa main suffirait à me pétrifier. Tu peux aller répéter cela à Wright avec mes compliments. Maintenant, va préparer mon bain et trêve de bavardages.

Francis Wright avait lu les journaux, comme tout le monde. Dix mille livres versées à Mrs Clarke, en écus tintants et trébuchants, disait le *Morning Post.* Les affaires de la dame n'étaient pas mauvaises ou en tout cas s'amélioraient et il n'avait pas été payé pour le mobilier.

Elle entra dans le salon d'une démarche ailée, les mains tendues.

– Cher Mr Wright, que puis-je pour vous ?

– En fait, Mrs Clarke, il s'agit de la maison.

– De la maison ?

– Voilà cinq mois que vous y êtes.

– Je sais. Elle me convient fort bien.

– Je pensais que, peut-être, avec le changement survenu dans votre fortune, vous pourriez désirer quelque chose de plus grand, de plus fastueux ?

– Oh ! non… J'ai des goûts très simples, vous le savez. D'ailleurs, il n'y a pas de changement, un peu d'argent de poche pour mes filles, c'est tout.

– Ah ! dans ce cas, en effet… (Il sortit son mémoire, des pages où tous les articles étaient inscrits avec soin.) Cela remonte au mois d'octobre de l'an dernier, sans parler des frais de garde-meuble antérieurs à cette date. Désirez-vous que je vous en lise le détail ?

– Je m'en voudrais de vous fatiguer la voix. Vous êtes déjà enroué. Voilà ce que c'est de sortir dès potron-minet, l'air matinal ne vaut rien aux gorges délicates. Buvez un peu de vin.

Mr Wright n'était pas habitué au vin à dix heures moins le quart. A la demie, il était rouge, congestionné, rêveur, et parlait de son enfance à Greenwich, le mémoire retourné à la poche de son gilet. Pourtant, sa visite avait un objet défini. Quel était donc l'objet de sa visite ? Il regarda sa cliente, perplexe, cherchant ses mots.

– Mon frère et moi pensons que nous devrions être payés.

– Votre frère a entièrement raison et je vous approuve. Adressez-

vous au colonel Wardle ; il a promis de vous payer. N'avez-vous pas
un accord avec un négociant en vins, un nommé Illingworth ?

— Si fait. Mais il ne l'a pas respecté.

— Que c'est vilain !… Je puis dire, entre nous, en confidence, que
le colonel Wardle en a agi ignoblement. Il n'a pas tenu une seule des
promesses qu'il m'a faites. Vous vous rappelez tout ce qu'il disait en
novembre dernier ?

— Il me semble. Je ne suis pas bien sûr.

— Mais si, vous en êtes sûr. Ses amis influents, un jour nouveau se
levant sur l'Angleterre… Vous vous rappelez bien ?

— Il me semble qu'il admirait les meubles de mon magasin, mais
qu'il les trouvait très chers. Cela, je me le rappelle.

— Chers peut-être, mais absolument nécessaires à mon train de
vie et nécessaires au rôle qu'il entendait me faire jouer. C'est pour
cela qu'il avait promis de les payer et vous en avait donné sa parole.

Wright secoua la tête. Son esprit devenait plus lucide.

— Je me demande si nous toucherons jamais un sou de lui.

— Êtes-vous prêts à recourir à la loi ?

— Si notre cas est clair.

— Assurément, il l'est. On ne peut plus clair et net. Écrivez-lui pour
réclamer votre dû et, s'il refuse, laissez-moi faire. Je veillerai à ce qu'il
n'échappe pas. Le héros populaire sera bientôt abattu, Mr Wright.

Mr Wright se retira en refusant un nouveau verre de xérès.

Le visiteur suivant fut le docteur Metcalfe, médecin de Mrs Clarke.
Il lui avait donné ses soins à diverses reprises depuis une dizaine de
mois, l'avait assistée au cours des fatigues de l'enquête et avait
appris pas mal de choses dans les moments d'abandon.

— Madame, votre serviteur. Je vous apporte mes félicitations.

— Mais de quoi ?

— Des nouvelles de ce matin. Il paraît que des amis du duc vous ont
versé dix mille livres plus une annuité à vie pour vos filles et vous.

— Oh ! ça… Une toute petite poire pour la soif, de quoi ne pas
mourir de faim.

— Tiens ! Ce n'est pas ce que vous espériez ? Quel dommage ! En
vérité…

— Quoi donc ?

— J'avais moi-même misé un peu sur votre fortune. Vous m'avez dit, il y a quelques mois, que vous aviez des perspectives, ou bien, dirons-nous, des espoirs bien différents, et dont je pourrais avoir ma part le moment venu.

Au diable les docteurs pleins de sollicitude ! Un rien de migraine, un lit à baldaquin, vous changent une chambre de malade en confessionnal. Elle se rappelait à présent les moments d'indiscrétion, les confidences provoquées par une voix compatissante, les allusions à Dodd, Wardle, au duc de Kent et au bel avenir promis à tous ses intimes. Elle les avait même invités à dîner, sa femme et lui, au mois de janvier, pour rencontrer Dodd et Wardle. Il avait été question d'une véritable fortune – le vin coulait à flots –, d'appuis puissants, d'une ascension dans le monde médical. Le docteur Metcalfe se voyait déjà quittant sa modeste pratique et ses accouchements pour s'installer à Windsor et ausculter les poumons des princesses reconnaissantes.

– J'en suis fâchée, dit-elle. A la vérité, nous avons été dupes. Non seulement vous et moi, mais d'autres encore. Toutes ces belles promesses d'avant l'enquête n'étaient que pour m'inciter à déposer à la Chambre des communes ; sans moi, leurs accusations ne tenaient pas, et ils le savaient bien. Maintenant que tout est terminé, ils préfèrent oublier leurs engagements. Ils n'ont plus besoin de moi ni de mes amis.

– Mais, ma chère Mrs Clarke, le commandant Dodd m'a lui-même assuré…

– Il m'a assuré à moi des milliers de choses, mais pas par écrit. La voix humaine, docteur, ne laisse pas de trace ; seuls, les écrits ont une valeur légale. Je crois tout de même avoir quelques lettres de lui qui le mettront un peu mal à l'aise un de ces jours.

– Et le colonel Wardle ?

– Est l'idole du public. Pour le moment, du moins. Cela passera. Il n'est rien comme un peu de ridicule pour faire tomber un héros populaire et retourner la foule contre lui. Fiez-vous à moi.

– Mais mon avenir, Mrs Clarke, ma pratique qui diminue ? J'avoue que je l'ai un peu négligée ces derniers mois, devant de tels espoirs, et ma femme n'est pas bien portante, vous le savez. Nous avons tant de dépenses…

Toujours la même histoire. La pilule enrobée de sucre. Ils accouraient tous comme des vautours pour lui arracher ce qu'ils pourraient. Elle griffonna un billet à ordre qu'elle lui remit, l'accompagna à la porte comme toujours. Dix mille livres étaient une somme misérable, il lui en aurait fallu vingt.

Charley se montra ensuite, morose, grognon, donnant des coups de pied aux meubles encore impayés.

– Qu'est-ce que je deviens dans tout cela, moi ?

– Je te trouverai un poste.

– Mais quel genre de poste ? Je ne veux pas lécher les bottes, je tiens à mon indépendance. Qu'était-ce que tous ces contes qu'on m'a faits de réintégration, de cassation du verdict du tribunal militaire, d'une nouvelle commission ?

– Chéri, il faut voir les choses en face. Ces brutes mentaient.

– Eh bien, ne peux-tu rien y faire, ne peux-tu les démasquer ?

– Je n'ai pas encore eu le temps d'y réfléchir… Pour l'amour du Ciel, laisse-moi en paix ! D'abord Wright, puis Metcalfe, puis toi, tous à mendier quelque chose ! Je croyais que Coxhead-Marsh t'avait invité à Loughton ?

– Il m'a parlé d'une situation d'agent de son domaine, une espèce de domesticité. Je suis un soldat de métier. Je veux bien être pendu si j'accepte une position subalterne alors qu'avec mes capacités je devrais avoir un commandement. Enfin, tu dois bien connaître, tout de même, quelqu'un, qui pourrait me pousser ? A propos, j'ai besoin d'argent. Je n'ai pas le sou.

Dieu merci, May Taylor était hors d'affaire, une souscription publique pour elle et sa sœur Sarah avait été lancée à la Chambre par Samuel Whitbread, et tous les députés de l'Opposition avaient donné leur obole.

Pour finir, George, George qui n'était plus cadet à Chelsea, et dont l'uniforme adoré restait plié dans une malle, fixait sur sa mère ses grands yeux bleus et confiants.

– Je ne comprends rien à toute cette histoire. Pourquoi faut-il que je change d'école ?

– Parce que, mon ange, il y a eu un grand scandale militaire. Son Altesse n'est plus commandant en chef et, par conséquent, ne dirige plus le collège de Chelsea. On sait tes rapports avec lui et cela ne se peut plus. Il faut que je t'envoie ailleurs où l'on ne potinera pas.

Elle vit sur son visage une expression de Charley, boudeuse et entêtée. Encore des rêves du clan Mackenzie qui s'envolaient.

– Je suis sûr que tu as tout gâché avec tes sottes querelles. Tout est changé depuis Gloucester Place.

– Je le sais, mon trésor. Mais je ne peux te l'expliquer. Un jour peut-être, quand tu seras plus grand, tu apprendras ce qui s'est passé.

Il répondit par une moue, un haussement d'épaule de gamin boudeur et, soudain, le premier regard de méfiance, de doute, d'appréhension apparut dans ses yeux.

– J'entrerai quand même dans l'armée ? Tu me l'as promis. Le jour de mes quinze ans… Tu étais assise sur mon lit et tu as juré.

– Je le jure encore. Je tiendrai ma parole.

La prison, la claie, le pilori… Elle braverait l'échafaud pour exaucer les désirs de George.

En attendant, à l'ouvrage ! Il fallait obtenir satisfaction de Wardle, Dodd et compagnie. Ces deux messieurs, conviés à dîner, se montrèrent fort évasifs, restèrent une heure, puis se dépêchèrent de s'en aller. Comme elle les pressait de revenir, ils firent des promesses fort vagues. Elle leur accorda trois semaines de grâce puis rédigea sa lettre, envoyée le 14 mai au colonel Wardle :

« Cher Monsieur,

« Quand je vous vis l'autre jour, en compagnie du commandant Dodd, pour m'enquérir de vos intentions quant à l'exécution de vos engagements, vous parûtes peu disposés à reconnaître qu'ils avaient été pris sans condition. Je dis, moi, qu'ils l'étaient.

« La seule conclusion que je peux tirer de ceci est que vous vous trouvez vis-à-vis de moi dans une obligation très lourde que le commandant Dodd et vous essayez tous deux d'esquiver par de nouvelles promesses aussi vaines que vagues.

« Je vous rappelle ici quels furent vos engagements et quelles sont mes prétentions auxquelles, étant tous deux hommes d'honneur, vous ne pouvez manquer d'accéder, car je ne réclame rien d'autre que ce à quoi j'ai pleinement droit, soit cinq cents livres par an et, mes enfants ayant été victimes autant que moi de l'opinion publique, je leur dois tout ce que je peux, ou plutôt dois obtenir. Aussi, comme cinq cents livres par an ma vie durant (qui peut être de courte durée) ne leur serviront pas à grand-chose, j'estime qu'en vous tenant quittes, à raison d'un versement global de dix mille livres, je vous fais remise de plus de la moitié de votre dette. Je compte que le commandant Dodd et vous vous unirez comme vous vous étiez unis dans vos promesses, pour faire en sorte que dix mille livres me soient versées dans un délai de deux ans, et, en attendant que cela soit accompli, qu'un versement de cinq cents livres par an me soit fait (à dater de mars dernier) et que ce qui reste dû sur la facture de Wright soit réglé.

« C'est tout et, encore une fois, ce n'est pas la moitié de ce qui m'avait été promis, et que je vous rappelle :

« Comme mon fils était sous la protection du duc d'York et devait forcément perdre cette protection aussitôt que j'entrepris la ruine du duc, il devait retrouver une protection égale de la part du duc de Kent. J'ai maintenant mon fils sur les bras.

« En outre : une situation au capitaine Thompson ou un règlement suffisant à son entretien, ou encore, au cas où le duc de Kent deviendrait commandant en chef, sa réintégration dans l'Armée. Le voilà Gros-Jean comme devant !

« En outre : le paiement des arrérages de la pension à moi promise par le duc d'York et cette pension de quatre cents livres continuée ma vie durant ; mes dettes payées, celles contractées pendant que je vivais avec le duc d'York et celles contractées depuis.

« En outre : douze cents livres dues à mon avoué, Mr Comrie, qui garde mes bijoux en gage ; ma maison et mon mobilier payés, une partie seulement en ayant été réglée par Dodd et vous.

« Permettez-moi de vous demander, à présent, si les dix mille livres que je réclame représentent seulement la moitié de ces promesses de l'exécution desquelles vous vous étiez portés garants de la façon la plus solennelle ? J'ajouterai peu de chose, mais même si cette somme devait sortir de votre propre poche, considérant la notoriété que vous vous êtes acquise grâce à moi, cela me serait largement dû. Prenez une quinzaine pour y réfléchir. Ce temps écoulé, ne comptez plus sur ma discrétion. Je me considérerai libre de faire de la copie de la présente lettre tel usage qui me plaira. Je suis, cher Monsieur, etc.

« Mary Anne CLARKE »

Et maintenant, monsieur le héros national, se dit-elle, mettez cela dans votre cassette dorée ou ailleurs si vous préférez, mais vous vous sentirez moins fier quand vous le verrez imprimé dans le *Times*.

CHAPITRE II

– Qu'avez-vous fait à Wardle ?

– Pourquoi cette question ?

– Je l'ai rencontré à la Chambre avant de passer ici. J'ai cité votre nom par hasard et son visage est devenu de cendre, il a murmuré un mot que je ne puis répéter et il a disparu.

– Un mot qui commence par un *p* et fini par un *n* ?

– Mon Dieu… on ne peut rien vous cacher. J'ai failli le gifler. Après tout ce que vous avez fait pour lui, je n'y comprends rien. Sa popularité est entièrement votre ouvrage, et le moins qu'il pourrait faire serait de témoigner un peu de sentiment.

– C'est bien ça le malheur. Il n'a que trop de sentiment. Je ne m'étonne pas qu'il en pâlisse.

– Vous voulez dire qu'il vous a fait la cour et que vous l'avez éconduit ?

Lord Folkestone, les yeux écarquillés, changea de position. Il était de ces hommes qui font meilleure figure vêtus. Des contours quelque peu anguleux lui retiraient, en caleçon, beaucoup de son allure. Pourtant, le soir, dans un salon, en habit de velours, les épaules rembourrées, il pouvait ouvrir à l'imagination des perspectives assez séduisantes.

– Non. Rien de ce genre. Il me doit de l'argent.

Elle se retourna sur le côté et bâilla, puis but un peu d'eau. Mylord-Égalité comprit, à sa grande déception, que sa nuit était terminée. Rien ne va plus, la suite au prochain numéro…

– Vous avez donc été sa maîtresse ?

– Jamais de la vie ! Il savait qu'il ne pouvait gagner son procès sans moi. Il en va de même de toute l'Opposition de Sa Majesté, qui disait de si belles choses il y a deux mois, vous-même, William Pleydell-Bouverie, compris.

C'était donc cela ! Il s'en affligea.

– Si vous aviez seulement publié vos Mémoires, commença-t-il.

– Mes Mémoires n'ont rien à faire avec des engagements pris.

– Wardle vous avait-il vraiment garanti quelque chose ?

Elle s'appuya sur son coude et monta la mèche de la lampe.

– Écoutez-moi, mon jeune ami. Étais-je femme à me faire traîner dans la boue, à voir ma réputation perdue, mon histoire intime hoquetée dans tous les cabarets, si je n'avais eu quelque chose à y gagner, l'affaire terminée ?

L'étroit visage de son interlocuteur parut surpris à la lueur soudaine de la lampe.

– Non, sans doute… Mais je pensais qu'un désir de vengeance, la façon dont le duc vous avait traitée, et une cause commune…

– Quelle cause, grand Dieu !

– Le bien du peuple britannique, l'avenir de l'Angleterre…

– L'avenir de l'Angleterre, sornettes ! Mon avenir à moi, voulez-vous dire. Livres, sols, deniers, plus une ristourne pour Mary Anne Clarke. Je ne suis pas une hypocrite comme vous tous et je m'en vante. J'ai toujours su ce que je voulais et j'ai essayé de l'obtenir. A certains moments, J'y ai réussi de façon éclatante, puis j'ai été battue. J'ai soutenu votre ami, le colonel Wardle, pensant y trouver mon profit. Maintenant, il se dérobe, tout comme son maître, le duc de Kent.

Les yeux écarquillés s'emplirent de lumière. En un instant, la chevelure ébouriffée fut recoiffée, l'habit boutonné sur la poitrine étroite. Le charme revenait… trop tard hélas.

– Bon Dieu ! La chose est donc vraie !

– Assurément, elle est vraie ! Et seuls des idéalistes comme Francis Burdett et vous ont pu croire aux contes qu'on vous taisait sur la liberté de l'Angleterre. Ça a été un coup monté, dès le début. Kent voulait être commandant en chef et s'installer aux Gardes avec ce cher colonel Wardle comme ministre de la Guerre. Quant à Dodd, je n'en sais rien. Une sinécure et une pension, j'imagine.

Pour moi, des maisons, des voitures, des chevaux, des milliers de livres en banque, et le reste.

Il s'habillait. Il allait partir. L'enchantement était dissipé, le monde de l'idéal s'écroulait à ses oreilles. Heureusement encore que la Chambre allait bientôt entrer en vacances. Cela laisserait aux rumeurs le temps de s'apaiser, de s'oublier, et lui d'examiner la situation. Il ne fallait pas qu'il fût mêlé au scandale qui pouvait éclater.

– Comptez-vous faire quelque chose ?

Il enfilait son habit.

– Demandez-le donc à ce cher colonel Wardle. Vous dites qu'il était tout pâle.

– Vous allez donc faire quelque chose ? Vous voulez publier cela dans les journaux ?

Elle sourit, les mains sous la nuque.

– Je ne sais pas encore. Il n'a pas répondu à ma lettre.

– Je puis jurer, en toute sincérité, de mon innocence. Je n'ai pas eu d'autre objet que le bien public.

Il était debout près de la porte, complètement rhabillé et fort nerveux.

– Pas d'autre objet ? Pourtant, la compassion, la charité envers une femme tombée y étaient bien aussi pour quelque chose ?

Elle le regardait en riant. Il ouvrit la porte, mais ses pieds déchaussés nuisaient à la dignité de sa démarche. Il avait, par prudence, laissé ses souliers dans le vestibule.

– Quand vous reverrai-je ?

– Je dois partir incessamment pour la campagne.

– Certes. Juin est un mois délicieux. Les jardins sont pleins de roses et de fraises. J'adore les fraises.

– Je vous écrirai.

– N'est-ce pas bien imprudent ? Et s'il me prenait fantaisie de publier vos lettres ?

Il était parti. Elle l'entendit descendre l'escalier sur la pointe des pieds, chercher à tâtons ses souliers dans l'obscurité, et se glisser hors de la maison.

Voilà qui était fait. Encore un lord de perdu, rayé de l'ardoise, jeté à la corbeille à papier. Non qu'elle le regrettât vraiment – cette liaison l'assommait –, mais les vicomtes ne couraient pas les rues ; en outre, ses relations avec lui étaient utiles et avaient une certaine allure. Et puis, le futur comte de Radnor était veuf… Bah ! l'on n'y pouvait rien.

En attendant, pas un mot du colonel Wardle. Francis Wright lui rapporta qu'il s'était rendu chez le célèbre député pour lui demander audience et que le domestique lui avait fermé la porte au nez en lui disant que son maître ne connaissait point de tapissier du nom de Wright et était très occupé par des affaires parlementaires.

– Que faire alors ? demanda le négociant inquiet.

– Envoyez-lui votre facture avec ce poulet.

Le billet suivant fut donc déposé à la porte du colonel :

« Francis Wright présente ses respectueux hommages au colonel et prend la liberté d'y joindre sa facture. Les articles livrés devant être payés comptant, il en a été fort déconvenu, et lui serait reconnaissant de bien vouloir régler le mémoire ci-inclus, pour quoi il prendra la liberté de se présenter de nouveau chez lui demain matin à onze heures. »

Pas de réponse ; en outre, le lendemain matin à onze heures, le député d'Okehampton n'était point chez lui.

– Que faire, madame ?

– Cesser d'y mettre des gants et aller voir un homme de loi.

Mr Stokes, associé du cabinet Comrie, Stokes et fils, connu de Mrs Clarke depuis plusieurs années, accepta l'affaire. Elle était claire. Si quelqu'un avait quelque chose à y perdre, c'était uniquement Wardle.

Le deuxième jour de juin, Francis Wright, tapissier, envoya notification d'une action en justice introduite contre Gwyllym Lloyd Wardle, domicilié Saint James Street pour le recouvrement d'une somme de deux mille livres à lui due en échange des meubles vendus et livrés à Mrs M. A. Clarke, Westbourne Place, conformément à la commande dudit Gwyllym Wardle. La cause devait être entendue à Westminster Hall, le mois suivant, le troisième jour de juillet.

Confusion, affolement, scandale, Saint James Street. Les gazetiers enjolivèrent l'histoire. Le lion du peuple britannique, voyant sa popularité menacée, trembla, et le peuple britannique lui-même s'étonna. Était-il possible que le héros vainqueur de la corruption, le soldat de l'honneur et de la liberté, eût des pieds d'argile ? Que l'idole du public, le grand dignitaire de la Cité de Londres, eût essayé d'esquiver le paiement d'une facture ? Oublions la guerre de la Péninsule, voici un mets plus relevé. La nouvelle ramena d'Uxbridge un Dowler hors de lui.

– Mary Anne ! Il faut que tu sois folle !

– Pourquoi ? Que se passe-t-il ?

– Te livrer de nouveau à la publicité au moment où enfin le scandale s'éteignait.

– Mais je n'ai rien à perdre et ces pauvres frères Wright ont besoin de leur argent.

– Il ne s'agit pas de cela. Leur note pourrait être payée sur ton compte. Coxhead-Marsh et moi aurions réglé cela en un instant.

– Payer Wright de mon argent ? Grand Dieu, quelle idée insensée, quand cela peut être fait par quelqu'un d'autre ! Moi, je ne dois pas un sou à Wright. C'est Wardle qui a commandé ces meubles, tout ce que tu vois ici, glaces, tapis, rideaux, je n'y suis pour rien.

– Ma chère petite, espères-tu vraiment me faire avaler ce conte ?

– C'est la vérité, et mon avocat le prouvera.

– Avec toi à la barre ?

– Assurément, si je suis citée. Je n'ai pas si mal réussi, la première fois. D'ailleurs, le plus drôle de la farce… non, je ne te le dirai pas.

– Je ne vois pas de farce là-dedans, l'affaire est odieuse. Là-bas, à Uxbridge – où mon pauvre père est à peu près mourant –, mon unique consolation était de penser à toi et aux enfants, enfin heureusement à l'abri des soucis et des tracas. Peut-être, me disais-je, pourrais-je, à l'automne, trouver une maisonnette près de chez moi, où vous seriez tous paisiblement installés. Alors, pendant les longues soirées d'hiver…

– Tais-toi ou je crie. Je ne suis *pas* heureusement à l'abri, je ne veux *pas* m'enterrer à la campagne. Quant aux longues soirées d'hiver, j'aimerais mieux être pendue que de les passer à chanter la romance comme une idiote en bâillant à m'en décrocher la mâchoire.

– Parfait. Mais ne m'appelle pas à ton secours quand tu seras dans l'ennui.

– Je t'appellerai quand et aussi souvent qu'il me plaira. Maintenant, viens t'asseoir ici, et cesse de faire cette figure. Tu as l'air d'un curé au bout de son sermon. Personne ne t'ébouriffe donc les cheveux sous les bosquets d'Uxbridge ?

Apparemment non. C'était un de ces plaisirs qu'il ne connaissait plus depuis les jours heureux de Hampstead. L'on ne parla plus du procès. Bill Dowler repartit pour Uxbridge, muet mais adouci, elle savoura toute seule le plus drôle de la farce, à savoir que le magistrat qui, dans l'exercice de ses fonctions, requerrait contre Wardle, ne serait autre que son ancien bourreau le procureur général.

L'entrevue dans son cabinet de Lincoln's Inn, en compagnie de l'avoué Comrie, et de Francis et Daniel Wright en habits du dimanche, l'avait payée de toutes ses épreuves à la Chambre des communes. Sir Vicary Gibbs les reçut avec une grande cordialité. Des formalités furent accomplies, des questions posées et des réponses données, des notes prises, des points de procédure fixés par des esprits procéduriers.

Mr Comrie ayant un autre rendez-vous à cinq heures prit congé à quatre, escorté de son collaborateur, Mr Stokes, et suivi de peu par les frères Wright. Le principal témoin de l'accusation s'attarda. Le procureur général ferma la porte, sourit, et se redressa de toute sa hauteur qui était de cinq pieds quatre pouces.

– Un coup de maître, dit-il, mes félicitations.

Puis ôtant son pince-nez, il ouvrit une bouteille d'eau-de-vie.

– Trop tôt ?

– Non, plutôt trop tard. Cela ne m'aurait pas fait de mal, le 1er février.

– Je vous en aurais envoyé une bouteille, si j'avais su. Mais je pensais que l'Opposition y pourvoyait.

– Pensez-vous ! Une tasse de café ou un verre d'eau, tout au plus.

– Voilà le grand défaut des whigs ! Ils n'ont pas le geste. Folkestone, lui, devait bien vous traiter ?

– Il m'offrait des fleurs.

– De peu de secours sur un estomac vide et des nerfs à bout. Les radicaux n'ont pas pour une once de sensibilité, mais cela m'étonne un peu de Folkestone ; élevé en France comme il l'a été, je l'eusse cru capable de mener son affaire avec plus de savoir-faire. Il faut dire qu'il est encore très jeune, ces choses exigent un peu plus d'expérience !

– Si jeunesse pouvait…

– Quoi, il ne peut pas ? Que c'est triste ! Moi qui pensais que c'était là le seul capital de la jeunesse. Les tories vont être ravis. Puis-je vous citer ?

– Ce ne serait pas très charitable. N'avons-nous pas tous nos défaillances ?

– Rendons-leur justice : le muscle est généralement du côté des whigs. Nous avons le cerveau, et c'est pourquoi nous gouvernons le pays. Dites-moi, n'avez-vous pas été trop épuisée par votre épreuve à la Chambre ?

– J'ai perdu près d'une livre.

– Cela ne m'étonne pas. Nous vous avons mené la vie dure, et ne vous avons pas donné de quartier. J'étais assez exténué moi-même. Mais vous faisiez fort bonne figure.

– Je reçois assez bien les coups.

– Je le crois sans peine. J'ai connu Barrymore. Où est-il à présent ?

– Ce cher Pied-Bot ? Je ne sais où en Irlande. Abruti par le mariage et attelé à ses chevaux.

– J'ai bien connu aussi Jamie Fitzgerald.

– James est affolé. Il vit dans la terreur que je publie ses lettres.

– Seraient-elles amusantes ?

– Pour le gouvernement, pas pour le public. L'opinion protestante vue par un député d'Irlande.

– Mettez-les aux enchères chez Christie. Je ferai une offre.

– Je les lui ai presque toutes rendues. Je ne suis pas cupide, de nature. Mais j'ai des enfants à élever.

– Encore un peu d'eau-de-vie ?

– Pourquoi pas ?

On frappa à la porte du cabinet. Sir Vicary Gibbs rajusta sa robe et sa perruque.

– Qui est là ?

Une voix répondit :

– Le lord juge Ellenborough est en bas dans sa voiture. Il vient vous chercher. Vous dînez avec lui aux Lords. Il demande si vous avez oublié.

– Non, non… Dites à Sa Grâce de partir sans moi. Je le rejoindrai là-bas.

Il se tourna vers sa visiteuse.

– Pouvez-vous me faire place dans votre voiture ? C'est sur votre chemin. J'espère que cela ne vous dérange pas ?

– Au contraire. Toute à votre disposition.

– C'est fort aimable à vous. Les évêques donnent un dîner, en l'honneur d'Ellenborough. Il ne faut pas que je me mette en retard, mais il suffira que j'y sois à six heures et demie… Ce n'est pas tous les jours que j'ai une visite comme celle-ci.

Il regarda la pendule de la cheminée et vida son verre.

– Cette affaire de tapissier, dit-il, rien de plus assuré ?

– Nous tenons Wardle pieds et poings liés, répondit-elle. Il ne nous échappera pas.

– A-t-il promis de payer ?

– Il n'y avait pas de limite à ses promesses, en novembre dernier.

– La terre et ses trésors. Je vois cela… Mais l'affaire qui nous occupe ?

– J'ai eu recours à toute ma finesse et il est entre nos mains.

– Parfait, dans ce cas. Un verdict contre Wardle et voilà le célèbre patriote dégonflé. Mais il n'y a rien là pour vous, je le crains, si ce n'est un surcroît de notoriété. Est-ce là ce que vous cherchez ?

– Grand Dieu, non ! J'en ai eu plus que ma part.

– Alors, pourquoi ?

Elle reposa son verre, lissa sa jupe et, le regard vers la fenêtre :

– Je désirais vous rencontrer, dit-elle. Et il n'y avait pas d'autre moyen. Mrs Clarke et Sir Vicary Gibbs doivent faire un bon attelage.

Le procureur général arriva aux Lords avec une demi-heure de retard…

Au cours du mois de juin, le député d'Okehampton tenta de traiter à l'amiable. Il n'y réussit point : le plaignant refusait de retirer sa plainte. Cependant, le témoin à charge goûtait fort les préparatifs du procès, et trouvait les visites à Lincoln Inn fort amusantes. Tout bien considéré, l'été était des plus agréables. C'était une expérience nouvelle que de servir au divertissement d'un grand magistrat, et bien moins fatigante que de tapoter ses oreillers derrière Folkestone. Mylord-Égalité se disait toujours son admirateur mais écrivait de loin ; une amitié épistolaire était sans danger… jusqu'à un certain point.

Il oublia qu'il est toujours imprudent d'écrire après dîner. La plume court plus librement, les pensées coulent à leur guise. Une lettre griffonnée à minuit n'était plus la même le lendemain matin, lue au petit déjeuner par une dame qui avait soin de conserver sa correspondance, et telle missive du 27 juin pourrait bien être de nature à le gêner un jour. L'œil avisé de la dame passa rapidement sur les pages écrites à Coleshill House, par un soir de désœuvrement.

« …Je voudrais avoir des nouvelles à vous envoyer, en échange de votre lettre si divertissante, mais qu'espérer dans ce désert ? Depuis mon arrivée ici, je n'ai rien fait qu'errer seul dans les champs et manger des fraises, occupations fort saines sans doute, mais inintéressantes à relater. Votre lettre, au contraire, est pleine d'aperçus passionnants où un ermite tel que moi, de nature contemplative ou non, trouve matière à réflexions pour plus d'un jour. Je pense, d'après ce que vous me dites, que l'affaire fera grand bruit. Lorsqu'elle éclatera, l'auguste frère, Dodd et Wardle, seront démasqués. Je déplore qu'ils n'aient pas prévu cela et empêché un tel éclat. Je ne devine pas ce que Wardle entend faire, j'imagine qu'il compte sur sa popularité pour le porter à travers tout cela, mais, dans ce cas, il se trompe, car, en somme, bien que son rôle ait été moins vil que celui des deux autres, il a tout de même accepté de leur servir d'instrument.

« Cependant, cette affaire ne fera pas de bien à la famille royale en général, car, bien qu'il faille s'attendre que les amis du duc essaient de combattre votre témoignage, celui-ci contient tant de preuves, et de circonstances qui se corroborent, et d'autre part tant de gens connaissent tant d'exemples de ce genre, que le public ne mettra pas en doute votre déposition.

« Je suppose que les écrits publics vont essayer de m'associer au trio susnommé, mais l'on n'y parviendra point. En aucune façon, Whitbread, Burdett et moi-même, ne pouvons être mêlés à l'affaire au cas, dont je ne doute pas, où ils sont aussi purs que moi.

« Je pourrais contempler avec amusement et observer toutes ces intrigues avec une indifférence philosophique, si je ne craignais que vous n'en fussiez la victime. Je tremble pour le règlement de vos affaires que je présume plus éloigné que jamais. Ne me trompé-je pas ?

« Je crains de vous fatiguer de ce gribouillage presque illisible. Donnez-moi encore de vos nouvelles, je vous prie, dès qu'il se passera quelque chose, et que vous aurez un moment pour écrire. Vos lettres, adressées Harley Street comme d'habitude, me parviendront toujours. Adieu !

« Toujours sincèrement à vous.

« FOLKESTONE »

Dans le coffret avec les autres, nouées d'un ruban.

Le 3 juillet, devant le tribunal de première instance, à Westminster Hall, l'action Wright contre Wardle fut entendue et jugée. L'atmosphère était fébrile, la salle comble. L'on se serait cru à Drury Lane un soir de première.

Mrs Clarke en blanc, coiffée d'un chapeau de paille légère relevé de côté, fit son entrée, saluée par des applaudissements discrets. Son auditoire, en grande majorité masculin – car les filles et les épouses se bousculaient encore dans la queue de la cour du palais –, se composait surtout de membres de la Chambre des communes et, plus particulièrement, de membres tories. Ils se penchaient en avant, yeux luisants, épaule contre épaule, mais ce qui étonna tout le monde fut l'apparence de jeunesse du procureur général. Il avait vingt ans de moins, et arborait un curieux air épanoui. La voix dure et sévère qui avait fait courir un frisson sur tant d'échines rendait un nouveau timbre, plus moelleux. Des notes vibrantes s'y faisaient entendre, pareilles au chant du rossignol au printemps.

« Un honnête et laborieux commerçant a été volé. Une femme, une mère, a été dupée. »

Juste ciel. Le lord juge Ellenborough s'essuya le front. Ce vieux Vicary (surnommé Vinaigre) Gibbs avait-il été touché de la grâce religieuse, ou rêvait-il ? Ce mois de juillet était très chaud, certes, peut-être avait-il un peu bu. Mais que venait faire là tout ce pathos sur les rats et la fragilité féminine ? Ces vipères sur le sein de Cléopâtre… ce venin… cette ingratitude ? Ces femmes qui donnaient tout ce qu'elles possédaient ? Ces petits enfants au ruisseau ? Le lord juge fit la grimace. Quelle métamorphose ! Quelle différence avec son style de la Chambre des communes, en février dernier ! Son cher ami, le procureur général, divaguait. Mais bientôt le pathos fit place à l'ironie, et le lord juge se sentit soulagé. Il reconnaissait avec plaisir l'ancien sourire, les allusions voilées, le geste familier pour essuyer le pince-nez, la langue acérée lacérant la défense. Le malheureux prévenu était réduit à la taille d'un moineau. C'était bien fait pour lui, après les honteuses accusations qu'il avait portées à la Chambre. Cet homme eût mérité d'être cravaché et chassé du pays. Toutefois, le lord juge ne pouvait laisser de trouver déplacé le style flamboyant du procureur général, l'abondance de gestes et de regards dont il appuyait son discours. L'on eût dit d'un paon déployant son plumage. Cette mimique, d'assez mauvais goût, ne convenait point à la dignité du tribunal. Si c'était là le résultat de ses rencontres avec le principal témoin à charge (il avait eu une ou deux entrevues avec elle avant le procès), le juge le désapprouvait fort. En outre, ces sourires dans l'auditoire, ces mouvements de têtes, et ces coups de coude dans les côtes exprimaient un esprit léger des plus regrettables en ce lieu.

Le lord juge cria : « De l'ordre ! » frappa sur son pupitre et fit sentir sa présence. Un froncement de sourcil à l'adresse de Sir Vicary Gibbs accéléra la péroraison du réquisitoire. Quelques mot dans son cabinet, après l'audience, apaiseraient la susceptibilité ; en attendant, la Cour constaterait que le juge savait tenir la balance. Un petit coup d'aiguille au témoin, dès les premiers mots, montrerait son autorité, et la ferait peut-être rougir, ce qui rétablirait la situation.

Elle se dirigea d'un air désinvolte vers la barre, parmi les sourires approbateurs, les murmures et les chuchotements. Quelqu'un lui hurla :

— Allons, vas-y, saute-leur dessus !

Le lord juge se raidit et tapa de nouveau sur son pupitre.

— Si le silence n'est pas immédiatement rétabli, je fais évacuer la salle.

Les murmures se turent. Le témoin prêta serment, puis, debout, attendit. Le lord juge la regarda fixement en lui demandant :

— Sous la protection de qui êtes-vous présentement, madame ?

Le témoin leva les yeux et répondit doucement :

— Je croyais, Mylord, être sous la vôtre.

Ce fut cette réplique qui, plus que toute autre chose, détermina

le cours de l'action. Les rires donnèrent le ton, et le procès, pareil à
un ruisseau rapide, suivit son cours.

Le procureur général mettait en valeur l'esprit du témoin, lui
tendait la perche, et le public d'applaudir. Le lord juge n'y pouvait
plus rien. Le couple jouait une comédie qui défiait toute intervention; tous deux fonctionnaient comme l'essieu et la roue, et il était
impossible de les dissocier. Ils jonglaient avec les sous-entendus, les
mots à double sens, savouraient l'esprit l'un de l'autre, le tout aux
dépens du prévenu.

Ainsi, le colonel Wardle se rendit à la remise, Mrs Clarke? Dites-
nous donc quels meubles il choisit? Le colonel Wardle apprécia une
commode. Comportait-elle un miroir? Parlez-nous du tapis brun et
rouge que le colonel Wardle exigea pour la chambre à coucher. Il
était trop grand pour la pièce, il fallut le mettre aux mesures, en
recouper un morceau, sur les instructions du colonel. Et le lit? Il y
manquait les pieds. Le colonel Wardle proposa des pieds de lampe
retournés. Cela convenait parfaitement, à condition de n'y pas exercer une pression trop forte. Quel avait été l'avis de Francis Wright, à
ce sujet? Francis Wright était célibataire et habitait avec son frère
Daniel, ils couchaient dans des lits jumeaux et connaissaient mal la
question. Mais le colonel Wardle savait qu'on pouvait employer des
pieds de lampe. Il avait habité Cadogan Square, au-dessus d'un café,
il était d'ailleurs un des meilleurs clients de l'élégant établissement
où ces objets étaient d'un usage courant. Avec quelques précautions,
il n'y avait rien à craindre. Le colonel Wardle avait-il admiré une sta-
tue de marbre? Oui, Aphrodite naissant de l'écume de la mer, de
même qu'un petit bronze représentant Léda et le cygne. Ces deux
objets d'art feraient le meilleur effet, vus de profil, sur une cheminée,
avait estimé le colonel Wardle. Mrs Clarke hésitait à les exposer chez
elle, à cause des enfants – les jeunes esprits se faisaient si facilement
des idées –, mais le colonel Wardle était d'un tempérament ardent et
avait besoin d'inspiration pour composer ses discours.

Westbourne Place avait donc été pour lui une sorte de second
domicile? Oh! sans contredit, et non point à la demande du
témoin. Le colonel apparaissait toujours aux heures les moins
opportunes. Il avait été découvert par une servante, à huit heures
du matin, en train d'examiner à la loupe le cygne de Léda…

Ainsi de suite, jusqu'au moment où le lord juge scandalisé leva la main pour imposer silence et fit évacuer la salle.

Le témoin se retira et les débats commencèrent. Le frère Wright fit une déposition sobre et grave et quand Mr Park, avocat de la défense, se leva pour plaider, il savait sa cause perdue. Son client était battu avant d'avoir dit un mot. Le colonel Wardle balbutia, bégaya ; son « Je le nie » indéfiniment répété était à peine audible.

Des billets désespérés passaient entre les avocats. Les témoins Glennie et Dodd ne furent même pas appelés ; leur témoignage était considéré comme de nature à nuire à la cause, puisqu'il n'était plus question de la sauver. Les derniers discours furent brefs. L'éloquence était inutile. La cause était entendue et le lord juge jeta ses cartes.

Le jury rendit un verdict favorable à Francis Wright. Le lord juge déclara l'accusé Gwyllym Wardle coupable de devoir deux mille livres au plaignant, somme qu'il était condamné à payer dans un délai de trois mois.

Le patriote avait perdu, et la cour du vieux palais, scène de son précédent triomphe, était déserte. Les foules qui l'acclamaient en avril étaient rentrées chez elles. Le colonel Wardle partit dans une voiture aux rideaux fermés.

Le procureur général ramena dans son cabinet le principal témoin à charge.

– Il fera appel, assurément, ou vous intentera un procès.

– Et alors ?

– Je vous défendrai.

– Comment pourrez-vous, puisque vous êtes accusateur public ?

– Ma chère, je fais ce qui me plaît. Je peux changer de rôle.

– Mais n'est-ce pas irrégulier ?

– J'aime la variété.

– Le procureur général devenu avocat de la défense ?

– Oui, cela vous adoucit l'humeur et vous élargit les idées. Mais, si vous préférez faire appel à un autre, ne vous gênez pas.

– Oh, non !… Restons unis. Aurons-nous le même juge ?

– Eddie Ellenborough ? Très probablement. Et, dans ce cas, il faudra nous observer. Nous pourrions être moins heureux la seconde fois. En fait, je prévois une certaine froideur de sa part ;

seuls, ses principes tories l'ont empêché, aujourd'hui, de faire pencher le jury en faveur de Wardle.

– Ces sourcils en broussaille… Comment est-il, dans l'intimité ?

– Pétulant, orgueilleux, et terriblement sévère.

– Peut-être est-ce une façade et n'aurait-il besoin que d'un peu de compréhension.

– Vous pouvez toujours essayer votre pouvoir. C'est une nature de glace.

– Tous les juges doivent garder leur sang-froid, cela fait partie de leurs fonctions. Sans quoi, où, je vous le demande, irait la justice britannique ? Une fois nommés, ils doivent devenir des espèces de moines… Pourtant, quand un homme…

– Si l'on parlait d'autre chose ? Je vous raccompagne ?

– Mais j'adore parler des choses de droit…

– Moi, je déteste cela. Je réitère ma question.

– Votre question n'a pas été entendue. Il faut en modifier le tour.

– Le témoin permet-elle à son conseiller juridique de l'instruire sur certains points ?

– Chez vous ou chez moi ?

– Chez qui vous voudrez.

– Eh bien, que diriez-vous de venir dîner Westbourne Place et de me donner votre opinion d'expert sur le cygne de Léda ?

Dans sa demeure de Saint James Street, le vaincu, Gwyllym Wardle, amer et seul, était en train de composer une Épître au peuple du Royaume-Uni.

CHAPITRE III

« De quelque honneur que l'approbation de tant de mes concitoyens ait marqué ma conduite au Parlement, je me sens contraint, par suite d'un événement qui eut lieu hier, de m'adresser à vous sans délai, afin de venger ma réputation en butte aux pires attaques, du fait du verdict rendu par le jury, suivant l'audition de Mrs Clarke et du tapissier, Mr Wright, dans un procès où j'étais accusé.

« Les feuilles publiques reproduiront le détail des dépositions. Il m'appartient de déclarer que mon avocat, assuré en son âme et conscience que le jury pourrait, sur les témoignages tels que ceux fournis par le frère du plaignant et Mrs Clarke, prononcer un verdict contre moi, n'accéda pas à mes instances, répétées par écrit au cours du procès dans les termes les plus énergiques, de citer le commandant Dodd, Mr Glennie et autres témoins honorables, sachant que leur témoignage serait fondé en vérité, et viendrait en contradiction directe de ce qui avait été juré contre moi.

« Telles sont les circonstances dans lesquelles le verdict fut rendu.

« Il me reste à présent à déclarer, devant Dieu et ma patrie, qu'il fut obtenu par parjure, et je m'engage à prouver ce fait, le plus tôt qu'il se pourra, dans les conditions où la loi m'y autorise.

« C'est donc avec impatience que j'attends ce moment, et j'espère que, d'ici là, le public voudra bien suspendre son jugement sur l'affaire. Avec des sentiments de profonde gratitude et de respect, je reste à jamais votre serviteur fidèlement dévoué.

                                        « G. L. WARDLE »

Le texte de cette lettre fut reproduit le 5 juillet par tous les journaux, et avidement discuté. La question était de savoir s'il y serait répondu.

Le 16 de ce même mois, Mrs M. A. Clarke publia à son tour une Épître dans le *National Register*.

« Au Peuple du Royaume-Uni.

« De quelque honneur que la confiance de l'ensemble du pays ait marqué ma déposition devant la Chambre des communes, et quelque approbation qu'un jury de mes concitoyens ait accordée à mon témoignage lors du procès récent, je me vois forcée (non sans avoir pris le temps des plus mûres réflexions), de m'adresser à vous, à la suite d'un événement né dudit procès dans lequel le plaignant était Mr Wright, tapissier ; le prévenu, le colonel Wardle ; et les témoins, Mr Daniel Wright, frère du plaignant, et moi-même.

« Dans ce procès, l'on sait que le colonel Wardle fut reconnu coupable, à la satisfaction de tous les commerçants honnêtes et, en fait, de tout l'auditoire.

« Les feuilles publiques ont reproduit le détail des dépositions. En ce qui concerne la mienne, ces détails, sans être entièrement exacts, suffisent à mettre le public à même d'apprécier le bien-fondé du verdict.

« Le colonel Wardle, gonflé par une popularité d'une ampleur aussi inattendue qu'imméritée, s'était vainement flatté que cette même popularité le protégerait contre la justice de son pays ; déçu par le verdict, il a perdu toute prudence, en même temps que tout sang-froid, et, sans prendre le temps de la réflexion, a adressé un appel au peuple du Royaume-Uni contre le verdict d'un jury.

« S'il s'était contenté de rejeter sur ses avocats la responsabilité de son échec, je ne m'en fusse certes point mêlée, à eux de se défendre ; mais me voir accusée d'un crime aussi déshonorant, aussi bas, aussi méprisable, et cela par une personne qui sait mieux que quiconque combien mon caractère répugne à toute espèce de fausseté, me voir accusée de parjure, dépasse vraiment les mesures permises.

« Il m'appartient de déclarer ici devant Dieu et mon pays, que le témoignage que j'ai apporté était parfaitement authentique, et que mon intimité avec le colonel Wardle ne se rapportait qu'à ma déposition et à ses promesses.

« J'attends donc avec la plus grande impatience le moment où l'inanité des tentatives du colonel Wardle pour prouver le contraire retombera sur lui-même et d'autres. J'espère que, d'ici-là, le public voudra bien suspendre son jugement sur les accusations insensées du colonel Wardle.

« Bien que je n'aie peut-être pas tout à fait autant que le colonel Wardle lieu d'exprimer la gratitude et le respect que j'éprouve pour le jugement du public, j'espère, toutefois, qu'il me sera permis de dire l'angoisse d'esprit que je souffrirais au cas où, en une telle occasion et d'une telle manière, j'aurais véritablement mérité sa désapprobation.

« J'ai l'honneur d'être

« Avec le plus grand respect

« M. A. CLARKE »

Quant à savoir si le public britannique se passionna vraiment dans un sens ou dans un autre pour ce débat, il est permis d'en douter, mais l'incident fournissait un sujet de conversation à la table d'un dîner. Les maîtresses de maison entamaient la discussion avec le poisson, et, quand le porto circulait et que les dames s'étaient levées de table, l'on reprenait le même thème qui allait fort bien avec les liqueurs. La question : « Je me demande qui l'entretient à présent… » provoquait des hypothèses amusantes. Le Parlement était en vacances et ses membres dispersés, rien d'étonnant donc que les volets restassent clos Westbourne Place. A-t-elle quitté la ville ? Je ne sais pas. L'on dit qu'elle est à Brighton. Est-ce vrai ? Tubby Clifton affirme qu'on l'a vue à Southampton. Sur le rivage ou bien en mer ? Sur le *Solent* où elle s'amuse, paraît-il, à pêcher la crevette. Je parie qu'on la retrouvera dans une frégate ! Peuh ! la flotte est à Gibraltar, il ne reste même plus une pinasse à Portsmouth…

En réalité, Mrs Clarke était à Cowes avec ses enfants. L'air de l'île était salubre, Spithead à proximité ; les yachts ne manquaient point ; l'on allait en excursion à Ventnor, l'on déjeunait sur l'herbe à Woolton ; les longues journées estivales auraient été des plus apaisantes, n'eût été le courrier.

James Fitzgerald, d'Irlande, continuait à l'importuner. Il espérait la voir en août. Était-il vrai qu'elle eût conservé quelques fragments de ses lettres, ou pouvait-elle lui jurer les avoir toutes remises à son fils ? Quant à celui-ci, il donnait à son père des sujets d'inquiétude : le garçon avait fait des sottises, était-elle au courant ?

Elle l'était. Elle avait passé toute une soirée, avant de quitter Londres, avec Willie en larmes dans son boudoir, la suppliant de venir à son secours. Une dame se trouvait dans une situation embarrassante et qui commençait à devenir visible ; elle avait absorbé des pilules *ad nauseam* mais sans résultat, et le mari de la dame allait rentrer d'un jour à l'autre d'un long voyage à l'étranger. Mrs Clarke connaissait-elle un docteur ? Combien demanderait il ?

Elle convoqua aussitôt les Metcalfe et leur fit jurer le secret. La dame reçut asile mais Willie se vit fermer la porte, l'état de la dame exigeant l'abstinence. Tout cela au milieu des enfants et des bagages pour Cowes.

Qu'est-ce que je ne ferais pas pour mes amis ! soupira Mary Anne, une fois la dame enveloppée dans les couvertures, enfournée dans une chaise de poste, aux bons soins de Mrs Metcalfe, tandis que deux minutes plus tard les fillettes montaient en voiture avec Martha, le nez contre les vitres, tout le monde agitant des mouchoirs.

« Sottises est bien le mot, écrivit-elle de Cowes à James Fitzgerald. Oubliez les lettres que vous m'avez écrites en 1805 et occupez-vous de Willie : il faut le surveiller. »

Si elle avait envie de vendre la mèche des cyniques Fitzgerald, le résultat remplirait un volume – que personne n'imprimerait.

Les suites du procès Wright contre Wardle continuaient de remplir les journaux. Il semblait assez probable, vu des côtes abritées de Cowes. que l'automne serait agité : le colonel Wardle n'avait pas tardé à riposter. Un procès en association illégale, Wardle contre Wright et Clarke, devait s'ouvrir au début de décembre. Il était indispensable de détenir de bonnes cartes et de savoir en jouer. Ce fut donc un coup providentiel qui voulut que le lord juge Ellenborough souffrît d'une hernie et demandât un médecin – le

sien étant absent –, et que le médecin appelé se trouvât être le docteur Thomas Metcalfe.

Sa sollicitude et un traitement approprié firent merveille en une
semaine ; rapport en fut dûment envoyé, et reçu à Cowes avec joie.
L'espoir renaît éternellement... Les ficelles du monde juridique
n'étaient-elles pas entre les doigts de Mary Anne puisque son docteur soignait le lord juge ?

Une lettre fut expédiée de Cowes à Thomas Metcalfe :

« ... J'ai conçu un projet qui, si vous jugez à propos d'en parler à
votre ami et client, peut ouvrir une voie nouvelle à vos talents pro-
fessionnels et vous assurer une honnête aisance. Que ce projet soit
mis ou non en pratique, voyez la confiance qu'il faut que j'aie en
vous pour écrire ainsi. Le secret devra en rester entre nous ; mais si
je pouvais me trouver, une fois ou deux, en compagnie de votre
client, je suis sûre de réussir, car j'ai besoin qu'il s'intéresse à une de
mes affaires et ceci ne se fera que si j'ai l'occasion de me montrer
aimable et le reste.

« S'il consentait, par amitié pour vous, à vous louer et à vous
meubler une petite maison, ce qui ne lui en coûterait guère plus de
cinq cents livres (et qu'est-ce pour lui qu'une pareille bagatelle ?) je
pourrais prendre pension chez vous en qualité de locataire, amie ou
malade. Le loyer que je vous paierais permettrait à Mrs M., avec ses
qualités ménagères, de tenir la maison. Vous disposeriez, en outre,
de ma voiture car un docteur n'est rien sans voiture.

« Tout ce qu'on demandera à M. le juge, avec votre permission,
sera de venir, une ou deux fois la semaine, faire une partie de piquet
ou de tout autre jeu qui lui plaira.

« Réfléchissez-y, voulez-vous ? Et ne manquez pas de m'écrire
dès demain.

« Fidèlement,

« M. A. CLARKE

« Votre client ne doit pas rencontrer tous les jours d'offres aussi
désintéressées – il n'est plus jeune, comme vous le savez – mais il est
agréable d'avoir un ou deux grands personnages à sa dévotion. »

Il était encore plus agréable d'avoir le juge dans ses intérêts et de tenir le procureur général en haleine.

Le lundi 10 décembre, à Westminster Hall, le procès Wardle contre Wright et Clarke vint devant le lord juge Ellenborough. Les parties de piquet avaient porté leurs fruits.

L'avocat de la défense n'était autre que l'ex-procureur général dont la curieuse volte-face faisait marcher les langues. Les gens au courant disaient que la raison en était politique, le procès était moins Wardle contre Clarke que whig contre tory, et le gouvernement ne pouvant pas se permettre de laisser Wardle gagner. Mais ce qui déçut les spectateurs des galeries qui avaient espéré voir se renouveler les scènes de juillet, fut que Mrs Clarke ne fut pas citée comme témoin. Discrètement voilée, elle demeura assise à côté de son avocat, et passa l'audience à griffonner des notes qu'elle lui passait sous sa mante.

Mr Alley, qui exposait la thèse de l'accusation, parla d'abord de Charybde et Scylla, des sables mouvants, et des périls du navigateur puis, de là, passa à une femme qui, affirma-t-il, avait accueilli dans son intimité Anglais, Irlandais, Gallois, soldats, marins, agents, lords et gens du commun – l'on remarqua que Mrs Clarke comptait sur ses doigts en l'écoutant ; enfin, après une longue récapitulation des événements dont l'Angleterre avait été le théâtre depuis la conquête normande, il entama le chapitre de la corruption, des bandits corses, et des bateleurs qui ambitionnaient les postes les plus élevés.

A ce moment, le lord juge l'interrompit.

– S'il vous plaît, Mr Alley, trouvez-vous que cela ait grand rapport avec la question qui nous occupe ?

– Vraiment oui, Mylord. Avec toute la déférence qui vous est due, je m'efforce de démontrer que c'est dans la corruption qu'il convient de rechercher l'origine de cette affaire.

Lord Ellenborough soupira.

– Eh bien donc, Mr Alley, si vous croyez vraiment que toute l'histoire de Bonaparte et l'état actuel de l'Europe ont un rapport quelconque avec la question, je consens à vous écouter, mais je dois dire que ce rapport me semble à moi quelque peu lointain.

Mr Alley continua de discourir pendant vingt minutes et conclut par ces mots :

– La sécurité de l'Empire britannique est en ce moment entre les mains des douze messieurs assis dans cette tribune. Je ne doute pas qu'ils n'agissent conformément aux dernières paroles de notre immortel héros : « L'Angleterre attend de chacun qu'il fasse son devoir. »

Il s'assit, ruisselant de sueur. L'on n'applaudit point. L'ex-procureur général se leva d'un bond.

– Avant d'examiner cette affaire, je souhaiterais que mon honorable adversaire, Mr Alley, me confie qui il entend par « le bateleur briguant une situation à laquelle ni sa naissance ni son éducation ne lui donnaient droit ? »

Mrs Clarke chuchota :

– Allons, ne vous vexez pas.

Le lord juge se rembrunit et secoua la tête.

– Je ne pense pas pouvoir, à ce stade du procès, donner la parole à Mr Alley pour qu'il éclaircisse ce point.

L'audience continua. L'on donna lecture complète des minutes du procès de juillet. Le colonel Wardle fut appelé, l'on foula une fois de plus le même terrain : la visite à l'entrepôt, le choix des rideaux et des tapisseries, sans allusions cette fois au côté scabreux de la chose. Sir Vicary Gibbs s'en tenait à un registre plus grave. Le nom du duc de Kent revenait constamment.

– Au cours de votre première visite à Mrs Clarke, en novembre dernier, ne lui avez-vous pas dit que le duc de Kent était au courant de ce qui se tramait contre le duc d'York ?

– Ni au cours de ma première visite, ni au cours de la seconde.

– Jurez-vous que Son Altesse Royale le duc de Kent n'était pas associé à votre action contre Son Altesse Royale le duc d'York ?

– Je jure qu'il n'y était nullement associé.

– Pouvez-vous m'apprendre si le commandant Dodd occupait un poste au service du duc de Kent ?

– Je crois que oui.

– Quel poste ?

– Je crois qu'il était son secrétaire particulier.

– N'était-ce point là une situation de confiance ?

– Certes.

– Le commandant Dodd, le commandant Glennie et vous, emmenèrent Mrs Clarke visiter les tours de Martello ?

– Oui.

– Votre but était de vous procurer des informations sur le duc d'York ?

– Oui.

– Vous n'aviez pas d'autre objet ?

– Non.

– Mrs Clarke parla-t-elle du duc de Kent ?

– Elle parlait fréquemment de divers membres de la famille royale, mais non point du duc de Kent comme étant au courant de nos recherches.

– Vous ne fîtes pas usage du nom du duc de Kent en connexion avec certaines promesses à Mrs Clarke ?

– Jamais.

– Donnâtes-vous de l'argent à Mrs Clarke ?

– Quand elle me dit qu'elle me remettrait certains papiers, je lui donnai une centaine de livres pour payer son boucher et son boulanger.

– Outre cela, vous ne lui fîtes aucune promesse ?

– Aucune, sinon que, si elle se montrait une amie du peuple, je serais son ami.

– Vous affirmez sérieusement que la seule promesse qui lui fut faite fut qu'elle deviendrait une grande bienfaitrice aux yeux du public ?

– Je ne lui en fis point d'autre.

Le colonel Wardle fut autorisé à se retirer, et le commandant Dodd prit sa place. Il déclara que ni lui ni le colonel Wardle n'avaient rien promis à Mrs Clarke, et que le colonel n'avait jamais, à sa connaissance, entrepris de payer les meubles de Westbourne Place. Le procureur général écoutait, les bras croisés, les yeux fermés : il ne daigna pas interroger le témoin mais chargea son jeune collaborateur de le faire.

– Vous occupiez une situation importante au service de Son Altesse Royale le duc de Kent ?

– J'étais le secrétaire particulier de Son Altesse Royale.

– Occupez-vous encore ce poste ?

– Non.

– Vers quelle époque l'avez-vous perdu ?

– Je ne puis dire quel jour j'ai quitté ma situation. Je ne trouve-rais pas correct de ma part une pareille déclaration.

– A l'époque où vous avez fait la connaissance de Mrs Clarke pour la première fois, n'étiez-vous pas en rapports constants avec Son Altesse Royale ? Ne faisiez-vous pas la navette de Westbourne Place à Son Altesse Royale et de Son Altesse Royale à Westbourne Place ?

– J'étais fréquemment Westbourne Place et j'étais fréquemment auprès de Son Altesse Royale.

– N'informâtes-vous jamais Son Altesse Royale que vous étiez en rapport avec le colonel Wardle au sujet d'une certaine affaire ?

– Non.

– N'en eut-il aucun soupçon, non plus que du fait que vous étiez quotidiennement consulté à ce sujet ?

– Non. J'eusse trouvé indélicat de parler de cela à Son Altesse Royale.

L'avocat s'adressa au lord juge.

– Si l'on estime nécessaire de rechercher pourquoi ce monsieur a été congédié de son emploi, nous sommes prêts à le faire.

Lord Ellenborough prit un air grave.

– Je ne puis vous y autoriser. Cela est sans aucun rapport avec le cas qui nous occupe.

Le commandant Dodd se retira et l'on appela le commandant Glennie.

– Vous vous êtes trouvé, par hasard, mêlé à cette affaire ? demanda l'avocat.

– Je savais que le colonel Wardle désirait obtenir de cette dame des informations. Il voulait mettre fin aux pratiques de corruption dans l'armée.

– Vous aussi, donc, souhaitiez voir disparaître la corruption. Est-ce pour critiquer les tours de Martello que vous allâtes les visiter ?

– Je les visitai non pour les critiquer mais pour me renseigner sur leur utilité. J'ai publié un livre sur les fortifications.

– Vous prîtes des notes au cours de cette expédition.

– Oui.

– Sur les tours de Martello ?

– Non, sur un autre sujet.

– Quel sujet ?

– Pour parler franchement : sur ce que Mrs Clarke disait de la famille royale.

– Vous n'omîtes pas un seul détail qui vous parut préjudiciable à celle-ci ?

– Il s'agissait de la façon dont on nommait les pairs et les barons, et de divers incidents ayant eu lieu dans la famille royale.

Le commandant Glennie fut surpris et déçu – l'éclat de la position de témoin l'excitait – de se voir si vite autorisé à se retirer.

Après l'audition de quelques autres témoins, parmi lesquels Illingworth, négociant en vins, et Sir Richard Phillips, imprimeur, la série des témoignages cités par l'accusation fut close. Le procureur général se leva pour plaider la cause de la défense, et, ayant rappelé les précédents témoignages, produisit son unique témoin, sa maîtresse-carte, Mr Stokes, l'avoué de Mrs Clarke.

Mr Stokes, connu par l'accusation, la défense, la Cour et le public en général, comme un homme de loi d'une intégrité exemplaire, déclara que, au cours de l'enquête de la Chambre des communes au mois de février précédent, il avait eu une entrevue avec le colonel Wardle sur l'opportunité ou l'inopportunité de citer Francis Wright comme témoin au côté de Mrs Clarke ; et que, pour sa part, Mr Stokes s'était déclaré fermement hostile à ce projet, considérant comme trop probable que l'interrogatoire n'en vînt à révéler que le colonel Wardle avait meublé une maison pour Mrs Clarke, ce qui eût été retenu par le Gouvernement comme une pratique de corruption, et de nature à porter préjudice à la cause du colonel Wardle. Mr Stokes ajouta qu'il ne doutait pas un instant que le colonel Wardle n'eût effectivement commandé et promis de payer le mobilier de Westbourne Place.

La déposition de l'homme de loi fit sensation. L'avocat de l'accusation, Mr Alley, se leva, l'air perplexe.

– Je désirais faire remarquer que la déposition de Mr Stokes était totalement inattendue, non seulement de moi mais de toute la Cour. Je sollicite la permission d'envoyer chercher le colonel Wardle.

Le lord juge accorda la permission, et le colonel Wardle parut pour répondre aux questions de son avocat. Il dit se rappeler parfaitement avoir eu une entrevue avec Mr Stokes, à l'époque de

l'enquête, et que la raison pour laquelle Francis Wright n'avait pas
été appelé à la barre de la Chambre des communes était que son
témoignage aurait pu être dangereux pour Mrs Clarke, mais certes
point parce qu'elle aurait pu l'être pour lui, colonel Wardle.

L'ex-procureur général s'adressa de nouveau à la cour.

– Plaise à la Cour et à messieurs les jurés. L'on vient d'appeler le
colonel Wardle pour contredire Mr Stokes. Comparez la façon dont
ces deux témoins ont déposé. Rappelez à votre mémoire la manière
nette et réfléchie avec laquelle Mr Stokes a témoigné, ne se fiant pas
à son souvenir et le corroborant par des documents qu'il nous a présentés et qui confirmaient, certes, ses dires. Que le colonel Wardle
ait contredit Mr Stokes, rien de plus naturel. S'il n'eût été prêt à le
contredire, il aurait aussi bien pu se retirer dans le Yorkshire.

» Vous avez entendu le témoignage de Mr Stokes et, après l'avoir
entendu, il me paraît impossible que vous hésitiez entre sa déposition et celle de Mr Wardle. Rappelez-vous également que les événements dont ils ont parlé se passaient longtemps avant qu'aucune
querelle ne se fût élevée entre Francis Wright et le colonel Wardle.

Mr Alley, au nom de l'accusation, prononça une plaidoirie longue
et plate et la termina par ces mots :

– L'extraordinaire longueur de ces débats m'empêche de dire
tout ce que j'aurais pu dire ici en faveur de mon client ; en conséquence et, étant donné l'heure avancée, je me retiendrai d'ajouter
autre chose que l'expression de mes remerciements pour la
patience et l'indulgence avec lesquelles le lord juge et Messieurs les
jurés ont bien voulu m'écouter. Je n'ajouterai qu'un mot : les yeux
du Royaume-Uni sont fixés sur vous.

Les yeux du lord juge étaient fermés mais il les ouvrit à la conclusion de ce discours.

La façon dont il résuma les débats fut rien de moins qu'impar-
tiale. L'atmosphère était nettement défavorable au colonel Wardle.
Le juge observa qu'il était difficile d'imaginer pourquoi le colonel
Wardle s'était jamais rendu à l'entrepôt du tapissier. Si un homme,
accompagnant une dame dans un endroit semblable, n'avait pas
l'intention de payer la note, il se mettait certes dans une situation
équivoque. Le juge ajouta, s'adressant aux jurés, qu'il leur appartenait à présent de trancher la question entre les parties et qu'il ne

doutait point qu'ils ne le fissent dans un esprit de justice envers chacun.

Le jury, après une consultation de dix minutes, rendit un verdict « non coupable » pour Francis Wright et Mrs M. A. Clarke.

Pour la seconde fois en cinq mois, le député d'Okehampton avait perdu la partie. L'on oublia son précédent triomphe, le vent avait tourné. Le public inconstant lui fit des pieds-de-nez ou bâilla. Il ne restait plus rien à Gwyllym Lloyd Wardle que les derniers bancs de l'Opposition de Sa Majesté, de l'obscurité desquels il avait un beau jour émergé.

– Et vous ? demanda le procureur général à sa cliente. Avez-vous votre compte de procès, ou en voulez-vous encore ?

Elle sourit et haussa les épaules.

– Cela dépend de vos amis et de la façon dont ils me traiteront.

– Le verdict au moins est un joli cadeau de Noël.

– Mais grâce à Mr Stokes.

– Et non pas à votre avocat ?

– Le bateleur ? Oui, peut-être… et au lord juge. Et en partie aussi à Scylla et Charybde, aux sables mouvants et aux périls du navigateur. Je suis contente que ce pauvre Francis Wright rentre dans son argent, mais je n'en suis pas plus avancée moi-même, ce qui est grand dommage.

– Je croyais que vous aviez tiré de la non-publication de vos Mémoires des sommes considérables.

– Pas si considérables que cela… Je regrette parfois d'avoir conclu cet accord. Voilà qu'il me vient une idée, conseillez-moi : le gouvernement prendrait-il en mauvaise part que je publie les faits qui sont apparus au procès, concernant Dodd et Wardle, et la façon dont j'ai été soudoyée pour déposer à la Chambre des communes ?

– Un soufflet pour l'Opposition ? Le gouvernement en sera enchanté. Mais je vous avertis que vos amis whigs vous en voudront beaucoup.

– Je me soucie d'eux comme de cela… sauf peut-être Folkestone. Mais il s'est beaucoup refroidi et mérite une leçon.

– Alors, faites de votre pire. Le ministère ne soufflera mot.

En janvier 1810, une pancarte « A LOUER » Apparut au-dessus de la porte de la maison de Mrs Clarke, Westbourne Place. Les administrateurs des biens de Mrs Clarke et de ses deux filles estimaient qu'elle n'avait pas les moyens de garder un si vaste établissement. Il lui fallait réduire ses dépenses, économiser.

Une maisonnette à Uxbridge ? Non, mais une maisonnette à Putney, pas bien loin de Fulham Lodge, donnerait peut-être lieu à d'amusantes rencontres. Le duc continuait à prêter Fulham Lodge à ses favorites de passage, et faisait courir ses chevaux sur la lande de Putney. Qui sait quel écho nostalgique l'attirerait peut-être au cours d'une chevauchée matinale... Non qu'elle conservât grand espoir, mais l'idée était distrayante.

Elle s'installa – l'oreille tendue au bruit possible d'un trot de cheval –, une plume, du papier et une cassette remplie de lettres devant elle.

Le résultat de tout cela fut publié vers la fin du printemps par Mr Chapple, 66, Pall Mall.

Titre : *Les Princes rivaux*, par Mary Anne Clarke.

La première édition des *Princes rivaux* fut épuisée en trois semaines. Une seconde suivit augmentée de commentaires, de lettres, et d'un avant-propos remerciant Messrs les journalistes d'avoir pris le parti d'une femme blessée, sans souci de politique. Les critiques du *Times*, du *Post*, du *Sun*, du *Courier* et du *Pilot* recevaient leur tribut de reconnaissance. Mr Bell, celui du *Weekly Messenger*, un coup de patte, ce publiciste ayant écrit que « le scandaleux volume méritait d'être brûlé par l'exécuteur des hautes œuvres ». Mr Bell, ripostait l'auteur, ne s'était jamais acquitté d'une dette qu'il n'y eût été contraint par corps, le colonel Wardle pouvait donc s'estimer heureux d'avoir été payé par lui. L'auteur connaissait diverses anecdotes, toutes curieuses, sur la vie privée de Mr Bell, qu'elle pourrait bien, si on l'y poussait, juger de bonne guerre de publier – façon comme une autre de traiter les mauvaises critiques.

Le livre avait été amusant à écrire. Personne n'y était épargné. Messrs. Wardle, Dodd et Glennie y apparaissaient sous un jour ridicule ; sir Richard Phillips, de Bridge Street, s'agitait et fulminait ; le négociant en vins, Illingworth, était caricaturé. La visite des marais de Romney et des tours de Martello était rapportée en détail, de même que les soirées de Westbourne Place. Il y avait des indiscrétions sur les coulisses de l'enquête, et l'amitié de Mylord-Égalité était évoquée d'une main légère. Le livre commençait par la première rencontre de l'auteur avec Wardle et se terminait par la défaite de ce dernier à Westminster Hall.

Il était fait allusion au duc d'York dans la préface, mais de telle façon qu'il eût été impossible à Son Altesse Royale de s'en offenser, de sorte que les dix mille livres demeuraient à l'abri. L'auteur disait que son ex- et royal ami devait tous ses malheurs à un descendant de celui qui avait, jadis, égaré Eve au moyen d'une pomme. Elle ne voulait pas citer de noms, l'on en penserait ce qu'on en voudrait. Une langue venimeuse avait empoisonné l'auguste oreille, car l'auguste cœur était incapable de nuire à quiconque. L'auteur avait été contrainte de défendre ses droits, sinon elle n'aurait plus eu qu'à périr avec ses enfants en bas âge.

Le duc de Kent n'était pas épargné. Pour répondre aux allégations de Mary Anne, il publia et répandit largement une Déclaration sous forme de questions au commandant Dodd, anciennement à son service en qualité de Secrétaire particulier.

Dans cette *Déclaration*, le commandant Dodd niait avoir jamais mentionné le nom de son maître dans le dessein d'encourager la moindre attaque contre le frère de celui-ci. En fait, le secrétaire particulier, aujourd'hui congédié, affirmait qu'il n'avait jamais, en dix ans de services, entendu Son Altesse Royale prononcer une seule plainte, quelque tort qui eût pu lui être fait. Quand les pamphlétaires censuraient son frère et le louaient lui-même, le duc de Kent frémissait et baissait la tête. Quant à approuver des mesures préjudiciables à l'honneur de son frère, comme il était dit dans un livre récent, *Les Princes rivaux*, une assertion aussi vile ne pouvait rester sans réponse et devait provoquer l'horreur de tous les honnêtes gens.

La première édition ne contenait qu'une lettre de Lord Folkestone à l'auteur, mais cela suffit à effrayer Mylord-Égalité qui se hâta d'écrire à Wardle pour lui exprimer son regret et lui dire qu'il n'avait pas lu le livre lui-même mais qu'il désavouait entièrement aujourd'hui ce qu'il avait pu dire l'année précédente. Les récits de Mrs Clarke avaient malheureusement influencé ses opinions à cette époque. Il espérait que le commandant Dodd voudrait bien comprendre et, bien qu'il répugnât à voir son nom publiquement imprimé, il autorisait ces messieurs à faire usage de la présente lettre. Elle parut le lendemain, 13 juin 1810, dans le *Morning Chronicle*.

Il ne publia pas une seconde lettre, plus intime, écrite le même jour à son ami Mr Creevy et qui contenait le passage suivant : « La lettre qu'elle a citée est-elle vraiment très sotte ? Y apparais-je ridicule ? Est-ce celle où je dis : Cela nuira à la famille ? Les gens en font-ils cas ? Et vous-même ? Pardonnez ces questions, mais après la nervosité extrême que vous avez constatée chez moi en décembre, vous n'en serez pas surpris. La garce fait-elle allusion au fait que j'ai couché avec elle ou bien n'en dit-elle pas davantage à mon sujet ? »

Il fut heureux pour Mylord-Égalité que la lettre ci-dessus ne tombât point sous les yeux de l'auteur, car il en eût sans doute pâti. Toutefois, elle vit le *Morning Chronicle* et ajouta à la seconde édition de son livre neuf autres lettres de Lord Folkestone avec des commentaires sibyllins.

La seconde édition des *Princes rivaux* s'arracha plus vite encore que la première, l'intérêt ne résidant plus dans l'histoire Wardle, mais dans le nombre des personnalités dénoncées et mises en pièces. Des exemplaires avec des passages marqués étaient feuilletés à la dérobée sur les bancs de la Chambre, dévorés dans les fumoirs, lus en secret dans des placards et, bien que le tir fût dirigé en plein contre l'Opposition, les membres du gouvernement n'en sortaient pas indemnes. Pas un mot contre Sir Vicary Gibbs, mais Mr Croker, le secrétaire à l'Amirauté qui, avec le procureur général, s'était montré le plus hostile à l'auteur en 1809, recevait son paquet en douze pages exposant ses humbles origines et la vindicte publique qu'il avait soulevée contre lui à la suite de ses peu recommandables activités de percepteur des finances en Irlande.

L'on parla du livre pendant trois ou quatre mois et l'on y applaudit – bien que certains le jugeassent très sévèrement et le trouvassent de fort mauvais goût – puis, comme il en va des questions éphémères, l'intérêt s'épuisa et le volume tomba dans l'oubli. D'autres sujets retenaient l'attention : le déroulement de la guerre et, à la Cour, la mort de la princesse Amélia, la fille préférée du roi, coup fatal pour le monarque déclinant. Sa Majesté George III reconnu fou, le prince de Galles fut nommé régent en 1811. L'une des premièrcs mesures qu'il prit fut de rendre le commandement en chef au duc d'York.

L'enquête, les procès, *Les Princes rivaux* étaient démodés et personne ne s'y intéressait plus. De même qu'une chansonnette de l'an passé ou les modes de l'été, le scandale avait eu son heure et pouvait à présent être enterré. La seule personne à en ressentir le deuil fut Mrs Clarke. La vie devenait morne. Elle dit :

– J'ai des lettres dans ma vieille cassette, de quoi remplir douze volumes et amasser une fortune. Pourquoi les laisser pourrir au lieu de les transmettre à la postérité ?

Elle tint ce propos à l'occasion d'un conseil d'administration qui comprenait Messrs Dowler et Coxhead-Marsh. Des dix mille livres, il ne restait déjà plus que cinq ; dans deux ans, elle n'aurait plus rien du tout.

– Raison de plus pour prendre l'état d'écrire. Mes filles vivront de la pension et moi de mes droits d'auteur. N'êtes-vous point de cet avis ?

Charley Thompson acquiesça. Il était le troisième administrateur. Tout ce qui augmentait la fortune de sa sœur recueillait l'approbation fraternelle : elle lui en donnait la moitié.

Messrs Dowler et Coxhead-Marsh étaient d'un autre avis. Choqués et consternés par *Les Princes rivaux*, ouvrage purement et simplement diffamatoire, ils redoutaient la répétition de ce jeu. Elle s'en était tirée la première fois, mais il ne fallait pas s'entêter. Elle ne recommencerait pas impunément une seconde fois. En outre, sa plume n'épargnait personne, et qui sait quelles folles missives d'eux-mêmes reposaient dans cette cassette, nouées de rubans ?

– Je crois, dit Coxhead-Marsh, que vous feriez mieux de vous tenir tranquille pour l'instant et de vous consacrer à l'éducation de vos filles.

– Il y a une excellente pension à Uxbridge, dit Bill Dowler. Quinze livres par trimestre seulement, français compris.

– L'on peut vous avancer de l'argent pour les frais scolaires mais pas pour faire scandale, dit Coxhead-Marsh. Dowler et moi sommes bien d'accord là-dessus. Si vous désirez marier vos filles et les marier bien, vous leur ferez du tort en vous mettant trop en avant. Ainsi déjà…

– Ainsi, déjà… interrompit Dowler, ce qui s'est passé en 1809 pourrait bien leur nuire. Je vous l'ai dit et je vous le répète, une

retraite à la campagne est la seule solution. Une maisonnette à
Chalfont Saint Peter's...

Elle se tourna vers lui avec véhémence.

– Y a-t-il des cours de vie conjugale à l'école d'Uxbridge ? Je préfère instruire mes filles moi-même, français compris... Il faut
qu'elles habitent Londres, et moi aussi, avec un pied-à-terre à
Brighton ou peut-être à Ramsgate, et, quand George sera dans
l'Armée, nous le suivrons. On trouvera des cornettes, treize à la
douzaine, pour Mary et Ellen, et un beau colonel de cavalerie pour
moi.

Le nom de George fut accueilli en silence, mais le regard
qu'échangèrent les administrateurs était des plus éloquents.

– Quoi ? demanda-t-elle. Que se passe-t-il ?

Bill ne répondit pas. Charley haussa les épaules. Ce fut Coxhead-
Marsh qui rompit le silence.

– J'ai des amis dans la City, commença-t-il. Je pourrai faire
entrer George dans les affaires. Nous avons tout le temps.

– George entrera dans l'Armée, répondit-elle. C'est son désir, et
je le lui ai promis.

– Ce ne sera pas facile.

– Pourquoi cela ?

– Pour des raisons évidentes. Le fils d'une femme qui a fait casser le commandant en chef ne sera accueilli avec ferveur dans
aucun régiment. Il peut toujours essayer, il sera éconduit. Il n'a pas
une chance.

– Je t'ai prévenue, dit Charley. J'ai échoué, et il en sera de même
pour George. L'enquête a ruiné notre avenir. Si George consent à
changer de nom, il réussira peut-être dans la vie, mais pas dans
l'armée de Sa Majesté, voilà qui est certain.

Mary Anne soudain s'emporta. Ils étaient tous incapables et stu-
pides.

– Si n'importe qui lui fait obstacle, on trouvera à qui parler, dit-
elle. Je possède une lettre du duc d'York lui-même promettant à
George une commission pour ses quinze ans. Et si j'en faisais usage
devant un tribunal ?

Les administrateurs soupirèrent. Encore un procès ! Une publicité de mauvais aloi, dangereuse, fatale pour tous. C'était vouloir

gâcher toutes les chances de George et des fillettes. Personne n'arriverait donc à la persuader de se taire ?

– Si vous tentez la moindre menace, dit Coxhead-Marsh, vous
détruirez complètement l'avenir de vos enfants. Votre pension et
celle de vos filles vous seront retirées et vous resterez sans un sou.

– Sauf ce que je sais pouvoir gagner par ma plume et mes talents,
qui dépasse de beaucoup la pension.

Elle sortit en fureur, les laissant interdits. Ils pouvaient faire ce
qu'ils voulaient des fonds, du capital qui allait s'amenuisant, économiser, gratter, placer à trois pour cent, personne d'autre qu'elle
ne pouvait lancer une attaque.

Ce ne fut qu'une fois rentrée chez elle et lorsqu'elle eut fouillé
dans sa cassette qu'il lui en souvint : la lettre du duc au sujet de
George n'était plus entre ses mains. Elle l'avait envoyée, des années
auparavant, à James Fitzgerald pour la mettre en sûreté.

Il y avait plusieurs mois qu'elle n'avait reçu de nouvelles de
Fitzgerald. James s'était retiré de la politique cette année même, et
Willie, qui avait eu une réussite très rapide, était devenu chancelier
de l'Échiquier d'Irlande et membre du Conseil privé d'Angleterre.
Elle leur écrivit sur-le-champ. Ils étaient tous deux en Irlande, le
parlement se trouvant en vacances, et elle ne doutait pas que Willie,
dans sa situation actuelle, fût en mesure d'obtenir une charge
d'officier pour George en dépit de toutes les oppositions.

Pas de réponse du père ni du fils. Elle écrivit de nouveau.
Quelques mots brefs de James lui parvinrent enfin : « La lettre à
laquelle vous faites allusion a été détruite, il y a bien longtemps. »

Détruite, cette précieuse pièce ? Craignait-il d'en être conta-
miné ? Ou bien l'idée de conserver la moindre preuve de ses relations avec la fameuse Mrs Clarke l'effrayait-elle à ce point ?

Une nouvelle demande à Willie demeura sans autre réponse
qu'un message indiquant que William Fitzgerald, chancelier, ne
désirait aucunement que Mrs Clarke se souvînt de lui. Il valait
mieux pour tous deux considérer nulles et non avenues toutes relations qu'ils auraient pu avoir par le passé, et ne point tenter de les
renouer. En conséquence, le chancelier d'Irlande refusait d'intervenir au sujet de la carrière du fils de Mrs Clarke.

Son premier sentiment fut la stupéfaction. Elle ne pouvait croire que ce fût vrai. Il n'était pas humainement possible que les Fitzgerald, des amis de dix ans, des intimes, lui tournassent le dos, après tant de secrets, tant de soucis partagés. Willie qui, depuis l'époque où il était à Oxford, l'avait prise pour confidente, qui courait à elle quand il était dans l'embarras, lui demandait secours et assistance ; James, qui lui avait ouvert son cœur en toute occasion, lui révélant les dessous de sa politique, de même que ceux de sa vie privée… Ils ne désiraient plus la fréquenter, le chapitre était clos, et ils ne feraient rien pour George. George était abandonné de tous.

Le chagrin devint colère, la colère fureur, et la fureur un désir aveugle de vengeance. Une fois de plus, elle demanda conseil à Ogilvie.

– Que dois-je faire ? Comment m'y prendre pour leur faire le plus de mal ?

Bien des entreprises avaient échoué depuis quatre ans. Les rêves d'Ogilvie s'étaient éteints, l'un après l'autre. La Régence avait mis fin à tout espoir de diviser le pays, de fomenter une révolution. Les tories étaient toujours au pouvoir, sans perspective de changement ; toute arme était bonne si elle servait à discréditer des ministres. L'inimitié qui existait entre l'Angleterre et l'Irlande pourrait être excitée, les dissensions n'étaient jamais totalement inutiles ; il y avait là une occasion à saisir.

– Je vous ai dit, quand vous avez publié *Les Princes rivaux*, que vous auriez dû frapper plus fort, dit-il. Maintenant, vous avez une chance. Lancez une série de pamphlets contre le gouvernement, en commençant par William Fitzgerald. Dénoncez-le. Cela fera un bruit énorme… Il sera obligé de démissionner. Vous rappelez-vous comme vous avez ridiculisé Croker ? Le pays a été très déçu que vous vous arrêtiez là et ne démolissiez pas les autres de la même façon.

– Vous croyez que ce que je dis a de l'influence ?

– Assurément. Quand vous avez écrit *Les Princes rivaux*, vous aviez l'opinion avec vous, mais vous avez laissé passer le moment, et vous l'avez perdue. Vous ne vous rendez pas compte du pouvoir de votre plume, et du pouvoir de votre langue. Deux hommes sont tombés en disgrâce à cause de vous : le duc d'York et Wardle. Essayez le troisième. Faites congédier le chancelier d'Irlande. L'opinion publique vous soutiendra.

Ces paroles étaient un nectar pour ses oreilles avides, Will Ogilvie lui disait tout ce qu'elle avait soif d'entendre. Ses conseils la séduisaient, l'excitaient. Une série de pamphlets contre son monde, le monde qu'elle avait connu, une nouvelle occasion de prouver qu'elle n'était pas oubliée, qu'elle pouvait encore briser un homme…

La bataille recommençait – son idée fixe –, la bataille contre les hommes, êtres d'une autre espèce, qu'il fallait vaincre. Elle s'enferma dans sa chambre et se mit à écrire…

L'Épître au chancelier William Fitzgerald comptait une vingtaine de pages et fut imprimée sous forme de brochure par un certain Mr Mitchell. Mr Chapple de Pall Mall l'avait refusée en déconseillant la publication, il flairait le danger, mais l'auteur des *Princes rivaux* ne voulut rien entendre.

– Danger, pour William Fitzgerald, pas pour moi.

Mr Chapple hocha la tête, l'Épître était du vitriol, sans grâce ni esprit.

« Je tiens à bien mettre en garde la nation irlandaise contre l'un des hommes les plus pervers et les plus dissolus de ce temps. Cet homme règne, pour des raisons mystérieuses, sur les finances de la nation irlandaise et doit la représenter au Parlement de l'Empire.

« Obéissant au grand principe qui a toujours gouverné ma vie : ne point laisser l'ingratitude impunie et dénoncer l'hypocrisie partout où elle se trouve, je vous le dis, Mr Fitzgerald, vous allez à présent fournir un exemple de plus du fait que nul, si élevé que soit son rang, ne se joue impunément de mes sentiments selon son bon plaisir, et je désire vous rappeler que, lorsqu'on m'insulte, j'en demande réparation, non seulement au fils du roi mais au roi lui-même. Jusqu'ici je n'ai jamais dénoncé personne qui ne méritât amplement d'être publiquement accusé ; c'est là l'ultime vengeance que je réclame de ceux qui m'ont maltraitée.

« Les faits suivants nous apportent une illustration frappante de la vilenie et de la perfidie de cet habile intrigant, votre père, à qui je confiai une lettre du duc d'York, écrite peu après notre séparation et par laquelle il s'engageait, au nom de tout ce qui est sacré, à instruire et protéger mon fils et à assurer son avenir.

« J'écris à votre père, le priant de me restituer cette lettre. A ma demande, il répond : Je l'ai détruite.

« Les mots sont impuissants à peindre l'indignation que j'éprouvai de cette conduite infâme à l'égard d'un enfant innocent dont la seule chance dans la vie dépendait de cette lettre, et qu'une telle vilenie prive de son unique gage d'avenir, sans parler de l'ingratitude flagrante vis-à-vis de moi qui l'avais sauvé, ainsi que vous et toute votre famille, de l'ignominie et de la ruine totale, en cachant la correspondance preuve de sa vénalité.

« Après ces quelques remarques sur le caractère de votre perfide père, passons à présent au vôtre.

« Votre vue défectueuse que votre père croit être une infirmité héréditaire est due à votre pratique nocturne du jeu, d'autant plus inexcusable de votre part qu'aucune nécessité pécuniaire ne vous pousse au tripot. En dehors de cette passion qui domine votre vie, que pensera le monde en général d'un homme qui, de propos délibéré, séduit la femme de son ami intime, et, par des trafics d'influence et de corruption, fait envoyer le mari dans un climat malsain, en se flattant de l'espoir que la maladie l'entraîne rapidement au tombeau ; qui cède ensuite, sans frein, à sa passion coupable et qui, lorsque les effets menacent d'en devenir apparents, administre des drogues à l'infortunée victime de sa débauche, au risque de la tuer, afin de pouvoir mettre fin à ses appréhensions en détruisant le gage innocent de sa faute et épargner à son avarice le sacrifice de la nourrir ? Bientôt après, un enfant mort-né, spectacle si terrifiant que même une plume médicale répugnerait à le décrire, témoignait de la virulence de la potion fatale par laquelle la malheureuse mère elle-même fut portée presque au seuil de la tombe.

« Vous protestiez que vous ne pouviez épouser une femme ainsi déshonorée, après avoir été vous-même l'instrument de son déshonneur, et que vous ne pouviez avilir le sang des Fitzgerald par une alliance avec une des filles de Lord Dillon, celles-ci étant bâtardes. Une semblable préoccupation vous avait fait décliner l'offre du marquis Willesley.

« Mais quelle naissance, quel rang, quels talents, vous autorisent à repousser ainsi avec dédain les filles des plus nobles familles ? Vous en êtes entièrement dépourvu, vous dont le grand-père, Billy

Fitzgerald d'Ennis, était un misérable robin sans fortune ni scrupule, vous dont le père doit sa réussite et ses succès non au mérite
mais aux arts douteux de l'intrigue politique, vous dont la tante est
une vulgaire prostituée, vous dont le cousin fut pendu pour un vol
de chevaux, vous, enfin, dont toute la conduite, depuis votre entrée
dans le monde, n'a été qu'un tissu de crime et d'infamie.

« Je montrerai par quels moyens vous acquîtes les honneurs honteux accumulés sur votre personne et qui, si l'on en croit la rumeur
publique, doivent vous hausser jusqu'à la pairie. Vous vous figurez
peut-être que l'hermine couvrira opportunément vos difformités
morales et que la possession d'une couronne de baron compensera
l'absence en vous de toute espèce de mérite, mais permettez-moi de
vous demander si vous pourrez jamais contempler l'animal qui
figure de façon si appropriée dans vos armes, sans vous rappeler
votre ignoble origine ?

« Je reproduis ici en appendice les lettres de votre père et de vous-
même qui se trouvent encore en ma possession. Reste à voir à présent, Monsieur, si les peuples de Grande-Bretagne et d'Irlande,
connaissant votre véritable caractère, continueront à souffrir
patiemment d'être gouvernés par un parvenu sans scrupule. Reste à
voir s'ils applaudiront la nomination d'un aventurier besogneux à
l'une des charges les plus élevées et les plus lucratives de l'État, ou
s'ils jugeront que la correspondance financière d'une partie essen-
tielle de l'Empire ne devrait pas être confiée à des mains plus
capables et plus pures que celles d'un être dont les nuits se passent
au tripot et qui s'est rendu volontairement coupable du meurtre de
son propre enfant. »

Tel était le ton général de la première *Épître*. Un post-scriptum
annonçait les suivantes. A qui le tour, au jeu de massacre ? Trois
sous la partie !

« J'annonce ici mon intention de présenter très prochainement au
public deux ou trois volumes qui seront suivis par d'autres, selon les
nécessités du moment.

« L'AUTEUR »

Certains des fidèles députés de Sa Majesté ne laissèrent pas
d'éprouver à cette perspective certaines inquiétudes. Un ou deux

lords se sentirent glacés d'effroi. Le Cabinet murmura. Lord Liverpool lui-même avait déclaré, disait-on : « Il faut supprimer cette femme avant qu'elle fasse plus de mal. Aucun de nous ne pourra plus garder son poste, si elle continue. »

La première victime consulta ses avocats et porta plainte.

Le lundi, 7 février 1814, Mrs Mary Anne Clarke fut accusée d'avoir publié des écrits diffamatoires sur la personne du chancelier de l'Échiquier d'Irlande, William Fitzgerald, député d'Ennis.

Elle parut pour la troisième et dernière fois devant le tribunal, et regarda la mer de visages tournés vers elle, mais Sir Vicary Gibbs n'était plus là pour la défendre. Il avait été nommé juge deux ans auparavant.

Le lord juge Ellenborough était absent. Le juge Le Blanc siégeait à sa place. Pas de parties de piquet avant ce procès-ci, pas de tête-à-tête dans son cabinet, pas de Cygne de Léda.

« Prenez Henry Brougham, et ne regardez pas à la dépense, avait conseillé à l'auteur l'ex-procureur général. Sa politique me fait horreur, mais il est le seul avocat au monde capable de vous tirer de là. Je l'avertirai, toutefois, que ce sera un cas difficile. »

Sur le conseil de son avocat, l'accusée plaida coupable. Mary Anne, cette fois, était allée trop loin.

Le procès fut bref. L'on ne cita point de témoins. l'on donna lecture à la Cour de *l'Épître au chancelier William Fitzgerald* qui fut écoutée en silence.

L'inculpée ne fit aucune déposition mais présenta une déclaration écrite sous serment, plaidant, comme une circonstance atténuante de sa faute, la conduite déloyale des Fitzgerald qui avaient détruits maints papiers importants confiés par elle à leur garde, et, entre autres, la lettre d'un très grand personnage qui lui promettait d'assurer l'avenir de son fils unique. Elle s'en remettait par ces mots à la clémence du tribunal :

« Que l'inculpée a deux filles dont l'une déjà grande ; qu'elle a, jusqu'ici, en dépit de l'infortune et de circonstances souvent adverses, réussi à leur donner une bonne instruction et à les élever dans l'honneur et la vertu, et que, si le tribunal privait ces dites filles de sa protection, elles demeureraient entièrement sans ressources. Elle espère donc humblement que, étant donné ces circonstances et l'état de sa santé, la Cour voudra bien prendre en considération qu'elle n'avait point, dans le cas présent, obéi à des fins d'ordre politique, mais avait été uniquement poussée par son indignation de la façon dont le plaignant en tant que personne privée en avait agi envers elle. »

Le procureur général – successeur de Sir Vicary Gibbs – qualifia la diffamation comme la plus flagrante ayant jamais été soumise à l'appréciation d'une cour de justice.

Il dit qu'il ne faisait point de doute que le motif en avait été le désir d'extorquer de l'argent, et non un sentiment de vengeance. Il espérait que le jugement de la Cour enseignerait au moins à l'inculpée à se retenir de publier d'autres calomnies.

Mr Henry Brougham (qui devait, six ans plus tard, défendre la reine Caroline) réclama l'indulgence de la Cour pour l'inculpée, mais il savait bien que l'on ne pouvait plus grand-chose pour Mrs Clarke.

– Ceci, déclara-t-il avec chaleur, n'est pas une attaque vaine et sans provocation contre la vie privée d'un individu, afin de flatter le goût du public pour le scandale. La publication de cette Épître résulte de longues relations entre les parties, de relations qui durèrent quatorze ans.

» Messieurs, je ne sollicite pas une atténuation de la peine parce que la personne qui céda à ces sentiments de provocation est une femme, car l'on me répondrait que, lorsque le sexe n'observe plus la réserve qui fait sa dignité, il cesse de mériter la protection qui est son apanage, mais je vous supplie de réfléchir aux effets de son châtiment sur ceux qu'elle a élevés dans l'honneur et la vertu, en leur donnant cette éducation et ces mœurs qu'elle déplorera un jour de n'avoir pas eues elle-même, mais sans doute est-ce déjà fait.

» Si la Cour consent à tenir compte de ces choses, j'espère et je crois que vous saurez mêler à l'administration de la justice, que peuvent exiger les faits, un élément de pitié pour des innocents.

Mr Brougham avait fait de son mieux. Mais la Cour était hostile à la prévenue. Les juges estimaient, non sans raison, qu'une femme capable d'écrire de telles accusations contre des personnages en place devait être muselée. Il n'était certainement pas prudent de la laisser en liberté. Quelques semaines de répit, et elle recommencerait. Il n'y avait pas plus de cinq ans qu'un prince du sang avait été blessé par elle. Les femmes de cette espèce étaient dangereuses.

L'inculpée avait témoigné de sa frivolité habituelle au cours du procès. Elle avait ri de l'aspect sénile de Mr Mitchell, l'imprimeur septuagénaire, son co-inculpé, et avait été jusqu'à saluer d'une révérence narquoise la conclusion du réquisitoire du procureur général. Le juge Le Blanc était décidé à sévir.

– Il n'y a point de doute, dit-il gravement, sur le caractère diffamatoire de la publication, et il n'y en a guère non plus sur les motifs dont elle est issue ainsi que l'annonce de trois volumes suivants que l'inculpée a déclaré elle-même avoir en préparation ; ces motifs, dis-je, sont le désir de gagner de l'argent soit par la publication des documents soit par leur suppression. Que ceci soit un avertissement à tous sur le danger des liaisons hâtives et imprudentes. Quant à l'inculpée, je compte que la solitude et la réclusion auxquelles il est du devoir de la Cour de la condamner, l'induiront à réfléchir sur sa vie passée et à se repentir des erreurs qui l'ont conduite à sa situation présente.

» Il est toujours pénible d'être obligé de faire retomber les péchés des parents sur la tête des enfants, mais il est certains cas où la séparation de ceux-ci et de ceux-là peut-être accomplie avec des résultats favorables. D'ailleurs, qu'il doive en être ou non ainsi dans le cas présent, est une considération qui ne regarde pas la Cour.

» Considérant toutes les circonstances, la Cour ordonne et juge que l'inculpée Mary Anne Clarke sera incarcérée pour une période de neuf mois du calendrier à la prison de King's Bench et que, à la fin de cette période, elle sera mise en liberté surveillée pour une période de trois ans sous caution, moyennant un versement de deux cents livres et deux cautions de cent livres chacune, et restera en prison tant que cette caution n'aura pas été versée.

Tous les yeux se tournèrent vers l'inculpée qui recevait, debout, la sentence. Son avocat, Henry Brougham, lui avait bien parlé de prison mais elle n'en avait pas cru un mot. Des dommages-intérêts, peut-être, quelques milliers de livres, des titres vendus pour réaliser la somme demandée, après quoi viendrait une suite aux *Princes Rivaux*, authentique et tranchante, mais ayant préalablement fait l'objet d'un examen afin d'être assurée qu'elle ne donnerait pas de prise à des poursuites en diffamation.

Neuf mois de prison ! Les enfants abandonnés, à une semaine du seizième anniversaire de George ! Elle regardait autour d'elle sans y croire. Aucun visage ne lui sourit. Charley était là ainsi que Bill, tous deux gardaient les yeux baissés. C'était donc vrai. Pas d'issue, pas de commutation de peine. Des clefs tintantes, de froides murailles, une cellule de prison. Elle enfonça les ongles dans ses paumes pour s'obliger à faire bonne contenance. Le reporter du *Times* griffonna sa phrase finale : « Quand Monsieur le juge Le

Blanc prononça la peine de prison, sa gaieté la quitta et elle versa quelques pleurs. »

Ses amis obtinrent la permission de lui dire adieu, avant qu'on la conduisît à la prison. Elle écrasa ses larmes sous ses paupières et vint à eux en souriant.

– J'ai toujours souhaité suivre un régime. Je vais enfin pouvoir le faire. Rien de meilleur, à trente-huit ans, pour le teint et la ligne. Les eaux de Marshalsea sont bien plus efficaces que Bath, et l'on s'y loge à moitié prix… Voulez-vous dire à Martha, je vous prie, de me préparer un sac avec ce qu'il faut pour quelques jours seulement, en attendant que j'aie inspecté mon nouveau logis. Je crains bien de n'avoir pas besoin de robes de bal, mais plutôt de vêtements chauds. Des livres… Qui me procurera des livres ? Je compte sur vous tous. *Grandeur et Décadence* devrait me suffire avec l'*Odyssée* d'Homère… Pas d'autres propositions ? Je recevrai tous les mardis et vendredis, c'est convenu. Les visiteurs seront les bienvenus, mais apportez vos tabourets et vos chaises. Coxy, occupez-vous de mes filles et invitez-les à Loughton et, pour l'amour du Ciel, trouvez un emploi à Charley ! Bill, embrasse-moi vite, chéri, et sauve-toi. J'ai peur de faire la sotte, ce serait gênant pour toi. Tu sauras t'y prendre avec George, annonce-lui cela doucement. Dis-lui de ne pas se tourmenter, que cela m'amuse énormément, que je brûle d'impatience de connaître l'intérieur d'une prison. Mr Brougham est-il là ? Je voudrais le remercier.

Henry Brougham s'approcha et lui prit la main. Il perçait cette façade de gaieté et discernait l'effort. Il renvoya les amis et elle s'abandonna.

– Ce sera dur, dit-il. Je dois vous préparer.

– Oui, répondit-elle. Dites-moi tout de suite le pire.

– Êtes-vous forte ?

– Je ne sais. Je n'ai jamais été à l'épreuve. Je ne suis jamais malade.

– L'on vous donnera une chambre par la suite, ou un lit dans une chambre. J'imagine que vos amis pourront vous payer cela. Mais, au début, il n'en sera pas question. Réclusion en cellule, telle est la sentence.

– Qu'est-ce que cela signifie, au juste ?

– Il y a deux petites cellules ou cachots, à la prison de King's Bench. La Cour a décrété que l'on vous mettrait dans une de ces cellules.

– Y fera-t-il complètement noir ? Pourrai-je lire ou écrire ?

– On m'a dit qu'il y avait une petite fenêtre percée haut dans le mur.

– Y a-t-il quelque chose sur quoi s'étendre ?

– Rien pour l'instant. Un peu de paille. Vous serez autorisée à faire venir un lit. J'ai donné des instructions.

– Des couvertures ?

– Pour cette nuit, vous aurez celles de ma voiture. Je ferai tout mon possible pour vous faire envoyer un lit et des couvertures de chez vous dès demain.

– Qui dirige la prison ?

– Le maréchal actuel s'appelle Mr Jones, mais il paraît que personne ne le voit jamais, et la prison est dirigée par son second, un certain Brooshooft.

– Brooschut ou Brushof, ça m'est égal. Dois-je me mettre en frais pour lui ?

– Plus tard, peut-être, mais pas maintenant. Êtes-vous prête ? La voiture attend.

– Je n'y vais donc point en charrette ?

– En Angleterre, cette épreuve vous est épargnée. L'avocat est autorisé à conduire le détenu.

Elle monta dans la voiture sans lâcher sa main.

– Nous aurions dû y aller en barque. C'est bien plus romantique. La prison de King's Bench ne comporte-t-elle pas de Porte des Traîtres ?

– Malheureusement non. Elle ne donne pas sur la rivière. Elle est de l'autre côté du pont, pas loin de Southwark.

– Je ne connais guère ce quartier… Est-ce très fréquenté ?

– Par les chiffonniers et les mendiants, c'est tout. Sauf, évidemment, les prisonniers pour dettes.

– Apercevrai-je la Tamise ? J'adore la rivière.

– Je crains que non. La prison est entourée de murs… A propos, avez-vous un médecin sous la main ?

– Mon cher docteur Metcalfe est dans les Midlands. Mais je suis sûre qu'il accourra à mon appel si j'ai besoin de lui. Pourquoi cela ?

– Il n'y a pas de surveillance médicale à la prison de King's Bench. D'aucune sorte. Pas même d'infirmerie.

– Que se passe-t-il, si l'on tombe subitement malade ?

– Rien, me dit-on, à moins qu'un des détenus se trouve avoir des connaissances médicales. C'est pourquoi je vous préviens.

– Prévenir vaut mieux que guérir. Il faudra que Martha m'envoie mes pilules… Ce qui me fait penser… Comment exactement sont les commodités ?

– Il paraît que le maréchal paie des vidangeurs, mais ils ne viennent pas tous les jours. Cela dépend de ce qu'il y a à vidanger. Quand la quantité dépasse un certain niveau, les vidangeurs y trouvent leur intérêt et l'enlèvent.

– C'est logique. N'y a-t-il point d'égouts ?

– Sans doute que non. L'on se sert de baquets.

– Qui débordent constamment comme les chutes du Niagara ? Martha va recevoir une liste longue comme mon bras… Et la nourriture, Mr Brougham ?

– Il y a un réfectoire à la prison, qui sert généralement les plus pauvres parmi les prisonniers pour dettes, ceux qui n'ont plus les moyens de faire venir leurs repas de l'extérieur. L'on peut acheter de la viande de boucherie, environ deux fois par semaine mais, d'après ce que j'en ai entendu dire, je ne vous la recommande pas.

– Mais l'on peut faire venir sa nourriture de l'extérieur ?

– Oui, à grands frais. Les geôliers arrangeront cela pour vous. Nous vous en informerons. Il paraît qu'on boit beaucoup à l'intérieur de la prison, et que le maréchal ne voit pas cela d'un mauvais œil, mais cela ne vous intéresse point. Vous serez obligée de vous boucher les oreilles, tant il y a de tapage.

– Est-ce cela ? Cette haute grille ?

– Oui, la voiture nous amène jusque dans la cour intérieure. Si l'on crie ou si l'on vous injurie, faites comme si vous ne vous en aperceviez pas ; les prisonniers pour dettes, pauvres, sont toujours dans la cour. Il vaut mieux que vous m'attendiez ici dans la voiture pendant que je m'informe.

Elle plia les couvertures sur son bras. « Dans l'impasse de Bowling Inn, songea-t-elle, les couvertures étaient plus minces mais j'avais un lit, et Charley me tenait chaud. Et puis, il y a trente ans de cela et j'étais moins frileuse… » Elle se pencha à la portière et appela Brougham.

– Commandez un grand lit à baldaquin, et à souper pour deux, et je tiens absolument à ce que le champagne soit glacé…

Elle agita la main.

Aussitôt qu'il eut disparu à l'intérieur de la prison, les prisonniers pour dettes se rassemblèrent autour de la voiture. Ils tendaient des bouts de papier à la portière.

– Billets de lit à vendre. Dix shillings la nuit. Un lit dans une chambre à quatre personnes seulement… Huit shillings, madame, pour huit shillings un matelas qui était tout neuf il y a trois mois… Quatre shillings, madame, parce que c'est vous, une place dans un lit, déjà occupé par une jeune personne de vingt-huit ans très propre de sa personne… Une guinée la nuit pour une chambre particulière, madame, il n'y a pas plus avantageux dans tout King's Bench, vous ne trouveriez ça ni à Fleet ni à Marshalsea, une guinée la nuit, vidange des seaux tous les matins en sus.

Dommage de ne pas être en prison pour dettes, plutôt que pour diffamation.

– C'est vraiment aimable à vous de prendre tant de peine, dit-elle. Mais l'affaire est déjà réglée. J'ai ma chambre particulière.

Ils la regardèrent, interloqués.

– Il y a erreur, madame. Il ne reste pas de chambre particulière inoccupée.

– Ah ! mais si ! Il y en a que vous ne connaissez pas ! Le maréchal ne vous dit pas tout.

Henry Brougham revint. Les prisonniers pour dettes s'écartèrent pour le laisser passer, tout en continuant à discuter à haute voix.

– Je suis tout à fait désolé, dit Brougham. C'est encore pire que je ne pensais.

– Qu'est-ce qui est encore pire ? Ces gens ont été charmants.

– Votre logement. C'est extrêmement petit.

– Mais j'y suis seule ?

– Vous y serez seule.

Il la regarda avec compassion.

– Vous accompagnerai-je ?

– S'il vous plaît.

Il lui prit le bras et la fit entrer dans le bâtiment.

– J'ai payé votre mandat de dépôt qui est de dix shillings six pence. En principe, cela vous donnerait droit à ce qu'on appelle dans l'argot d'ici un ticket de lit.

– Je sais, l'on m'en a offert.

– Inutile dans votre cas, vous êtes condamnée pour diffamation. C'est la cellule, comme je vous l'ai dit. Voici Mr Brooshooft, l'assistant du maréchal.

Un homme trapu et ventripotent s'avançait à leur rencontre, le chapeau en arrière. Elle sourit et fit la révérence. Il n'y prêta aucune attention et s'adressa à Brougham.

– A-t-elle apporté un lit ?

– Le lit sera envoyé demain matin. De même que des couvertures, une table, une chaise, et autres objets nécessaires.

– Il n'y a pas de place pour autre chose qu'un lit. La cellule mesure neuf pieds carrés. A-t-elle de la chandelle ?

– On n'en fournit pas ?

– On ne fournit rien. De la paille, c'est tout. L'on en a mis de la fraîche ce matin.

– Où puis-je acheter des chandelles ?

– Le patron du café en a peut-être. Ce n'est pas mon affaire. N'oubliez pas qu'elle est ici pour un délit grave. J'ai mes instructions : aucun privilège, l'ordinaire de la prison servi par le réfectoire.

– De quoi cela se compose-t-il ?

L'assistant du maréchal haussa les épaules.

– Petit déjeuner : gruau. Déjeuner de midi : soupe. On les varie, les cuisiniers y veillent. Les prisonniers pour dettes peuvent acheter ce qu'ils veulent au café, selon leurs moyens… Elle n'est pas dans le même cas.

Henry Brougham se tourna vers sa cliente. Elle agita la main.

– Que vous disais-je ? Régime contre l'embonpoint. Je sortirai d'ici pareille à un brin de roseau et j'en lancerai la mode.

L'assistant du maréchal avait fait signe à un geôlier.

– Conduisez la prisonnière au numéro 2. Son lit arrivera demain. Pas d'autres privilèges.

– Pas d'achats au café ?

– Ce n'est pas prévu.

L'assistant du maréchal laissa tomber sur la prisonnière un regard indifférent de ses yeux globuleux.

– Si vous tombez malade, dit-il, vous pouvez toujours réclamer. Adressez une note écrite au maréchal. Elle sera consignée dans les livres et montrée lors de l'inspection de la prison.

– Cette inspection a-t-elle lieu souvent ? demanda Brougham.

– Deux fois l'an, par l'Office de la Couronne, mais ce n'est pas toujours régulier. La prochaine visite est prévue pour juin. Assurément, si un prisonnier est mourant, j'ai le droit de le faire transférer, mais les parents ou amis doivent payer. J'ai déjà fait une concession dans le cas précédent, parce qu'il s'agit d'une femme de plus de trente ans. Le cachot numéro 2 a un plancher de bois ; le sol du numéro 1 est dallé et il n'y a pas de vitre à la fenêtre.

La prisonnière sourit et rassembla ses couvertures.

– Que c'est aimable et gentil à vous ! Combien vous dois-je ?

– C'est l'affaire de vos amis. Je ne reçois pas d'argent directement. C'est contraire au règlement. Suivez le geôlier. L'on n'est pas autorisé à rester dans la cour à moins d'être condamné pour dettes ou d'avoir déjà accompli trois mois sur sa condamnation.

Il salua Henry Brougham et s'éloigna. L'avocat prit les couvertures des bras de sa cliente et tous deux suivirent le geôlier, le long du couloir.

– Quel dommage, dit-elle, que ce ne soit pas une arrivée à Brighton avec un appartement sur la mer et un souper fin.

Henry Brougham la tenait fermement par le bras. Il ne répondit rien. Le geôlier les conduisit à travers un labyrinthe de couloirs, aux coins desquels des gens traînaient au pied des escaliers. C'étaient les lieux de réunion des prisonniers pour dettes. Hommes, femmes et enfants s'étalaient sur les marches, les adultes mangeaient et buvaient, les mioches s'amusaient. Dans un escalier, des hommes jouaient aux dés ; dans un autre, l'on jouait aux quilles avec des bouteilles cassées. Les murs de la prison se renvoyaient en échos des cris, des rires et des chansons obscènes.

– Ici au moins je ne me plaindrai pas du silence. Mais je crains bien que les vidangeurs ne soient pas venus. je n'aime pas beaucoup l'aspect de ces baquets sans couvercle…

La puanteur du couloir était pire que tout ce qu'elle avait connu dans l'impasse de Bowling Inn. Ou bien l'avait-elle oublié ? N'y avait-il pas un élément familier dans cette puanteur ? Seaux non vidés des voisins, sol suintant… murs humides et traces de doigts… taches équivoques.. Il n'était pas jusqu'aux cris des enfants qui n'eussent pu être ceux de Charley et Eddy jouant aux billes.

– Vous souvient-il de Marie Stuart ?

– Pourquoi Marie Stuart ?

– Ma fin, disait-elle, sera mon commencement. Peut-être cela s'applique-t-il à nous tous… Je crois que nous sommes arrivés.

Le geôlier s'était arrêté au bout du couloir et tournait sa clef dans une double serrure. Il ouvrit la lourde porte toute grande.

L'assistant du maréchal n'avait pas exagéré : la cellule mesurait neuf pieds carrés, ni plus ni moins. Une fenêtre placée très haut dans le mur, barrée de fer et couverte de toiles d'araignées, donnait trois pieds de lumière. Le sol était planchéié et, dans un coin contre le mur, l'on voyait une planche couverte de paille. Un petit baquet sans couvercle, pareil à ceux qu'elle avait remarqués dans les couloirs, se trouvait près de la porte. La prisonnière mesura la cellule en étendant les bras.

– L'ennui, dit-elle, c'est que quand j'y aurai mon lit, il n'y aura plus de place pour rien d'autre. Je serai obligée de me laver, de m'habiller et de prendre mes repas accroupie dessus ou bien debout sur un pied, nouvel exercice de maintien : le flamingo.

Elle en fit une démonstration en relevant sa jupe. Le geôlier regardait. Elle lui dédia un sourire éblouissant.

– Nous sommes appelés à nous voir beaucoup, dit-elle. Nouons donc tout de suite de bonnes relations. J'espère que nous serons amis.

Elle lui serra la main et lui donna deux guinées.

– N'oublions pas la chandelle, Mr Brougham, s'il vous plaît. Dans une demi-heure, il fera noir ici comme dans un four. Et assez froid. Je vois qu'il n'y a pas de cheminée. Les chandelles au moins donneront un petit air de fête. En somme, avec cette paille et vos couvertures, je serai fort douillettement installée, sans compter la soupe bien chaude du réfectoire des prisonniers pour dettes. A quoi est la soupe ce soir, à la tomate ou à la tortue ?

Le geôlier regardait, surpris, sa nouvelle pensionnaire.

– C'est toujours la même chose, dit-il, une espèce de jus avec des épluchures de pommes de terre et une tranche de pain.

– Potage Parmentier. J'en ai mangé chez Almack… Maintenant, Mr Brougham, je crois qu'il est temps que vous partiez.

Son avocat lui prit la main et, s'inclinant, la baisa.

– S'il est humainement possible de faire quelque chose pour vous tirer de ce trou et vous mettre dans une chambre, ce sera fait. Je vous le promets du fond du cœur.

– Mille fois merci. Viendrez-vous me voir ?

– Chaque fois que ce sera permis, A propos, il serait bon que j'eusse l'adresse de ce médecin.

– Bill Dowler pourra vous la donner.

– Avez-vous besoin d'autre chose ? Je veux dire, pour l'heure ?

– Des chandelles, et, si l'on en trouve aussi au café, de l'encre, des plumes et du papier.

– Vous ne projetez pas, je veux l'espérer, une seconde *Épître* à Mr Fitzgerald ?

– Non. Un rapport sur la prison de King's Bench. Un rapport de première main, à présenter, s'il le faut, à la Chambre des communes.

Il rit et secoua la tête.

– Vous êtes incorrigible.

– Mais, j'espère bien, mon Dieu ! Sinon à quoi bon vivre ?

Le geôlier ouvrit la porte et Henry Brougham sortit avec lui. La porte se referma lourdement. La clef tourna dans la serrure. Le visage de la prisonnière apparut derrière le petit grillage. Elle avait jeté son chapeau sur la paille et enveloppé ses épaules d'une des couvertures de la voiture de son avocat.

– Un dernier mot, fit Mr Brougham. Je ne peux pas vous dire combien je suis désolé…

Elle le regarda et sourit. Un œil bleu cligna malicieusement. Elle murmura dans le langage faubourien de l'impasse :

– Comme on fait son lit on se couche.

Elle entendit leurs pas résonner dans le couloir puis se perdre au loin parmi les autres bruits de la prison, les cris et les rires.

A dix heures du soir, comme les chandelles baissaient, le geôlier ouvrit la porte de sa cellule et lui remit une lettre. Elle avait été apportée par un messager du roi au bureau du maréchal avec l'ordre de la remettre sur-le-champ, dit le geôlier.

Étendue sur la paille, elle ouvrit la main pour recevoir la lettre. Celle-ci ne portait aucune formule de politesse, ni au début ni à la fin, mais le papier était daté des Gardes à Whitehall, le 7 février 1814. Le message était bref :

« Il a plu à Sa Majesté d'accorder à George Noël Clarke, une commission au 17e Dragons Légers. Cette nomination partira du 17 mars, quatre semaines après le seizième anniversaire dudit officier, jour auquel le cornette Clarke devra se présenter aux ordres. »

Son Altesse Royale, le commandant en chef, s'était rappelé sa promesse.

CHAPITRE VI

Elles déménageaient continuellement. Aucun logis ne les abritait longtemps. Une agitation sans fin lui remplissait le cœur et l'esprit – ce qu'Ellen appelait « l'éternelle insatisfaction de Mère –, de sorte qu'une fois de plus on fermait et cordait les malles, on remplissait les caisses, et que toutes trois repartaient en un nouveau pèlerinage vers quelque inaccessible Eldorado. Bruxelles aujourd'hui, Paris demain, ou bien, le désir la prenant de quelque lieu encore inconnu, elles roulaient le long des routes poussiéreuses de France, cahotées dans une diligence aux fenêtres fermées, le visage avide de Mary Anne, plus enthousiaste que ses filles, pressé contre la vitre.

« Hôtel de la Toison d'or, c'est là que nous descendons », uniquement parce que la place aux gros pavés avait un air mystérieux, que des femmes lavaient leur linge dans un ruisseau, et que des paysans en vêtements bleu de cobalt montraient d'éclatants sourires dans leurs visages brûlés par le soleil. Non loin, un château se dressait sur une colline, résidence de quelque baron ou d'un comte un peu défraîchi à qui l'on pourrait rendre visite et qui serait peut-être amusant, car elle ne se laissait démonter par rien, pas plus par le protocole français que par un autre et, sa carte de visite à la main, se présentait hardiment à l'étranger le moins affable.

Ses filles souffraient, les yeux baissés, muettes d'orgueil blessé, tandis que leur mère parlait d'abondance un français d'origine inconnue, à l'accent impeccable, et à la grammaire défectueuse, accompagné de force gestes.

« Ravie de faire votre connaissance, monsieur ! » Et le monsieur de s'incliner, beaucoup moins ravi. Son château, jusqu'ici impénétrable sauf à quelques tantes vieilles filles et à un vénérable curé, se trouvait soudain livré sans défense à des yeux perçants qui parcouraient ses salles et chiffraient ses objets d'art. Cependant, la honte de ses filles ulcérées atteignait à son comble lorsqu'elle leur soufflait derrière sa main, un aparté de théâtre : « Un veuf ! Cela pourrait faire l'affaire d'une de vous. »

Plombières-les-Bains, Nancy, Dieppe, villes d'eaux choisies au hasard sur la carte, à cause d'un propos entendu deux ans auparavant, oublié et revenu soudain à la mémoire.

– Mais qui donc habite Nancy ? Le marquis de Videlange ? Un être absolument exquis, à côté de qui je me suis trouvée un soir à souper et qui n'a pas prononcé une seule fois les mots : ancien régime. Nous irons le voir.

Mary et Ellen échangeaient un regard d'horreur et s'écriaient :

– Mais, maman, c'est impossible, il découvrira qui vous êtes.

– Et quand bien même, chéries ? Ce n'en sera que plus amusant.

Les vieux mots d'esprit, les anecdotes usées sortaient alors, le récit des scandales d'autrefois, les fêtes et les folies, la vie de Londres, vingt ans auparavant, un monde révolu et dont se souvenaient à peine les deux jeunes filles à la mémoire assombrie par une image de murs de prison, par des horreurs indescriptibles, par une créature diaphane qui ne pouvait pas se tenir debout, dont les yeux vitreux regardaient autour d'elle sans paraître rien reconnaître, une créature qu'on venait de sortir de l'enfer.

Était-il vrai, comme les docteurs l'avaient dit à oncle Bill, que la pensée supprimait ce qu'elle redoutait de se rappeler ? Ou bien ne parlait-elle jamais de ces sombres mois parce qu'il lui en souvenait trop bien et pour épargner ses filles ? Celles-ci, même entre elles, n'y faisaient jamais allusion, et, lorsque leur mère se lançait dans un récit du passé, racontant ses histoires favorites, se moquant de la Cour d'une époque évanouie, la crainte les raidissait parfois. Que se passerait-il si un étranger indiscret touchait soudain à leur secret et murmurait le mot « emprisonnement » ; les digues se rompraient-elles alors, libérant des îlots troubles de souvenirs ?

Mieux valait céder à ses caprices, courir le continent en quête de nouveaux décors et d'expériences inconnues. L'on passait un été ici, un hiver ailleurs. « On ne sait jamais », disait-elle à ses filles… Un grand d'Espagne pourrait être séduit par les yeux de Mary, ou un prince russe répandre des roubles sur les genoux d'Ellen.

En route donc ! D'hôtel en appartement garni, la vie vagabonde continuait, dévorant leurs trois pensions jusqu'au dernier sou. Déménagements à la cloche de bois, notes souvent impayées, reliques du passé sorties de leur cachette et monnayées, bagues passant d'une main à l'autre, bracelets vendus, marchés sordides conclus avec des bijoutiers sceptiques.

– Je vous assure que ce collier a appartenu à la reine Charlotte.

– Madame, je regrette infiniment…

– Combien en offrez-vous ?

Cinquante louis ! Cinquante louis pour un collier qui en valait cinq cents ! Les Français étaient une race de voleurs, l'écume de la terre, ils ne se lavaient jamais, leurs maisons sentaient mauvais. Mais une fois dans la rue, l'argent était compté d'une main rapide, l'on faisait tinter les écus pour s'assurer qu'ils n'étaient point faux, puis, un sourire, un geste de la main agitant l'ombrelle pour appeler un fiacre et rentrer chez elles. Chez elles, était, à ce moment, un petit hôtel à « prix modérés » dans le faubourg Poissonnière.

– Chéries, nous voici de nouveau riches, dépensons tout !

L'on commandait des robes, l'on donnait un dîner, on louait, pour deux mois un appartement meublé.

– Mais maman, nous n'en avons pas les moyens !

– Qu'importe !

Les Français n'étaient plus des voleurs ni l'écume de la terre mais des anges aux yeux attendris tout à sa dévotion. L'histoire de sa vie était aussitôt racontée à la concierge, ses aventures amoureuses discutées avec la femme de chambre. Paris était la seule ville du monde où il faisait bon vivre, jusqu'au moment où, l'argent dépensé, elles se remettaient en route. Mais toujours pas de grand d'Espagne, ni de prince russe pour la maladive Mary ou l'intellectuelle Ellen. Elle les voyait condamnées au célibat et les appelait « mes vierges et vestales », amusant les amis de hasard et les vieilles relations mais effarouchant les gendres possibles. George, devenu très guindé, la désapprouvait.

– Les filles ne se marieront jamais si vous ne vous fixez pas quelque part. Paris n'est d'ailleurs pas la résidence qu'il vous faut.

Je n'aime pas ces vagabondages perpétuels de trois femmes seules.

Dominée par son fils, elle le regardait d'un œil adorateur. Qu'il était beau dans son élégant uniforme! Il était toujours l'officier le plus distingué de son régiment! « Mon fils est au 17e Lanciers. Il fait une très belle carrière. Capitaine à vingt-sept ans. » Mais ce qui lui plaisait le plus, pour l'instant, c'était son indifférence envers les femmes. Point de haïssable bru avec qui partager ses permissions. Sa mère régnait seule sur sa vie. Pourvu que cela durât.

Mais les filles… Elle continuait à espérer des aristocrates anglais ou des étrangers millionnaires, ou tout simplement des hommes. (Ils finirent par se présenter : un certain Bowles qui aima Mary et l'abandonna et, pour Ellen, un Français léger appelé Busson du Maurier.)

L'ennui c'est que, sa jeunesse passée, Mary Anne déracinée, exilée en terre étrangère, avait beau se plonger dans le présent, s'intéresser activement aux événements du jour, suivre la ronde des saisons, donner des réceptions, écrire à des amis, ses pensées retournaient toujours au passé.

Je me rappelle… Elle s'arrêtait. Les souvenirs assommaient la jeunesse. Qui cela intéressait-il de savoir qu'à Vauxhall les dandies se mettaient sur la pointe des pieds pour la regarder passer? Qu'importait qu'une foule enthousiaste eût escaladé les roues de sa voiture dans la cour du Palais, et qu'elle eût triomphé à la Chambre des communes, seule femme contre un monde d'hommes? Il valait mieux faire oublier tout cela, lui avait dit George. Tout le monde était très discret dans son régiment; pourquoi ne pas jeter un voile sur le passé? Elle accepta le conseil. Mais parfois, seule dans son lit, une étrange nostalgie l'envahissait et, abattue par le silence où une horloge égrenait la nuit de Boulogne, elle songeait : « Plus personne ne se soucie de moi. Le monde que j'ai connu n'est plus. Nous voici à demain. »

Tout était-il vraiment perdu? Ne restait-il rien? Aucuns fragments épars du passé ne demeuraient-ils accrochés dans quelque coin sombre pour que d'autres mains les rassemblassent un jour? Un instant, son frère Charley était un gamin pendu à ses jupes dans l'impasse de Bowling Inn; un instant plus tard, une facture de soixante-dix livres lui parvenait dans la lettre d'un homme de loi :

« Chère Madame, ci-inclus la note des dépenses pour prouver le décès et l'identité de Charles Farquhar Thompson. »

Lequel des deux était Charley, connu, aimé ? Et quel rapport y avait-il entre un corps défiguré trouvé au bord de la Tamise et un petit garçon ?

Bill était venu la chercher à la prison. Il lui tenait les mains. Il avait tout arrangé pour son passage en France. Toujours pareil à lui-même, toujours constant, il disait : « Si vous avez besoin de moi, dites-le-moi, j'accourrai sur-le-champ. » A quoi bon de telles paroles, alors qu'il ne pouvait pas les nourrir ? Et voilà que Bill, si solide, si fidèle, était devenu : « Votre défunt ami qui nous a été arraché de façon si soudaine… Estimé de tous… La ville d'Uxbridge… Les obsèques… » Où étaient à présent l'inépuisable tendresse, l'inépuisable patience ? Parties avec « le cher défunt » pour sa dernière demeure, ou bien toujours autour d'elle dans l'ombre, impérissables ?

– Mère se teint les cheveux. Elle a tort.

– Ça lui donne l'air vulgaire. George devrait l'en empêcher.

– Une femme doit vieillir gracieusement, accepter son âge.

Elle surprit cette conversation entre Mary et Ellen. Mais qu'était-ce la grâce et quand était-on vieille ? Les matins avaient toujours le même parfum frais et excitant, et la mer à Boulogne étincelait comme jadis à Brighton. Elle quittait ses souliers, sentait le sable sous ses pieds nus, l'eau entre ses orteils. « Mère ! » s'écriaient les vierges et vestales accourues en agitant leurs ombrelles… Mais c'était cela, la vie, cette exultation soudaine, cette joie sans cause qui vous animait le sang, à huit ans comme à cinquante-deux. Cela s'emparait d'elle à présent comme toujours, flot ardent, griserie. Ce moment compte. Ce moment et pas un autre. La grande rue de Boulogne est Ludgate Hill, Brighton Crescent, Bond Street au matin. Elle sortait et s'achetait un chapeau, place du marché, une corbeille de poires ou une pelote de ficelle brillante. L'important, c'étaient les gens, les gens et leurs visages.

Ce vieux avec une béquille, cette femme qui pleurait, cet enfant à la toupie, ces amoureux souriants, ils faisaient tous partie d'un univers familier, partagé, présent à son souvenir, d'un dessin richement coloré, où elle se reconnaissait. L'enfant qui tombait du trottoir, c'était elle, et la jeune fille aussi qui faisait des signes à sa fenêtre. « Voilà ce que je fus. J'ai été tous ceux-là. » Cœur angoissé, soudain éclat de rire, larmes de colère, gonflement de désir…

La vie était une aventure, aujourd'hui encore. Oublions demain et les heures solitaires. Le courrier apporterait peut-être ce matin une lettre d'Angleterre, des nouvelles d'Angleterre, des journaux anglais. Peut-être quelqu'un passerait-il la voir, en route vers Paris. « Que se passe-t-il ? Qu'est-ce qu'on raconte ? Quel est le dernier scandale ? Est-ce vrai ? Et ça continue ? A-t-il beaucoup vieilli ? Mais, je me rappelle… » Retour au passé, une fois de plus à la vie révolue, aux jours qui furent. « Comme on s'amusait ! Comme l'été semblait long ! » Et ainsi, jusqu'à près de minuit, où le visiteur regardait l'horloge et allait prendre le coche pour Paris.

Un étrange sentiment de vide descendait en elle lorsqu'il était parti, mêlé de perplexité, de surprise. La dernière fois qu'elle l'avait vu, il était mince et gai, l'œil ardent, elle l'avait retrouvé ce soir épaissi, la nuque large, les cheveux grisonnants. Que s'était-il passé ? Il manquait un anneau à la chaîne. Ce célibataire vieillissant n'était pas le jeune homme qu'elle avait connu. Tous ses amis et contemporains étaient-ils aussi lourds, lents, pontifiants ? La vivante étincelle s'était-elle éteinte avec les années ? S'il en était ainsi, mieux valait être soufflée comme une bougie, mouchée en un instant, perdue dans l'air vide. Jeter sa lumière, son éclat, pendant un instant bref et charmant, puis s'éteindre, disparaître…

Un matin de janvier, les journaux arrivèrent d'Angleterre, encadrés de noir. Mary et Ellen, vives et intuitives, auraient voulu les lui cacher pour lui éviter une émotion, et s'épargner à elles-mêmes un de ces brusques changements d'humeur qu'elles connaissaient et redoutaient. Ce fut inutile. Les yeux inquisiteurs avaient vu l'impression noire et deviné ce qu'elle annonçait. Elle avait entendu des bruits qui laissaient présager la nouvelle, mais celle-ci ne l'en atteignit pas moins vivement. Elle monta à sa chambre, et, là, la porte fermée à clef, déplia le *Times*.

« 5 janvier 1827.

« Hier soir, à neuf heures dix, Son Altesse Royale Frédéric, duc d'York et d'Albany, est décédée à Rutland House, Arlington Street, dans sa soixante-quatrième année. »

C'était tout. Elle se rappelait comment, jadis, elle parcourait cette page pour y trouver quelque brève mention de son programme du jour. « Son Altesse Royale, le commandant en chef, a inspecté aujourd'hui le 14e Dragons Légers, et, plus tard dans la soirée, s'est rendue auprès de Sa Majesté, et, plus tard, encore, ajoutait-elle en riant, auprès de Mrs M. A. Clarke, Gloucester Place. Elle avait des douzaines de cahiers remplis de ces coupures de journaux, agrémentées de commentaires de sa plume fort grivoise.

Elle chercha la conclusion de l'article nécrologique, le jugement final :

« Le défunt prince avait un aimable caractère qui l'avait rendu populaire au cours de sa vie et le fera généralement regretter. Il était ce qu'on appelle un bon vivant. Il aimait le vin, la comédie, et possédait d'autres goûts auxquels il cédait malheureusement trop souvent, et dont l'habitude est plus compatible avec d'autres états qu'avec celui de prince.

« Outre l'attachement du duc d'York pour les plaisirs de la table, et du jeu, aux courses et ailleurs, et pour un autre ordre de distractions immorales qu'il n'est pas besoin de nommer ici, Son Altesse Royale était – fort malheureusement et, disons-le, inexcusablement – insensible à la valeur réelle de l'argent. Nous nous garderions de rappeler ici la pénible enquête où les Communes d'Angleterre s'engagèrent il y a dix-sept ans, n'était, d'abord, que l'événement auquel nous faisons allusion demeurera – quoi que nous en ayons – dans notre histoire, mettant une tache sur l'œuvre de notre Parlement, et, secondement, que le résultat en fut considérablement bienfaisant pour notre armée et pour le Royaume en général. L'aigreur a cessé de clamer et l'envie d'insinuer que les promotions s'obtiennent au moyen d'intrigues secrètes et impures.

« Dans le privé, le duc d'York était fort aimé, et avec justice. Gai, affable, franc, généreux, c'était un ami cordial et sûr, capable de reconnaissance, incapable de rancune, humain et compatissant pour toutes les misères qu'il était en son pouvoir de soulager.

« Le souvenir de Son Altesse Royale demeurera longtemps cher à tous ceux qui ont à cœur l'honneur, le bien-être et l'efficacité de l'Armée britannique. »

Une édition postérieure contenait une information de plus.

« La relève de la garde du roi au palais royal de Saint James se fit dans un silence solennel, devant des milliers de spectateurs rassemblés par l'annonce du décès du duc d'York.

« L'on apprend que la dépouille mortelle du duc sera exposée pendant deux jours au palais royal de Saint James, les jeudi et vendredi 18 et 19 courant, et transportée à Windsor le lendemain pour y être inhumée dans le tombeau royal. Les honneurs seront rendus au regretté duc en sa qualité d'héritier présomptif et non de maréchal. »

Elle ne fit part de son projet ni à Mary ni à Ellen. Elles auraient essayé de l'en dissuader. Cette consigne d'éloignement de l'Angleterre imposée par les administrateurs et observée depuis sa sortie de prison n'avait plus d'importance à présent. Charley était allé tout seul jusqu'à sa tombe de suicidé, et Bill jusqu'à celle où il reposait auprès de ses parents au cimetière d'Uxbridge ; Will Ogilvie, tué d'un coup de pistolet dans le dos par une main inconnue, s'était éteint sans une prière, mais ceci était différent.

Une obstination, une fierté, foncièrement anglaises, lui firent retraverser la Manche, sous le nom de Mme Chambres, braver le ciel de plomb et la mer agitée, affecter un accent, dissimuler sous un long voile de veuve le visage que personne ne se rappelait plus.

Elle se perdit dans la foule, poussée deçà, delà, bousculée et bousculant. Il n'y avait point de service d'ordre dans Pall Hall ; chevaux cabrés, embarras de voitures, tout était confusion, vacarme et chagrin. Il y avait là dix mille personnes, vingt mille, et il en venait toujours qui refusaient de s'en retourner. Au-dessus de cet océan de têtes flottaient de sombres bannières marquées de ces mots, en lettres violettes : « A l'Ami du Soldat », portées par des soldats précédant les cadets de l'école de Chelsea, cinq cents petits garçons pâles et graves, les plus jeunes accompagnés de leurs gouvernantes en chapeaux de paille noire et robes rouges comme en portait Martha en 1805.

Elle se sentit portée vers Saint James, son châle glissait, son voile était perdu, quelqu'un glapissait dans son oreille, et l'on soulevait en l'air un enfant évanoui, suivi par un autre et un autre encore, tandis qu'une femme était écrasée sous les pas de la foule.

Quelqu'un cria derrière elle. « On va fermer les portes… Nous n'entrerons jamais ! » Émotion, bousculades, têtes qui se tournent de tous côtés, corps hésitants. « Avancez… Reculez… On va faire appeler la garde… » Elle continuait de lutter pour se frayer un chemin. Son châle lui avait été arraché, elle avait perdu un soulier, elle s'en moquait, résolue, entêtée. « Eh bien, qu'on l'appelle ! »

Elle parvint enfin dans la cour de Saint James, se poussa jusqu'à l'escalier. Les marches montaient entre une double haie de gardes et de soldats, crêpe au chef et aux hallebardes, crêpe aux épées.

La foule était devenue étrangement grave et recueillie. Le silence régnait dans le palais de Saint James. L'appartement de parade était faiblement éclairé par des cierges. Elle se trouva tout à coup devant son épée, posée sur le catafalque avec sa couronne et son bâton. Ces derniers objets étaient des attributs de parade, symboles de son état ; l'épée était un objet personnel, elle appartenait à l'homme qu'elle avait connu.

Elle songea : « Je la tenais dans mes mains » et s'étonna de la reconnaître, car elle avait ici quelque chose d'imposant à la lueur des cierges, un aspect austère, étrangement solitaire et insolite.

Elle l'entendait frapper les marches à l'heure du petit déjeuner, ou tinter dans le vestibule. Elle entendait le bruit qu'elle faisait lorsqu'il la posait ; elle la voyait, lancée à Ludovic pour qu'il l'astiquât ou bien appuyée debout au mur du cabinet de toilette, ou encore sortie du fourreau pour que George l'admirât. Elle n'était pas à sa place sur ce drap mortuaire. L'épée appartenait à la vie et non au deuil.

Là étaient ses décorations, là, le ruban de la Jarretière, mais quelqu'un la poussa et elle ne pouvait pas revenir en arrière. Il y avait trop de gens derrière, la pressant d'avancer et de descendre l'escalier, parmi des centaines d'autres gens. Un regard à son épée, et ç'avait été tout. Quel étrange adieu !

Elle se retrouva dehors, poussée par la foule dans la direction de Charing Cross. Elle songea : « Et maintenant ? J'ai fait ce que j'étais venue faire. Je n'ai plus de raison de rester. La visite est terminée. »

Elle alla s'asseoir sur les marches de l'église Saint Martin, entourée d'hommes grommelant et de femmes fatiguées, d'enfants pleurant pressés contre ses genoux, tous serrés les uns contre les autres pour se tenir chaud et s'abriter des bourrasques et de la pluie qui commençait à tomber à torrents.

Une femme à son côté lui offrit du pain et du fromage, et un homme une gorgée de bière. « A la santé de tout le monde », dit-elle. Quelqu'un rit. Le soleil brilla tout à coup et une femme se mit à chanter. Elle songea à ses vierges et vestales restées à Boulogne, à George, martial et guindé, mais ils perdirent soudain toute réalité, et George lui-même. Elle était de retour chez elle, au cœur de Londres.

– Vous venez de loin ? lui demanda son voisin en suçant une orange.

– Non, du coin, dit-elle. Impasse de Bowling Inn.

Les cloches de Saint Martin se mirent à sonner le glas. Elle restait assise là, mangeant son pain et son fromage dont elle jetait la croûte aux pigeons, et elle regardait des milliers de passereaux s'éparpiller dans le ciel.

PHÉBUS
libretto

des livres au format de poche
faits pour durer

Cet ouvrage
réalisé pour le compte des Éditions Phébus
a été mis en pages par In Folio,
reproduit et achevé d'imprimer
en février 2000
dans les ateliers de Normandie Roto Impressions S.A.
61250 Lonrai
N° d'imprimeur : 00-0137

ISBN : 2-85940-617-4
ISSN : 1285-6002
Dépôt légal : mars 2000